CB061443

O GRANDE IRMÃO ESTÁ OBSERVANDO VOCÊ

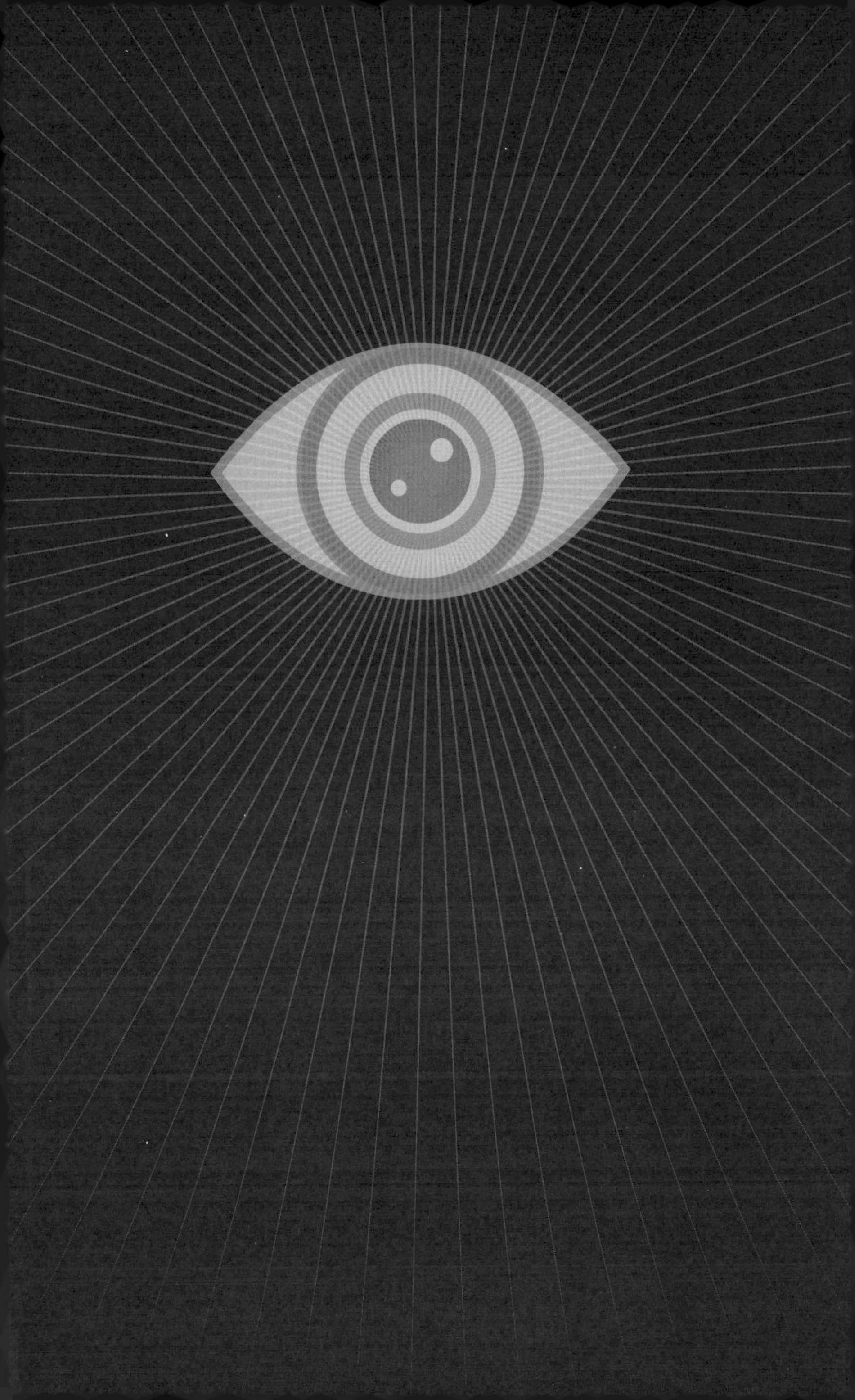

Todos os direitos reservados
Copyright © 2021 by Editora Pandorga

Direção Editorial
Silvia Vasconcelos

Produção Editorial
Equipe Editora Pandorga

Tradução
Juliana Garcia

Revisão
Henrique Tadeu Malfará de Souza

Capa e Projeto Gráfico
Lumiar Design

Texto de acordo com as normas do Novo Acordo Ortográfico da Língua Portuguesa
(Decreto Legislativo nº 54, de 1995)

Dados Internacionais de Catalogação na Publicação (CIP)
Elaborado por Vagner Rodolfo da Silva - CRB-8/9410

O79m	Orwell, George
	1984 / George Orwell ; traduzido por Juliana Garcia. - Cotia, SP : Editora Pandorga, 2021. 504 p. : il. ; 14cm x 21cm.
	Inclui bibliografia e índice. ISBN: 978-65-5579-062-7
	1. Literatura inglesa. 2. Ficção. I. Garcia, Juliana. II. Título.
2020-3129	CDD 823.91 CDU 821.111-3

Índice para catálogo sistemático:
1. Literatura inglesa : Ficção 823.91
2. Literatura inglesa : Ficção 821.111-3

2021
IMPRESSO NO BRASIL
PRINTED IN BRAZIL
DIREITOS CEDIDOS PARA ESTA EDIÇÃO À
EDITORA PANDORGA
AVENIDA SÃO CAMILO, 899
CEP 06709-150 - GRANJA VIANA - COTIA - SP
TEL. (11) 4612-6404

www.editorapandorga.com.br

GEORGE ORWELL

1984

PandorgA

SUMÁRIO

APRESENTAÇÃO...(11)

1984

PARTE 1..(17)

PARTE 2..(177)

PARTE 3..(363)

APÊNDICE...(479)
Os Princípios da Novilíngua

O AUTOR...(501)

Apresentação

"Guerra é paz. Liberdade é escravidão. Ignorância é força."

Escrever uma apresentação para 1984 não é uma tarefa fácil. O romance distópico de George Orwell, publicado pela primeira vez em 1949, é, com certeza, um dos livros mais significativos e atemporais da literatura mundial.

A história segue a vida de Winston Smith, um membro de baixo escalão do "Partido", que está frustrado com os olhos onipresentes do governo e seu sinistro líder, o Grande Irmão. O Partido controla o que as pessoas leem, pensam, dizem e fazem. Foi criado, inclusive, o conceito de "Crime de Pensamento" para impedir que as pessoas pensassem em coisas além das que o Partido as permitia. Até mesmo a língua passou por um processo de revisão, na tentativa de eliminar completamente qualquer tipo de rebelião política. O passado não só pode ser negado, como também destruído: a partir do momento que uma notícia é revisada ou destruída, os fatos mudam e qualquer acontecimento deixa de existir.

Para Winston Smith, entretanto, parece-lhe claro que o Partido induz todos a rejeitarem as evidências diante de seus olhos e ouvidos e ele jura, no início do livro, defender o que é óbvio e verdadeiro: o mundo sólido existe, as pedras são duras, a água é molhada. "Liberdade" para ele significa poder dizer que "dois mais dois são quatro", embora o Partido o force a concordar que "dois mais dois são cinco".

Orwell provavelmente já tinha em mente o romance que se tornaria *1984* em 1944, quando escreveu uma carta sobre Stalin e Hitler, e "os horrores do nacionalismo emocional e uma tendência a descrer da existência da verdade objetiva, uma vez que todos os fatos precisavam se adequar às palavras e profecias de algum *führer* infalível".

O autor explora com maestria os temas de controle das massas, vigilância do governo, totalitarismo e ilustra como um ditador pode manipular e controlar a história, pensamentos e vidas de tal forma que ninguém pode escapar.

Talvez a noção mais assustadora de *1984* seja a de que uma nação inteira pode perfeitamente ficar sob o controle de um Estado totalitário. O mundo poderia facilmente se tornar um lugar onde a realidade é distorcida e cruel, onde cada palavra, movimento e respiro estão sendo observados e julgados, sob a ameaça de pena de morte.

Mas não é necessário imaginar um futuro longe e abstrato.

Não surpreendentemente, *1984* parece muito atual na era "pós-verdade" em que vivemos, um momento em que as notícias falsas e as desinformações tomam conta da internet. As notícias parecem ser validadas ou invalidadas de acordo com interesses pessoais e muitos não hesitam em negar acontecimentos passados que poderiam ser facilmente comprovados. A verdade, ao que parece, não é uma questão de fatos, mas de interesse.

Winston é o símbolo dos valores da sociedade civilizada e sua trajetória é um lembrete pungente da vulnerabilidade de tais valores em meio a Estados todo-poderosos e disputas por poder: a obra de Orwell destaca a importância de se manter os olhos abertos e resistir às tentativas de controle de massa e à opressão. *1984* é mais que um romance, é um aviso para os seres humanos.

1984

1

Era um dia claro e frio de abril, e os relógios marcavam treze horas em ponto. Winston Smith, com o queixo aninhado em seu peito tentando escapar do vento vil, passou depressa pelas portas de vidro das Mansões Victory, embora não rápido o suficiente para evitar que uma lufada de poeira arenosa entrasse com ele.

O corredor cheirava a repolho cozido e tapetes velhos. Numa das extremidades, havia um pôster colorido, grande demais para ficar exposto em ambientes fechados. Nele, um rosto simplesmente enorme, com mais de um metro de largura: o rosto de um homem de cerca de quarenta e cinco anos, com um grande bigode preto e traços rudemente agradáveis. Winston foi até as escadas. Era inútil tentar usar o elevador. Mesmo nas melhores épocas, funcionava muito raramente, e, naquele momento em especial, a eletricidade havia sido cortada enquanto ainda havia luz do sol. Era parte da movimentação da economia na preparação para a Semana do Ódio. O apartamento ficava no sétimo andar, e Winston, que tinha trinta e nove anos e uma úlcera varicosa acima de seu tornozelo direito, foi subindo lentamente, descansando diversas vezes no caminho. Em cada parada, oposto ao poço do elevador, o pôster com o rosto enorme o observava da parede. Era uma daquelas imagens que são tão artificiais que os olhos parecem lhe seguir quando você se mexe. O Grande Irmão está observando você, estava escrito abaixo da imagem.

No interior do apartamento, uma voz leve lia em voz alta uma lista de números que tinham algo a ver com a produção de ferro-gusa. A voz vinha de uma chapa longa de metal como um espelho embaçado que formava parte da superfície da parede direita. Winston ligou um interruptor e a voz se abafou um pouco, embora as palavras ainda fossem distinguíveis. O instrumento — a teletela, como era conhecida –, podia ser regulada, mas não havia nenhuma forma de desligá-la completamente. Ele se aproximou da janela: era uma criatura pequena e frágil, e a magreza de seu corpo era enfatizada meramente pelos macacões azuis que compunham o uniforme do partido. Seu cabelo era muito claro, seu rosto naturalmente avermelhado, sua pele áspera de tanto usar sabão grosso, lâminas de barbear cegas e o frio do inverno que acabara de terminar.

Lá fora, mesmo através da vidraça fechada, o mundo parecia frio. Na rua, pequenos redemoinhos de vento lançavam poeira e papel rasgado em espirais, e, embora o sol estivesse brilhando e o céu estivesse azul, parecia não existir cor em nada, exceto nos pôsteres emplastrados em toda parte. O rosto do homem de bigode preto olhava cada canto. Havia um sobre a fronte da casa que ficava logo do outro lado. O Grande Irmão está observando você, dizia a legenda, enquanto seus olhos escuros olhavam profundamente os de Winston. No nível da rua, outro pôster, rasgado em uma esquina, balançava intermitentemente com o vento, alternadamente cobrindo e descobrindo a única palavra Socing. Ao longe, um helicóptero sobrevoava entre os telhados, pairando por um instante como uma mosca-azul, e logo disparou novamente, com um voo curvo. Era a patrulha policial, bisbilhotando as janelas das pessoas. As patrulhas não importavam muito, entretanto. Apenas a Polícia do Pensamento importava.

Atrás de Winston, a voz da teletela ainda tagarelava sobre o ferro-gusa e o excesso de satisfação do Nono Plano Trienal. Ela recebia e transmitia simultaneamente. Qualquer som que Winston fizesse, acima do nível de um sussurro muito baixo, seria captado por ela. Além disso, enquanto ele permanecesse dentro do campo de visão que a placa de metal comandava, poderia ser visto e ouvido. Não havia, naturalmente, nenhuma maneira de saber se você estava sendo observado em um determinado momento.

Era impossível saber com que frequência ou a que sistema a Polícia do Pensamento estava conectada, observando cada pessoa. Era possível, inclusive, que controlasse todo mundo o tempo todo. Mas de qualquer maneira eles poderiam se conectar a você sempre que quisessem. Você tinha que viver — um hábito que se tornava instinto — presumindo que qualquer som que fizesse estava sendo escutado e, exceto na escuridão, cada movimento examinado.

Winston continuou de costas para a teletela. Era mais seguro, embora soubesse que até as costas de alguém pudesse revelar alguma coisa. A um quilômetro dali ficava o Ministério da Verdade, o lugar onde ele trabalhava, um edifício branco e grande, elevado sobre a paisagem sem graça. Aquilo, pensou, com uma espécie de vago desgosto, era Londres, cidade principal do Faixa Aérea Um, a terceira cidade mais populosa das províncias da Oceania. Winston tentou se lembrar de algumas memórias da infância que lhe contassem se Londres sempre fora assim. Teria havido sempre essas casas do século XIX apodrecendo, os lados sustentados com pedaços de madeira, as janelas remendadas com papelão e os telhados com ferro corrugado, as loucas paredes do jardim que cedem em todos os sentidos? E os locais bombeados, onde a poeira de emplastro rodava no ar e a erva-do-salgueiro se espalhava pelos montes de entulho? E os lugares onde as bombas haviam feito um buraco maior e onde tinham surgido sórdidas colônias de moradias de madeira como galinheiros? Mas não adiantava, ele não conseguia se lembrar: nada restara de sua infância, exceto uma série de quadros iluminados contra um fundo vazio, a maioria deles ininteligíveis.

O Ministério da Verdade — Miniver, em Novilíngua[1] — era surpreendentemente diferente de qualquer outro objeto à vista. Era uma enorme estrutura piramidal de concreto branco brilhante, elevando-se, terraço após terraço, a trezentos metros de altura. De onde Winston estava era possível ler, destacados em um rosto branco em letras elegantes, os três slogans do partido:

GUERRA É PAZ
LIBERDADE É ESCRAVIDÃO
IGNORÂNCIA É FORÇA

---

1. Novilíngua era a língua oficial da Oceania. Para conhecer sobre sua estrutura e etimologia, veja o Apêndice.

Acreditava-se que o Ministério da Verdade continha três mil salas acima do nível do solo e correspondentes ramificações abaixo. Espalhados por Londres havia apenas outros três edifícios, de aparência e tamanho similares. Eles ofuscavam a arquitetura circundante de forma tão completa que, do telhado das Mansões Victory, você podia ver todos os quatro simultaneamente. Eram as sedes dos quatro Ministérios, entre os quais o governo inteiro estava dividido: o Ministério da Verdade, responsável pelas notícias, entretenimento, educação e belas artes; o Ministério da Paz, que cuidava dos assuntos da guerra; o Ministério do Amor, que mantinha a lei e a ordem; o Ministério da Abundância, que era responsável pelos assuntos econômicos. Seus nomes, em Novilíngua: Miniver, Minipaz, Miniamor e Miniabund.

O Ministério do Amor era realmente assustador. Não havia janelas nele. Winston nunca tinha estado dentro da sede, nem a meio quilômetro dela. Era um lugar impossível de entrar, exceto a negócios oficiais. Você tinha que passar por um labirinto de emaranhados de arame farpado, portas de aço e ninhos escondidos de metralhadoras. Até mesmo as ruas que levavam às barreiras externas eram cheias de guardas com jeito de gorila e uniformes pretos, armados com cassetetes articulados.

Winston se virou abruptamente. Ele havia definido em seus traços uma expressão de otimismo silencioso que era aconselhável adotar quando se olhava para a teletela. Cruzou a sala para a pequena cozinha. Ao deixar o Ministério a essa hora do dia, tinha sacrificado seu almoço na cantina, mesmo estando ciente de que não havia comida na cozinha, exceto um pedaço de pão de cor escura que tinha que ser guardado para o café da manhã do dia seguinte. Tirou da prateleira um frasco de líquido incolor com um rótulo branco liso escrito Gin Victory, que exalava um cheiro enjoativo e oleoso como o de álcool de arroz chinês. Winston se serviu de quase uma xícara de chá, preparando-se para o impacto, e engoliu o líquido como uma dose de remédio.

Instantaneamente, seu rosto ficou vermelho e água começou a escorrer de seus olhos. O líquido era como ácido nítrico e, além disso, ao engoli-lo tinha-se a sensação de ter sido atingido na nuca por um taco de borracha. No momento seguinte, porém, a queimação em sua barriga diminuiu, e o mundo começou a lhe parecer mais alegre. Ele tirou um cigarro de um maço amassado com a inscrição Cigarros Victory e, incautamente, segurou-o na vertical, fazendo com que o tabaco caísse no chão. Na tentativa seguinte, teve mais sorte. Voltou para a sala e sentou-se a uma mesinha que ficava à esquerda da teletela. Da gaveta da mesa, tirou um porta-canetas, um frasco de tinta e um livro grosso em branco em tamanho *in-quarto* com verso vermelho e capa de mármore.

Por algum motivo, a teletela da sala estava em uma posição incomum. Em vez de estar, como era normal, na parede final, onde poderia comandar toda a sala, estava na parede mais longa, em frente à janela. Ao lado dela havia uma alcova rasa na qual Winston agora estava sentado, provavelmente destinada a conter estantes de livros quando os apartamentos foram construídos. Sentando-se na alcova e mantendo-se bem afastado, Winston era capaz de permanecer fora do campo de alcance da teletela. Ele ainda podia ser ouvido, é claro, mas, enquanto permanecesse naquela posição, não podia ser visto. Em parte, foi a geografia incomum da sala que sugeriu a ele o que estava prestes a fazer.

Mas algo também havia sido sugerido pelo livro que ele acabara de tirar da gaveta. Era um livro particularmente bonito. Seu papel macio e cremoso, um pouco amarelado pelo tempo, era de um tipo que não era fabricado havia pelo menos quarenta anos. Poderia supor, entretanto, que o livro fosse muito mais velho do que aquilo. Winston o vira caído na vitrine de uma pequena loja de sucata em um bairro miserável da cidade (exatamente de que bairro ele não se lembrava agora) e fora imediatamente atingido por um desejo irresistível de tê-lo. Os membros do partido não deveriam entrar nas lojas comuns ("negociar no mercado livre", como chamavam), mas a regra não era estritamente mantida, porque havia várias coisas, como cadarços e lâminas de barbear, que eram impossíveis de se conseguir de qualquer outra maneira. Deu uma rápida olhada para cima e para baixo da rua e então entrou e comprou o livro por dois dólares e cinquenta. Na época, não tinha consciência de desejá-lo para nenhum propósito específico. Ele o carregou para casa com culpa em sua pasta. Mesmo sem nada escrito, era um objeto comprometedor.

O que Winston estava prestes a fazer era abrir um diário. Isso não era ilegal (nada era ilegal, já que não havia mais leis), mas, se detectado, era razoavelmente certo que fosse punido com a morte, ou pelo menos com vinte e cinco anos em um campo de trabalhos forçados. Winston colocou uma ponta no porta-canetas e a sugou para puxar a tinta. A caneta era um instrumento arcaico, raramente usada até mesmo para assinaturas, e ele havia conseguido uma, furtivamente e com alguma dificuldade, simplesmente devido à sensação de que o lindo papel cremoso merecia ser escrito com uma ponta de verdade em vez de ser arranhado com um lápis-tinta. Na verdade, não estava acostumado a escrever à mão. Com exceção de notas muito curtas, era comum ditar tudo para o "falar e escrever", o que era obviamente impossível para seu propósito atual. O que ele estava prestes a fazer era abrir um diário. Um tremor percorreu suas entranhas. Marcar o papel era o ato decisivo. Em pequenas letras desajeitadas, escreveu:

4 de abril de 1984.

Recostou-se. Uma sensação de total desamparo o acometeu. Para começar, ele não tinha certeza de que o ano era 1984. Devia ser algo perto disso, uma vez que tinha quase certeza de estar com trinta e nove anos, e acreditava que tinha nascido em 1944 ou em 1945; mas não era possível dizer uma data sem margem de erro de um ou dois anos.

Ocorreu-lhe, de repente: para quem estava escrevendo aquele diário? Para o futuro, para os que ainda estavam por nascer? Sua mente pairou por um momento em torno da data duvidosa na página, e, em seguida, buscou na Novilíngua a palavra duplipensar. Pela primeira vez, a magnitude do que ele estava fazendo veio-lhe à mente. Como poderia se comunicar com o futuro? Aquilo era impossível. Ou o futuro seria semelhante ao presente, caso em que não o escutariam, ou seria algo diferente disso, e sua situação não teria sentido.

Por algum tempo, ficou olhando estupidamente para o papel. A teletela mudara para uma música militar estridente. Era curioso que ele parecia não apenas ter perdido o poder de se expressar, mas até mesmo ter se esquecido do que é que pretendia originalmente dizer. Pelas semanas seguintes, ficou se preparando para aquele momento, e nunca tinha passado por sua mente que qualquer coisa seria necessária, exceto coragem. Escrever seria fácil. Tudo o que ele tinha de fazer era transferir para o papel o monólogo interminável e inquieto que vinha correndo em sua cabeça, literalmente, por anos. Naquele momento, no entanto, mesmo o monólogo tinha desaparecido. Além disso, sua úlcera varicosa começara a coçar insuportavelmente. Ele não ousou coçar, porque se o fizesse ela ficaria inflamada, como sempre. Os segundos estavam passando. Ele não tinha consciência de nada, exceto do vazio da página na frente dele, a coceira na pele acima do tornozelo, a música estridente e uma leve bebedeira causada pelo gim.

De repente, começou a escrever em puro pânico, sem saber direito o que estava anotando. Sua pequena e infantil caligrafia espalhava-se para cima e para baixo na página, mudando primeiro as letras maiúsculas e finalmente até os pontos finais:

4 de abril de 1984.
> *Ontem teve filme. Todos filmes de guerra. Um muito bom de um navio cheio de refugiados sendo bombardeado em algum lugar no Mediterrâneo. O público era entretido pelos tiros de um homem gordo enorme que tentava nadar fugindo de um helicóptero atrás dele; primeiro ele aparecia nadando longitudinalmente na água como*

uma toninha, depois você o via através dos visores das armas nos helicópteros. No momento seguinte, levou vários tiros, o mar em torno dele ficou rosa, e ele afundava de repente, como se os buracos tivessem deixado a água entrar e o público gritava de tanto rir, enquanto ele afundava. então você via um barco salva-vidas cheio de crianças com um helicóptero pairando sobre ele. tinha uma mulher de meia-idade que poderia ser judia, sentada na proa com um menininho de uns três anos nos seus braços. ele estava assustado e escondia a cabeça no peito dela como se ele estivesse tentando se esconder dentro dela e a mulher punha os braços ao redor dele e o confortava, ainda que ela mesma estivesse azul de medo e o cobria o tempo todo o máximo possível, como se achasse que seus braços pudessem protegê-lo das balas. aí o helicóptero largava uma bomba de vinte quilos bem no meio deles clarão terrível e o bote virava um monte de gravetos. depois uma tomada sensacional de um braço de criança subindo pelo ar um helicóptero com uma câmera no nariz deve ter acompanhado o braço subindo e muita gente aplaudiu nos assentos do partido, mas uma mulher sentada no meio dos proletá-

> *rios de repente começou a criar caso e a gritar que eles não tinham nada que mostrar aquilo não na frente das crianças não deviam não era direito não na frente das crianças não era até que a polícia botou ela botou pra fora acho que não aconteceu nada com ela ninguém dá a mínima para o que os proletários falam típica reação de proletário eles nunca...*

Winston parou de escrever, em parte porque já estava com cãibras. Ele não sabia o que o havia feito escrever aquele fluxo de lixo, mas o curioso é que, enquanto o fazia, uma memória totalmente diferente se clarificava em sua mente, a ponto de quase se sentir em condições de escrevê-la. Fora por causa desse outro incidente, agora ele percebia, que havia decidido repentinamente voltar para casa e começar o diário.

Acontecera naquela manhã no Ministério, se é que algo tão nebuloso de fato acontecera.

Eram quase onze da manhã. No Departamento de Registros, onde Winston trabalhava, arrastavam-se cadeiras para fora dos cubículos, que eram agrupadas no centro do corredor em frente à grande teletela, em preparação para o Dois Minutos de Ódio. Winston estava em seu lugar, em uma das fileiras do meio, quando duas pessoas que ele conhecia de vista, mas com quem nunca havia falado, entraram inesperadamente na sala. Uma delas era uma menina com quem ele frequentemente cruzava nos corredores. Não sabia o nome dela, mas sabia que ela trabalhava no Departamento de Ficção. Presumivelmente — já que às vezes a via com as mãos oleosas e carregando uma chave inglesa — ela fazia algum trabalho mecânico em uma das máquinas de escrever romances. Era uma garota de aparência ousada, de cerca de vinte e sete anos, com cabelos grossos, rosto sardento e movimentos rápidos e atléticos. Uma estreita faixa escarlate, emblema da Liga da Juventude Antissexo, estava enrolada várias vezes ao redor da cintura de seu macacão, com força suficiente para realçar a forma de seus quadris. Winston não gostou dela desde o primeiro momento em que a viu. Sabia o motivo. Era por causa da atmosfera dos campos de hóquei, dos banhos frios, das caminhadas comunitárias e da limpeza geral que ela conseguia carregar consigo. Ele não gostava de quase todas as mulheres, especialmente das jovens e bonitas. Eram sempre as mulheres, e acima de tudo as jovens, as adeptas mais fanáticas do Partido, as engolidoras de slogans, as espiãs amadoras e as bisbilhoteiras da heterodoxia. Essa garota em particular dava a ele a impressão de ser mais perigosa do que a maioria. Uma vez, quando passaram no corredor, ela lhe lançou um rápido olhar de soslaio que pareceu perfurá-lo e que por um momento o encheu de um terror macabro. Chegou a pensar que ela poderia ser uma agente da Polícia do Pensamento. Isso, era verdade, era muito improvável, mas ainda assim Winston continuou a sentir uma inquietação peculiar, uma mistura tanto de medo quanto de hostilidade, sempre que estava perto dela.

A outra pessoa era um homem chamado O'Brien, membro do Partido Interno e detentor de algum cargo tão importante e remoto que Winston tinha apenas uma vaga ideia de sua natureza. Um silêncio momentâneo tomou conta do grupo de pessoas em volta das cadeiras, quando viram o macacão preto de um membro do Partido Interno se aproximar. O'Brien era um homem grande e corpulento, com um pescoço grosso e um rosto rude, bem-humorado e brutal. Apesar de sua aparência, tinha certo charme em seu jeito. Tinha também um truque para recolocar os óculos no nariz que era curiosamente desarmado — de uma forma indefinível, curiosamente civilizado. Era um gesto que, se alguém ainda pensasse nesses termos, poderia lembrar um nobre do século XVIII oferecendo sua caixa de rapé. Winston tinha visto O'Brien talvez uma dúzia de vezes em tantos anos. Sentia-se profundamente atraído por ele, e não apenas porque ficava intrigado com o contraste entre os modos urbanos de O'Brien e seu físico de lutador. Muito mais por causa de uma crença mantida secretamente — ou talvez nem mesmo uma crença, apenas uma esperança — de que a ortodoxia política de O'Brien não fosse perfeita. Algo em seu rosto sugeria isso de forma irresistível. E, novamente, talvez não fosse nem mesmo a falta de ortodoxia que estava escrita em seu rosto, mas simplesmente sua inteligência. De qualquer forma, parecia ser uma pessoa com quem você poderia conversar se, de alguma forma, conseguisse enganar a teletela e ficar sozinho com ele. Winston nunca fizera o menor esforço para verificar essa suposição: na verdade, não havia como fazer isso. Nesse momento, O'Brien deu uma olhada em seu relógio de pulso, viu que eram quase onze e, evidentemente, decidiu ficar no Departamento de Registros até o fim do Dois Minutos de Ódio. Sentou-se na mesma fileira de Winston, a alguns lugares de distância. Uma pequena mulher de cabelos ruivos que trabalhava no cubículo ao lado de Winston estava entre eles. A garota de cabelo escuro estava sentada logo atrás.

No momento seguinte, um discurso horrível e opressor, como o de uma máquina monstruosa funcionando sem óleo, irrompeu da grande teletela no final da sala. Foi um barulho que estalou nos dentes e arrepiou os cabelos da nuca. O ódio havia começado.

Como de costume, o rosto de Emmanuel Goldstein, o Inimigo do Povo, apareceu na tela. Várias pessoas entre o público o vaiaram. A pequena mulher de cabelos ruivos deu um grito de medo e nojo misturados. Goldstein era o renegado e apóstata que uma vez, havia muito tempo (quanto tempo, exatamente, ninguém se lembrava), fora uma das principais figuras do Partido, quase no mesmo nível do próprio Grande Irmão, e então se engajara em atividades contrarrevolucionárias, tinha sido condenada à morte, escapado misteriosamente e desaparecido. A programação do Dois Minutos de Ódio variava dia a dia, mas não havia nenhuma em que Goldstein não fosse a figura principal. Era o traidor primordial, o profanador mais antigo da pureza do Partido. Todos os crimes subsequentes contra o Partido, todas as traições, atos de sabotagem, heresias, desvios, tinham surgido diretamente de seus ensinamentos. Num lugar ou outro ele ainda estava vivo e tramando suas conspirações: talvez em algum lugar além-mar, sob a proteção de seus financiadores estrangeiros, talvez até mesmo — assim se dizia ocasionalmente — em algum esconderijo na própria Oceania.

Winston contraiu o diafragma. Não conseguia encarar o rosto de Goldstein sem uma dolorosa mistura de emoções. Era um rosto judeu magro, com uma grande auréola felpuda de cabelo branco e um pequeno cavanhaque — um rosto inteligente, mas de alguma forma inerentemente desprezível, com uma espécie de tolice senil no nariz longo e fino, em cuja ponta um par de óculos ficava empoleirado. Parecia o rosto de uma ovelha, e a voz também tinha suas semelhanças. Goldstein estava lançando seu ataque venenoso de costume contra as doutrinas do Partido — um ataque tão exagerado e perverso que até uma criança podia ser capaz de perceber, e ainda assim um discurso plausível o suficiente para deixar alguém preocupado que outras pessoas, menos niveladas e com menos cabeça, pudessem ser levadas por ele. Estava abusando do Grande Irmão, estava denunciando a ditadura do Partido, exigia a conclusão imediata da paz com a Eurásia, defendia a liberdade de expressão, a liberdade de imprensa, a liberdade de reunião, a liberdade de pensamento, gritava histericamente que a revolução havia sido traída — e tudo isso em um discurso polissilábico rápido que era uma espécie de paródia do estilo habitual dos oradores do Partido. Até continha palavras em Novilíngua: mais palavras em Novilíngua, de fato, do que qualquer membro do Partido normalmente usaria na vida real. E o tempo todo, para que não se ficasse em dúvida quanto à realidade que cobria as palmas ilusórias de Goldstein, atrás de sua cabeça na teletela, marchavam as colunas intermináveis do exército eurasiano — fileiras e fileiras de homens de aparência sólida com rostos asiáticos inexpressivos, os quais nadavam até a superfície da tela e desapareciam, sendo substituídos por outros semelhantes. O som rítmico das botas dos soldados formava o pano de fundo para o balido da voz de Goldstein.

Antes que o ódio continuasse por trinta segundos, exclamações incontroláveis de raiva irromperam de metade das pessoas na sala. O rosto de ovelha-satisfeita-consigo-mesma na tela e o poder aterrorizante do exército eurasiano por trás dele eram demais para suportar: além disso, ver ou mesmo pensar em Goldstein dava medo e raiva automaticamente. Ele era um objeto de ódio mais constante do que a Eurásia ou a Lestásia, pois, quando a Oceania estava em guerra com uma dessas potências, geralmente ficava em paz com a outra. Mas o que era estranho é que, embora Goldstein fosse odiado e desprezado por todos, embora todos os dias e mil vezes por dia, nas plataformas, na teletela, nos jornais, nos livros, suas teorias fossem refutadas, esmagadas, ridicularizadas, levadas ao olhar geral pelo lixo lamentável que eram, apesar de tudo isso, sua influência parecia nunca diminuir. Sempre havia novos idiotas esperando para serem seduzidos por ele. Não se passava um dia sem que espiões e sabotadores agindo sob suas ordens não fossem desmascarados pela Polícia do Pensamento. Ele era o comandante de um vasto exército sombrio, uma rede subterrânea de conspiradores dedicados à derrubada do Estado. "A Irmandade", esse era provavelmente o nome do grupo. Também se falava que havia um livro terrível, um compêndio de todas as heresias, do qual Goldstein era o autor e que circulava clandestinamente aqui e ali. Era um livro sem título. As pessoas se referiam a ele, se o fizessem, simplesmente como O Livro. Mas só se sabia dessas coisas por meio de vagos rumores: nem a Irmandade nem O Livro eram um assunto que qualquer membro comum do Partido mencionaria se houvesse uma maneira de evitá-lo.

Em seu segundo minuto, o ódio atingiu a frenesi. As pessoas estavam pulando para cima e para baixo em seus lugares, gritando com todas as suas vozes, em um esforço para abafar o balido enlouquecedor que vinha da tela. O rosto da pequena mulher de cabelos cor de areia tinha ficado rosa-brilhante, e sua boca abria e fechava como a de um peixe pousado. Até o rosto pesado de O'Brien estava vermelho. Ele estava sentado muito ereto em sua cadeira, o peito forte inchando e tremendo como se ele estivesse se levantando contra o ataque de uma onda. A garota de cabelos escuros atrás de Winston começou a gritar "Porco! Porco! Porco!" e, de repente, pegou um pesado dicionário de Novilíngua e jogou-o na tela. O livro atingiu o nariz de Goldstein e ricocheteou; a voz continuou inexoravelmente. Em um momento de lucidez, Winston descobriu que estava gritando com os outros e batendo o calcanhar violentamente contra o degrau da cadeira. O mais horrível sobre Dois Minutos de Ódio não era que alguém fosse obrigado a representar um papel; ao contrário, era impossível evitar participar. Em trinta segundos, qualquer pretensão era sempre desnecessária. Um horrível êxtase de medo e vingança, um desejo de matar, torturar, esmagar rostos com uma marreta, parecia fluir por todo o grupo de pessoas como uma corrente elétrica, transformando alguém mesmo contra a vontade em uma careta, gritando lunático. E, no entanto, a raiva que se sentia era uma emoção abstrata e não direcionada que podia ser transferida de um objeto para outro como a chama de um maçarico. Assim, em um momento, o ódio de Winston não se voltava contra Goldstein de forma alguma, mas, ao contrário, contra o Grande Irmão, o Partido e a Polícia do Pensamento; e em tais momentos seu coração ficava com o herege solitário e ridicularizado na tela, único guardião da verdade e da sanidade em um mundo de mentiras. Mesmo assim, no instante seguinte, ele estava de acordo com as pessoas à sua volta, e tudo o que se dizia de Goldstein parecia-lhe verdade. Nesses momentos, sua aversão secreta ao Grande Irmão se transformava em adoração, e o Grande Irmão parecia se erguer, um protetor invencível e destemido, de pé como uma rocha contra as hordas da Ásia, e Goldstein, apesar de seu isolamento, seu desamparo e a dúvida que pairava sobre a sua própria existência, parecia algum feiticeiro sinistro, capaz de destruir a estrutura da civilização pelo mero poder de sua voz.

 Era até possível, em alguns momentos, mudar o ódio de alguém de um jeito ou de outro por um ato voluntário.

De repente, pelo tipo de esforço violento com o qual alguém arranca a cabeça do travesseiro em um pesadelo, Winston conseguia transferir seu ódio do rosto na tela para a garota de cabelos escuros atrás dele. Alucinações vívidas e bonitas passavam por sua mente. Ele a açoitaria até a morte com um cassetete de borracha. A amarraria nua a uma estaca e a atiraria cheia de flechas como São Sebastião. Ele a violaria e cortaria sua garganta no momento do clímax. Melhor do que antes, além disso, ele percebeu por que ele a odiava. Odiava-a porque ela era jovem e bonita e assexuada, porque ele queria ir para a cama com ela e nunca o faria, porque em volta de sua cintura doce e flexível, que parecia pedir para envolvê-la com seu braço, havia apenas a faixa escarlate odiosa, símbolo agressivo de castidade.

O ódio atingiu seu clímax. A voz de Goldstein havia se tornado um balido real de ovelha e, por um instante, o rosto mudou para o de uma ovelha. Em seguida, a face de ovelha se transformou na figura de um soldado eurasiano que parecia estar avançando, enorme e terrível, sua submetralhadora rugindo e parecendo saltar da superfície da tela, de modo que algumas das pessoas na primeira fila realmente recuaram em seus assentos. Mas no mesmo momento, puxando um profundo suspiro de alívio de todos, a figura hostil se derreteu no rosto do Grande Irmão, de cabelos negros, bigode preto, cheio de poder e calma misteriosa, tão vasto que quase enchia a tela. Ninguém ouvia o que o Grande Irmão estava dizendo. Foram apenas algumas palavras de encorajamento, o tipo de palavras que são pronunciadas no barulho da batalha, não distinguíveis individualmente, mas que restauravam a confiança pelo fato de serem faladas. Então, o rosto do Grande Irmão desbotou novamente, e, em vez disso, os três slogans do Partido se destacaram em letras maiúsculas:

GUERRA É PAZ
LIBERDADE É ESCRAVIDÃO
IGNORÂNCIA É FORÇA

Mas o rosto do Grande Irmão parecia persistir por vários segundos na tela, como se o impacto que ele causava nos olhos de todos fosse muito vívido para desaparecer imediatamente. A pequena mulher de cabelos cor de areia havia se jogado para frente, sobre as costas da cadeira à sua frente. Com um murmúrio trêmulo que soou como "Meu Salvador!", ela estendeu os braços em direção à tela. Então enterrou o rosto nas mãos. Era evidente que ela estava proferindo uma oração.

Neste momento, todo o grupo de pessoas começou a cantar um canto profundo, lento e rítmico de "GGGGG... GGG" — repetidamente, muito lentamente, com uma longa pausa entre o primeiro "G" e o segundo –, um som pesado e murmurante, de alguma forma curiosamente selvagem, em cujo fundo se parecia ouvir o bater de pés descalços e o latejar dos tom-tons. Por cerca de trinta segundos, eles continuaram assim. Era um refrão frequentemente ouvido em momentos de emoção avassaladora. Em parte era uma espécie de hino à sabedoria e majestade do Grande Irmão, mas era mais um ato de auto-hipnose, um afogamento deliberado da consciência por meio de ruído rítmico. As entranhas de Winston pareceram esfriar. Ele não podia deixar de compartilhar o delírio geral durante o Dois Minutos de Ódio, mas esse canto subumano de "GGGGG" sempre o enchia de horror. Claro que ele cantou com o resto: era impossível fazer de outra forma. Dissimular seus sentimentos, controlar seu rosto, fazer o que todo mundo estava fazendo, era uma reação instintiva. Mas houve o espaço de alguns segundos, durante o qual a expressão de seus olhos poderia tê-lo traído. E foi exatamente nesse momento que aconteceu a coisa significativa — se é que realmente aconteceu.

Momentaneamente, ele chamou a atenção de O'Brien. O'Brien havia se levantado. Ele havia tirado os óculos e estava em vias de colocá-los no nariz com o seu gesto característico, mas houve uma fração de segundo em que seus olhos se encontraram e, pelo tempo que levou para acontecer, Winston sabia — sim, ele sabia! — que O'Brien estava pensando a mesma coisa que ele. Uma mensagem inconfundível havia passado. Era como se suas duas mentes tivessem se aberto e os pensamentos fluíssem de uma para a outra através de seus olhos. "Eu estou com você", O'Brien parecia estar dizendo a ele. "Eu sei exatamente o que você está sentindo. Sei tudo sobre seu desprezo, seu ódio, sua repulsa. Mas não se preocupe, estou do seu lado!" E então o lampejo de inteligência se foi, e o rosto de O'Brien ficou tão inescrutável quanto o de todos os outros.

Isso era tudo, e ele já não tinha certeza se tinha acontecido. Esses incidentes nunca tiveram qualquer sequência. Tudo o que faziam era manter viva nele a crença, ou a esperança, de que outros além dele eram inimigos do Partido. Talvez os rumores de vastas conspirações subterrâneas fossem verdade, afinal — talvez a Irmandade realmente existisse! Era impossível, apesar das intermináveis prisões, confissões e execuções, ter certeza de que a Irmandade não era simplesmente um mito. Alguns dias ele acreditava nela, outros não. Não havia evidências, apenas vislumbres fugazes que poderiam significar qualquer coisa ou nada: fragmentos de conversas ouvidas, rabiscos fracos nas paredes do banheiro — uma vez, mesmo, quando dois estranhos se encontraram, um pequeno movimento de mão que parecia ser um sinal de reconhecimento. Era tudo adivinhação: muito provavelmente ele havia imaginado tudo. Havia voltado para o seu cubículo sem olhar para O'Brien novamente. A ideia de acompanhar seu contato momentâneo dificilmente passou por sua mente. Teria sido inconcebivelmente perigoso, mesmo se ele soubesse como começar. Por um, dois segundos, eles trocaram um olhar ambíguo, e esse foi o fim da história. Mas mesmo esse foi um acontecimento memorável, na solidão trancada em que se tinha que viver.

Winston se levantou e se endireitou. Soltou um arroto. O gim estava subindo de seu estômago.

Seus olhos voltaram a se concentrar na página. Ele descobriu que, enquanto estava sentado, meditando impotente, também tinha escrito, como se por ação automática. E não era mais a mesma caligrafia apertada e desajeitada de antes. Sua caneta havia deslizado voluptuosamente sobre o papel liso, imprimindo em grandes letras maiúsculas:

ABAIXO O GRANDE IRMÃO
ABAIXO O GRANDE IRMÃO
ABAIXO O GRANDE IRMÃO
ABAIXO O GRANDE IRMÃO
ABAIXO O GRANDE IRMÃO

uma e outra vez, preenchendo meia página.

Não pôde deixar de sentir uma pontada de pânico. Era um absurdo, já que escrever aquelas palavras em particular não era mais perigoso do que o ato inicial de abrir o diário, mas por um momento foi tentado a arrancar as páginas estragadas e abandonar totalmente o empreendimento.

Ele não o fez, porém, porque sabia que era inútil. Se ele escrevera Abaixo o Grande Irmão, ou se ele se abstivera de escrever, não fazia diferença. Se ele continuaria com o diário ou não, não fazia diferença. A Polícia do Pensamento iria pegá-lo da mesma forma. Ele havia cometido — ainda teria cometido, mesmo que nunca tivesse escrito a caneta no papel — o crime essencial que continha todos os outros em si. Crime de pensamento, era como se chamava. O crime de pensamento não era algo que pudesse ser escondido para sempre. Você poderia até se esquivar com sucesso por um tempo, até mesmo por anos, mas mais cedo ou mais tarde eles iriam te pegar.

Era sempre à noite — as prisões aconteciam invariavelmente à noite. A súbita sacudida do sono, a mão áspera sacudindo seu ombro, as luzes brilhando em seus olhos, o anel de rostos duros em volta da cama. Na grande maioria dos casos, não havia julgamento nem relatório da prisão. As pessoas simplesmente desapareciam, sempre durante a noite. Seu nome era removido dos registros, todos os registros de tudo que você fizera eram apagados, sua existência única negada e depois esquecida. Você era abolido, aniquilado: vaporizado era a palavra usual.

Por um momento, foi tomado por uma espécie de histeria. Começou a escrever com uma caligrafia apressada e desordenada:

> *Eles vão atirar em mim, eu não me importo, eles vão me dar um tiro na nuca, eu não me importo com o Grande Irmão, eles sempre atiram em você na nuca, eu não me importo com o Grande Irmão...*

Recostou-se na cadeira, um pouco envergonhado de si mesmo, e largou a caneta. No momento seguinte, levou um susto: alguém havia batido na porta.

Mas já? Ele ficou imóvel como um rato, na vã esperança de que, quem quer que fosse, fosse embora com uma única tentativa. Mas não, bateram novamente. O pior de tudo seria atrasar. Seu coração batia como um tambor, mas seu rosto, devido ao hábito antigo, provavelmente não tinha expressão. Levantou-se e caminhou arrastado em direção à porta.

2

Ao colocar a mão na maçaneta da porta, Winston viu que havia deixado o diário aberto sobre a mesa. Abaixo o Grande Irmão estava escrito por toda parte, em letras grandes o suficiente para serem legíveis de toda a sala. Foi uma coisa inconcebivelmente estúpida de se fazer, mas ele percebeu que, mesmo em seu momento de pânico, não queria manchar o papel cremoso fechando o livro enquanto a tinta ainda estava molhada.

Prendeu a respiração e abriu a porta. Instantaneamente, uma onda quente de alívio fluiu por ele. Uma mulher sem cor, de aparência abatida, com cabelos ralos e rosto enrugado, estava do lado de fora.

— Oh, camarada — ela começou a dizer, com uma voz melancólica e chorosa –, pensei ter ouvido você entrar. Você acha que poderia vir e dar uma olhada na nossa pia da cozinha? Está entupida e...

Era a Sra. Parsons, esposa de um vizinho do mesmo andar. O termo "Sra." era um tanto desacreditado pelo Partido — você deveria chamar todo mundo de "camarada" — mas com algumas mulheres o termo era usado instintivamente. Era uma mulher de cerca de trinta anos, mas parecia muito mais velha e passava a impressão de que havia poeira nas rugas de seu rosto. Winston a seguiu pelo corredor. Esses trabalhos amadores de conserto eram uma irritação quase diária. As Mansões Victory eram apartamentos antigos, construídos por volta de 1930, e estavam caindo aos pedaços. O gesso descamava constantemente dos tetos e das paredes, os canos arrebentavam a cada geada forte, o telhado vazava sempre que havia neve, o sistema de aquecimento normalmente funcionava a meio vapor quando não era totalmente fechado por motivos de economia. Os reparos, exceto o que você pudesse fazer por si mesmo, tinham de ser aprovados por comitês remotos que eram capazes de atrasar o conserto de uma vidraça por até dois anos.

— Claro que é só porque Tom não está em casa — disse a Sra. Parsons vagamente.

O apartamento dos Parsons era maior do que o de Winston e sombrio de uma maneira diferente. Tudo tinha uma aparência maltratada e pisoteada, como se o lugar tivesse acabado de ser visitado por algum grande animal violento. Roupas de esporte, bastões, luvas de boxe, uma bola de futebol estourada, um par de shorts suados virado do avesso espalhados pelo chão, e sobre a mesa uma pilha de pratos sujos e cadernos com orelhas. Nas paredes, havia faixas escarlates da Liga da Juventude e dos Espiões, e um pôster em tamanho real do Grande Irmão. Havia o cheiro de repolho cozido usual, comum a todo o edifício, mas esse era espalhado por um fedor mais forte de suor, que — sabia-se disso à primeira cheirada, embora fosse difícil dizer como — era o suor de algumas pessoas não presentes no momento. Em outra sala, alguém com um pente e um pedaço de papel higiênico tentava acompanhar a música militar que ainda saía da teletela.

— São as crianças — disse a Sra. Parsons, lançando um olhar meio apreensivo para a porta. — Elas não saíram hoje. E claro...

Tinha o hábito de interromper as frases no meio. A pia da cozinha estava cheia quase até a borda com água suja e esverdeada que cheirava pior do que nunca a repolho. Winston ajoelhou-se e examinou a junta angular do tubo. Ele odiava usar as mãos e odiava se curvar, e sempre que fazia isso começava a tossir. A Sra. Parsons o olhou, impotente.

— É claro que se Tom estivesse em casa consertaria em um instante, ele adora qualquer coisa assim. Ele é muito bom com trabalhos manuais.

Parsons era colega de trabalho de Winston no Ministério da Verdade. Era um homem gordo, porém ativo, de estupidez paralisante, uma massa de entusiasmos imbecis — um daqueles trabalhos totalmente inquestionáveis e devotos de quem, mais até do que a Polícia do Pensamento, dependia a estabilidade do Partido. Aos trinta e cinco anos, acabara de ser despejado involuntariamente da Liga da Juventude e, antes de se formar nela, conseguiu permanecer nos Espiões por um ano além da idade legal. No Ministério, fora empregado em algum cargo subordinado para o qual inteligência não era necessária, mas, por outro lado, era uma figura importante no Comitê de Esportes e em todos os outros comitês envolvidos na organização de caminhadas comunitárias, manifestações espontâneas, campanhas de poupança e atividades voluntárias em geral. Ele informaria a você com silencioso orgulho, entre o sopro de seu cachimbo, que aparecia todas as noites no Centro Comunitário nos últimos quatro anos. Um cheiro insuportável de suor, uma espécie de testemunho inconsciente da exaustividade de sua vida, seguia-o aonde quer que fosse, e permanecia no lugar depois que ele partia.

— Você por acaso tem uma chave inglesa? — perguntou Winston, mexendo na porca da junta angular.

— Uma chave inglesa — disse a Sra. Parsons, ficando um pouco torta. — Não sei, não sei. Talvez as crianças...

Houve um forte barulho de botinas, e as crianças entraram na sala. A Sra. Parsons trouxe a chave inglesa. Winston deixou sair a água e, desgostoso, removeu o coágulo de cabelo humano que havia obstruído o cano. Limpou os dedos o melhor que pôde com a água fria da torneira e voltou para a outra sala.

— Levante as mãos! — gritou uma voz selvagem.

Um belo rapazinho de nove anos, de aparência durona, surgiu de trás da mesa e o ameaçava com uma pistola automática de brinquedo, enquanto sua irmã, cerca de dois anos mais nova, fazia o mesmo gesto com um pedaço de madeira. Ambos estavam vestidos com shorts azuis, camisas cinza e lenços de pescoço vermelhos que compunham o uniforme dos espiões. Winston ergueu as mãos acima da cabeça, mas com uma sensação incômoda, tão perverso era o comportamento do menino, que não parecia totalmente uma brincadeira.

— Você é um traidor! — gritou o menino. — Você é um criminoso de pensamento! Você é um espião da Eurásia! Eu vou atirar em você, vou vaporizá-lo, vou mandá-lo para as minas de sal!

De repente, os dois estavam pulando em volta dele, gritando "Traidor!" e "Criminoso de pensamento!". A menina imitava o irmão em cada movimento. Era um pouco assustador, como as cambalhotas de filhotes de tigre que não tardam a crescer e se tornam comedores de homens. Havia uma espécie de ferocidade calculista nos olhos do garoto, um desejo bastante evidente de bater ou chutar Winston e a consciência de ser grande quase o suficiente para isso. Era um bom trabalho, não era uma pistola de verdade que ele estava segurando, Winston pensou.

Os olhos da Sra. Parsons voaram nervosamente de Winston para as crianças e vice-versa. À melhor luz da sala, ele percebeu com interesse que realmente havia poeira nas rugas do rosto da mulher.

— Eles estão muito agitados — disse ela. — Estão decepcionados porque não puderam ver o enforcamento, é isso. Estou muito ocupada para levá-los, e Tom não voltará do trabalho a tempo.

— Por que não podemos ver o enforcamento? — rugiu o menino, com sua voz feroz.

— Quero ver o enforcamento! Quero ver o enforcamento! — gritou a menina, ainda dando cambalhotas.

Winston se lembrou de que alguns prisioneiros eurasianos, culpados de crimes de guerra, seriam enforcados no parque naquela noite. Isso acontecia uma vez por mês e era um espetáculo popular. As crianças sempre pediam para serem levadas para ver. Ele se despediu da Sra. Parsons e se dirigiu até a porta, mas ainda não tinha dado seis passos no corredor quando algo atingiu sua nuca com um golpe doloroso. Fora como se um fio incandescente tivesse sido cravado nele. Winston se virou bem a tempo de ver a Sra. Parsons arrastando o filho de volta para a porta, enquanto o menino guardava uma catapulta.

— Goldstein! — berrou o menino, quando a porta se fechou na cara dele. Mas o que mais impressionou Winston foi a expressão de medo impotente no rosto acinzentado da mulher.

De volta ao apartamento, passou rapidamente pela teletela e sentou-se à mesa novamente, ainda esfregando o pescoço. A música da teletela havia cessado. Em vez disso, uma voz militar cortada lia, com uma espécie de prazer brutal, uma descrição dos armamentos da nova Fortaleza Flutuante que acabara de ser ancorada entre a Islândia e as Ilhas Faroé.

Com aquelas crianças, ele pensou, aquela mulher miserável devia levar uma vida de terror. Mais um, dois anos, e eles estariam observando-a noite e dia em busca de sintomas de heterodoxia. Quase todas as crianças hoje em dia são horríveis. O pior de tudo é que, por meio de organizações como os espiões, elas foram sistematicamente transformadas em pequenos selvagens ingovernáveis, embora isso não tivesse produzido nelas nenhuma tendência de se rebelarem contra a disciplina do Partido. Pelo contrário, adoravam o Partido e tudo o que com ele se relacionava. As canções, as procissões, os estandartes, as caminhadas, as perfurações com rifles falsos, os gritos de slogans, a adoração ao Grande Irmão — tudo era uma espécie de jogo glorioso para elas. Toda a sua ferocidade se voltava para fora, contra os inimigos do Estado, contra os estrangeiros, traidores, sabotadores, criminosos mentais. Era quase normal para pessoas com mais de trinta anos ter medo dos próprios filhos. E tinham razões para isso: não se passava uma semana em que o Times não trazia um parágrafo descrevendo como algum pequeno espreitador — "herói infantil" era a frase geralmente usada — tivesse ouvido alguma observação comprometedora e denunciado seus pais à Polícia do Pensamento.

A dor da bala da catapulta havia passado. Winston pegou a caneta sem muito ânimo, perguntando-se se poderia encontrar algo mais para escrever no diário. De repente, começou a pensar em O'Brien novamente.

Anos atrás — quanto tempo fazia? Devia fazer uns sete anos — ele sonhara que estava andando por um quarto escuro como breu e alguém sentado ao lado dele lhe disse quando ele passou: "Nos encontraremos num lugar onde não haja escuridão". Fora dito muito baixinho, quase casualmente — uma declaração, não um comando. Ele caminhava sem parar. O curioso é que na hora, no sonho, as palavras não o tinham impressionado muito, só mais tarde e aos poucos pareceram adquirir significado. Ele agora não conseguia se lembrar se fora antes ou depois de ter o sonho que vira O'Brien, nem se lembrava de quando identificou a voz dele pela primeira vez; de qualquer forma, a identificação existia. Fora O'Brien quem falara com ele no escuro.

Winston nunca fora capaz de se decidir — mesmo depois do flash dos olhos daquela manhã, ainda era impossível ter certeza se O'Brien era seu amigo ou inimigo, mas isso nem parecia importar muito. Havia um vínculo de compreensão entre eles, mais importante do que afeto ou partidarismo. "Nos encontraremos num lugar onde não haja escuridão", dissera ele. Winston não sabia o que isso significava, apenas que, de uma forma ou de outra, se tornaria realidade.

A voz da teletela fez uma pausa. Uma chamada de trombeta, clara e bela, flutuou no ar estagnado. A voz continuou rouca:

— Atenção! Sua atenção, por favor! Um flash chegou neste momento da frente de Malabar. Nossas forças no Sul da Índia obtiveram uma vitória gloriosa. Estou autorizado a dizer que a ação que estamos relatando agora em 22 de maio vai trazer a guerra a uma distância mensurável de seu fim. Aqui está a notícia...

"Más notícias chegando", pensou Winston. E com certeza, seguindo uma descrição sangrenta da aniquilação de um exército eurasiano, com números estupendos de mortos e prisioneiros, veio o anúncio de que, a partir da semana seguinte, a provisão de chocolate seria reduzida de trinta para vinte gramas.

Winston arrotou novamente. O efeito do gim estava passando, deixando uma sensação de desânimo. A teletela — talvez para comemorar a vitória, talvez para afogar a memória do chocolate perdido — caiu em "Oceania, isto é por ti". As regras diziam que ele deveria estar de pé, em posição de sentido; no entanto, em sua posição atual, estava invisível às câmeras.

"Oceania, isto é por ti" deu lugar a uma música mais leve. Winston foi até a janela, de costas para a teletela. O dia ainda estava frio e claro. Em algum lugar distante, uma bomba-foguete explodiu com um rugido reverberante. Cerca de vinte ou trinta delas por semana estavam caindo em Londres no momento.

Na rua, o vento balançava o pôster rasgado de um lado para outro, e a palavra Socing apareceu intermitentemente e desapareceu. Socing. Os princípios sagrados do Socing. Novilíngua, duplipensar, a mutabilidade do passado. Ele se sentia como se estivesse vagando nas florestas do fundo do mar, perdido em um mundo monstruoso onde ele próprio era o monstro. Estava sozinho. O passado estava morto, o futuro era inimaginável. Que certeza ele tinha de que uma única criatura humana viva agora estava do seu lado? E como saber que o domínio do Partido não duraria para sempre? Como se o respondessem, os três slogans no rosto branco do Ministério da Verdade se voltaram a ele:

> GUERRA É PAZ
> LIBERDADE É ESCRAVIDÃO
> IGNORÂNCIA É FORÇA

Winston tirou uma moeda de vinte e cinco centavos do bolso. Também ali, em letras minúsculas e nítidas, os mesmos slogans tinham sido inscritos e, na outra face da moeda, a cabeça do Grande Irmão. Até da moeda os olhos o perseguiram. Ele estava lá: em moedas, em selos, em capas de livros, em faixas, em cartazes e nas embalagens de um maço de cigarros — em toda parte. Sempre os olhos o observando e a voz o envolvendo. Dormindo ou acordado, trabalhando ou comendo, dentro de casa ou ao ar livre, no banheiro ou na cama — não havia como escapar. Nada era privado, exceto alguns centímetros cúbicos dentro de seu crânio.

O sol havia mudado, e as miríades de janelas do Ministério da Verdade, sem a luz brilhando mais sobre elas, pareciam sombrias como as brechas de uma fortaleza. Seu coração estremeceu diante da enorme forma piramidal. O edifício era muito forte, não poderia ser atacado. Mil bombas-foguetes não o derrubariam. Winston se perguntou novamente para quem ele estava escrevendo o diário. Para o futuro, para o passado — para uma época que pode ser imaginária? Diante dele não estava a morte, mas a aniquilação. O diário seria reduzido a cinzas, e ele próprio a vapor. Apenas a Polícia do Pensamento leria o que ele havia escrito, antes de apagá-lo da existência e da memória. Como poderia apelar para o futuro se nenhum vestígio seu, nem mesmo uma palavra anônima rabiscada em um pedaço de papel, poderia sobreviver fisicamente?

A teletela mostrou que eram 14 horas. Deveria sair em dez minutos: tinha de estar de volta ao trabalho às 14h30.

Curiosamente, o soar da hora parecia ter lhe dado um novo ânimo. Era um fantasma solitário proferindo uma verdade que ninguém jamais ouviria, mas, enquanto ele pronunciava aquelas palavras de alguma forma obscura, a continuidade não era rompida. Não foi se fazendo ouvir, mas se mantendo são, que se carregou a herança humana. Winston voltou para a mesa, mergulhou a caneta na tinta e escreveu:

> *Para o futuro ou para o passado, para um tempo em que o pensamento é livre, quando os homens são diferentes uns dos outros e não vivem sozinhos — para um tempo em que a verdade existe e o que é feito não pode ser desfeito: da era*

*da uniformidade, da era da solidão, da era do Grande Irmão, da era do **duplipensar** — saudações!*

"Ele já estava morto", refletiu. Pareceu-lhe que só agora, quando começava a formular o pensamento, dera o passo decisivo. As consequências de cada ato estavam incluídas no próprio ato. Escreveu:

*O crime de pensamento não acarreta a morte: o crime de pensamento **é** a morte.*

Agora que ele se considerava um homem morto, tornara-se importante permanecer vivo o maior tempo possível. Dois dedos de sua mão direita estavam manchados de tinta. Era exatamente o tipo de detalhe que poderia traí-lo. Algum fanático intrometido no Ministério (uma mulher, provavelmente: alguém como a pequena mulher de cabelo cor de areia ou a menina de cabelos escuros do Departamento de Ficção) poderia começar a se perguntar por que ele estava escrevendo durante o intervalo do almoço, por que ele havia usado uma velha caneta antiquada, o que ele estava escrevendo — e, em seguida, soltar alguma insinuação no local adequado. Foi ao banheiro e esfregou cuidadosamente a tinta com o sabonete castanho-escuro que raspava sua pele como uma lixa e, portanto, era ótimo para esse propósito.

Ele guardou o diário na gaveta. Era totalmente inútil pensar em escondê-lo, mas podia pelo menos ter certeza de que sua existência havia sido descoberta ou não. Um fio de cabelo nas pontas das páginas era algo óbvio. Com a ponta do dedo, pegou um grão identificável de poeira esbranquiçada e depositou-o no canto da capa, de onde certamente seria sacudido se alguém mexesse no livro.

3

Winston estava sonhando com sua mãe.

Devia ter dez ou onze anos quando sua mãe desaparecera. Era uma mulher alta, escultural, bastante silenciosa, com movimentos lentos e lindos cabelos loiros. Lembrava-se mais vagamente de seu pai: um homem moreno e magro, sempre vestido com roupas escuras elegantes (Winston lembrava-se especialmente das solas muito finas dos sapatos dele) e que ele usava óculos. Os dois deviam, evidentemente, ter sido engolidos em um dos primeiros grandes expurgos dos anos cinquenta.

No sonho, sua mãe estava sentada em algum lugar bem abaixo dele, com sua irmã mais nova nos braços. A lembrança que guardava de sua irmã era a de um bebê pequeno e fraco, sempre silencioso, com olhos grandes e vigilantes. Ambas olhavam para ele. Estavam em algum lugar subterrâneo — o fundo de um poço, por exemplo, ou uma sepultura muito profunda –, mas era um lugar que, mesmo já estando tão abaixo do lugar onde ele estava, continuava a mover-se para baixo. Estavam no salão de um navio que afundava, olhando para ele através da água escura. Ainda havia ar no salão, ainda podiam vê-lo e ele a elas, mas o tempo todo estavam afundando, nas águas verdes que em outro momento deveriam tirá-los de vista para sempre. Ele estava do lado de fora, na luz, enquanto elas eram sugadas até a morte, e elas estavam lá embaixo porque ele estava lá em cima. Todos sabiam disso, e ele podia ver isso em seus rostos, que não olhavam com reprovação, apenas com o conhecimento de que elas deveriam morrer para que ele pudesse permanecer vivo, e que isso fazia parte da inevitável ordem das coisas.

Ele não conseguia se lembrar do que havia acontecido, mas sabia em seu sonho que, de alguma forma, as vidas de sua mãe e de sua irmã haviam sido sacrificadas pela dele. Fora um daqueles sonhos que, embora mantendo o cenário onírico característico, são uma continuação da vida intelectual de uma pessoa, e em que se toma consciência de fatos e ideias que ainda parecem novos e valiosos depois de acordar. O que agora, de repente, atingiu Winston foi que a morte de sua mãe, quase trinta anos atrás, tinha sido trágica e dolorosa, de uma maneira que não era mais possível. A tragédia, ele percebeu, pertencia ao passado, a uma época em que ainda havia privacidade, amor e amizade, e quando os membros de uma família ficavam lado a lado sem precisar saber o motivo. A memória de sua mãe rasgava seu coração porque ela morreu amando-o, quando ele era muito jovem e egoísta para amá-la de volta, e porque, de alguma forma, ele não lembrava como, ela havia se sacrificado por uma concepção de lealdade que era privada e inalterável. Essas coisas, ele viu, não poderiam acontecer hoje. Hoje havia medo, ódio e dor, mas nenhuma dignidade de emoção, nenhuma tristeza profunda ou complexa. Tudo isso ele parecia ver nos olhos grandes de sua mãe e sua irmã, olhando para ele através da água verde, centenas de braças abaixo e ainda afundando.

De repente, Winston se encontrava deitado na grama em uma noite de verão, quando os raios oblíquos do sol douravam o solo. A paisagem que ele observava se repetia com tanta frequência em seus sonhos que ele nunca tinha certeza se a tinha visto ou não no mundo real. Em seus pensamentos acordados, chamava aquele lugar de País Dourado. Era um pasto velho, com rastros de coelho, uma trilha que vagava por ele e um pequeno monte aqui e ali. Na cerca viva irregular no lado oposto do campo, os ramos dos olmos balançavam levemente com a brisa, suas folhas apenas se mexendo em densas massas como cabelos de mulheres. Em algum lugar próximo, embora fora de vista, havia um riacho claro e lento onde os peixes nadavam nas poças d'água sob os salgueiros.

A garota de cabelo escuro estava vindo em direção a eles pelo campo. Com o que pareceu um único movimento, ela arrancou as roupas e as jogou de lado, com desdém. Seu corpo era branco e liso, mas não despertou nenhum desejo nele; na verdade, mal olhou para ela. O que o dominou naquele instante foi a admiração pelo gesto com que ela havia jogado a roupa de lado. Com sua graça e descuido, parecia aniquilar toda uma cultura, todo um sistema de pensamento, como se o Grande Irmão, o Partido e a Polícia do Pensamento pudessem todos ser varridos para o nada com um único movimento esplêndido do braço. Esse também foi um gesto pertencente à antiguidade. Winston acordou com a palavra "Shakespeare" nos lábios.

A teletela emitia um assobio ensurdecedor que continuou na mesma nota por trinta segundos. Eram sete e quinze, hora de levantar para os trabalhadores de escritório. Winston arrancou o corpo da cama — nu, pois um membro do Partido Exterior recebia apenas três mil cupons de roupas anualmente, e um conjunto de pijama custava 600 — e agarrou uma camiseta suja e um par de shorts que estavam sobre uma cadeira. Os empurrões físicos começariam em três minutos. No momento seguinte, foi tomado por um violento ataque de tosse que quase sempre o acometia logo após acordar. Esvaziou os pulmões tão completamente que ele só pôde começar a respirar novamente se deitando de costas e dando uma série de suspiros profundos. Suas veias incharam com o esforço da tosse, e a úlcera varicosa começou a coçar.

— Grupos de trinta a quarenta! — gritou uma voz feminina penetrante. — Grupos de trinta a quarenta! Tomem seus lugares, por favor. Trinta a quarenta!

Winston deu um salto em frente à teletela, onde já havia aparecido a imagem de uma mulher jovem, esquelética mas musculosa, vestida de túnica e tênis.

— Braços dobrando e esticando — ela gritava. — Me acompanhem! Um, dois, três, quatro! Um, dois, três, quatro! Vamos, camaradas, ponham um pouco de vida nisso! Um, dois, três, quatro! Um, dois, três, quatro!

A dor do acesso de tosse não havia expulsado da mente de Winston a impressão causada por seu sonho, e os movimentos rítmicos do exercício a restauraram um pouco. Enquanto ele balançava os braços mecanicamente para frente e para trás, exibindo no rosto a expressão de prazer sombrio que era considerado adequado durante as atividades físicas, ele lutava para pensar em como retroceder àquele período obscuro de sua infância. Era extraordinariamente difícil. Todas as memórias depois do final dos anos cinquenta haviam se desbotado. Quando não havia registros externos aos quais se pudesse consultar, até mesmo o esboço de sua própria vida perdia sua nitidez. Lembrava-se de grandes acontecimentos que muito provavelmente não aconteceram, dos detalhes dos incidentes sem ser capaz de recapturar sua atmosfera, e havia longos períodos em branco aos quais não se podia atribuir nada. Tudo era diferente naquela época. Até os nomes dos países e suas formas no mapa eram diferentes. A pista de Pouso 1, por exemplo, não era assim chamada na época: chamava-se Inglaterra ou Grã-Bretanha, embora Londres, ele tinha quase certeza, sempre tivesse se chamado Londres.

Winston não conseguia se lembrar de uma época em que seu país não estivesse em guerra, mas era evidente que houvera um longo intervalo de paz durante sua infância, porque uma de suas primeiras lembranças era a de um ataque aéreo que parecia levar a todos por surpresa. Talvez tivesse sido a época em que a bomba atômica caíra em Colchester. Ele não se lembrava do ataque em si, mas se lembrava da mão de seu pai segurando a sua enquanto desciam apressados, descendo em algum lugar no fundo da terra, girando em uma escada em espiral que ressoava sob seus pés e que finalmente cansava suas pernas a ponto de ele começar a choramingar, tendo que parar e descansar. Sua mãe, com seu jeito lento e sonhador, seguia um longo caminho atrás deles. Estava carregando sua irmãzinha — ou talvez fosse apenas um pacote de cobertores: ele não tinha certeza se sua irmã já havia nascido. Finalmente, emergiram em um lugar barulhento e lotado que ele percebeu ser uma estação de metrô.

Havia pessoas sentadas por todo o chão de lajes de pedra, e outras pessoas, bem juntas, sentadas em beliches de metal, um acima do outro. Winston, sua mãe e seu pai encontraram um lugar no chão, e perto deles um velho e uma velha estavam sentados lado a lado em outra cama. O velho vestia um terno escuro decente e um chapéu de pano preto puxado para trás por um cabelo muito branco: seu rosto estava escarlate e seus olhos, azuis e cheios de lágrimas. Cheirava a gim. O cheiro saía de sua pele no lugar de suor, e alguém poderia imaginar que as lágrimas que brotavam de seus olhos eram puro gim. Mas, embora estivesse ligeiramente bêbado, ele também sofria de alguma dor genuína e insuportável. Com seu jeito infantil, Winston percebeu que alguma coisa terrível, algo que estava além do perdão e nunca poderia ser remediado, havia acabado de acontecer. Também lhe pareceu que sabia o que era. Alguém que o velho amava — uma netinha, talvez — fora morta. A cada poucos minutos, o velho repetia:

— Não devíamos ter confiado neles. Eu disse, mãe, não disse? É isso que acontece quando se confia neles. Eu disse isso o tempo todo. Não devíamos ter confiado nesses vermes.

Mas em quais babacas eles não deveriam ter confiado, Winston não conseguia se lembrar agora.

Desde então, a guerra fora literalmente contínua, embora, estritamente falando, nem sempre tivesse sido a mesma guerra. Por vários meses, durante sua infância, ocorreram confusas lutas de rua na própria Londres, algumas das quais ele se lembrava vividamente. Mas traçar a história de todo o período, dizer quem estava lutando contra quem em determinado momento, teria sido totalmente impossível, uma vez que nenhum registro escrito e nenhuma palavra falada jamais fizeram menção a qualquer outro alinhamento que não o existente. Nesse momento, por exemplo, em 1984 (se é que o ano era mesmo 1984), a Oceania estava em guerra com a Eurásia e em aliança com a Lestásia. Em nenhuma declaração pública ou privada fora admitido que os três poderes, em algum momento, houvessem sido agrupados em linhas diferentes. Na verdade, como Winston bem sabia, fazia apenas quatro anos que a Oceania estava em guerra com a Lestásia e em aliança com a Eurásia, mas isso era apenas um conhecimento furtivo que por acaso ele possuía porque sua memória não estava satisfatoriamente sob controle. Oficialmente, a mudança de sócios nunca havia acontecido. A Oceania estava em guerra com a Eurásia: portanto, sempre estivera em guerra com a Eurásia. O inimigo do momento sempre representou o mal absoluto, e daí resultou que qualquer acordo passado ou futuro com ele era impossível.

O que é assustador, Winston refletiu pela décima milésima vez, enquanto forçava os ombros dolorosamente para trás (com as mãos nos quadris, eles giravam suas cinturas, um exercício que deveria ser bom para os músculos das costas), a coisa assustadora era que tudo poderia ser verdade. Se o Partido pudesse se voltar ao passado e dizer que este ou aquele evento nunca acontecera... Bom, isso, com certeza, era mais aterrorizante do que a mera tortura e a morte?

O Partido disse que a Oceania nunca fez aliança com a Eurásia. Ele, Winston Smith, sabia que a Oceania fazia aliança com a Eurásia havia apenas quatro anos. Mas de onde ele tirara essa informação? Apenas de sua própria mente, que em qualquer caso deveria ser logo aniquilada. E se todos os outros tinham aceitado a mentira que o Partido impusera — se todos os registros contavam a mesma história –, então a mentira passara para a história e se tornara verdade. "Quem controla o passado", dizia o slogan do Partido, "controla o futuro: quem controla o presente controla o passado". E, no entanto, o passado, apesar de sua natureza alterável, nunca fora alterado. O que quer que fosse verdade naquele momento havia sido verdade desde sempre e continuaria sendo. Era muito simples. Tudo o que era necessário era uma série interminável de vitórias sobre sua própria memória. "Controle da realidade", eles o chamavam: em Novilíngua, duplipensar.

— Fique calmo! — gritou a instrutora, um pouco mais cordialmente.

Winston afundou os braços ao lado do corpo e lentamente encheu os pulmões de ar. Sua mente deslizou para o mundo labiríntico do duplipensar. Saber e não saber, ter consciência da veracidade total ao contar mentiras cuidadosamente construídas, ter simultaneamente duas opiniões que se anulam, sabendo que são contraditórias, e acreditar em ambas, usar a lógica contra a lógica, repudiar a moralidade enquanto reivindicá-la, acreditar que a democracia era impossível e que o Partido era o guardião da democracia, esquecer tudo o que fosse necessário esquecer, depois trazê-lo de volta à memória no momento em que fosse necessário, e então prontamente esquecer de novo: acima de tudo, aplicar o mesmo processo ao próprio processo. Essa era a sutileza final: conscientemente induzir à inconsciência e, então, mais uma vez, tornar-se inconsciente do ato de hipnose que acabou de realizar. Até mesmo para entender a palavra duplipensar era necessário o uso de duplipensar.

A instrutora chamou a atenção deles novamente.

— E agora vamos ver quem de nós consegue tocar os dedos dos pés! — disse ela, com entusiasmo. — Logo pelos quadris, por favor, camaradas. Um dois! Um dois!

Winston detestava aquele exercício, que provocava dores agudas dos calcanhares às nádegas e muitas vezes acabava provocando outro ataque de tosse. A qualidade meio agradável desapareceu de suas meditações. O passado, ele refletiu, não havia apenas sido alterado, na verdade destruído, pois como era possível estabelecer até mesmo o fato mais óbvio, se não existia nenhum registro fora de sua própria memória? Tentou se lembrar em que ano tinha ouvido falar pela primeira vez do Grande Irmão. Ele achava que devia ter sido em algum momento dos anos sessenta, mas era impossível ter certeza. Na história do Partido, é claro, o Grande Irmão figurava como o líder e guardião da Revolução desde seus primeiros dias. Suas façanhas foram gradualmente empurradas para trás no tempo, até que já se estendiam ao fabuloso mundo dos anos quarenta e trinta, quando os capitalistas, em seus estranhos chapéus cilíndricos, ainda circulavam pelas ruas de Londres em grandes carros a motor reluzentes ou carruagens a cavalo com laterais de vidro. Não havia como saber quanto dessa lenda era verdadeira e quanto era inventada. Winston não conseguia nem se lembrar em que data o próprio partido havia surgido. Ele não acreditava ter ouvido a palavra Socing antes de 1960, mas era possível que em sua forma Velhafala — "socialismo inglês", isto é — fosse corrente antes. Tudo derreteu em névoa. Às vezes, de fato, podia-se apontar uma mentira definitiva. Não era verdade, por exemplo, como se afirmava nos livros de história do Partido, que o Partido havia inventado os aviões. Ele se lembrava dos aviões desde a mais tenra infância, mas não era possível provar nada. Nunca havia qualquer evidência. Apenas uma vez em toda a sua vida, tivera nas mãos a prova documental inconfundível da falsificação de um fato histórico. E nessa ocasião...

— Smith! — gritou a voz megera da teletela. — 6079 Smith! Sim, você! Abaixe-se, por favor! Você pode fazer melhor do que isso. Não está se esforçando. Abaixe, por favor! Isso, agora sim, camarada. Relaxe, todo o time, e me observe.

Um súbito suor quente brotou por todo o corpo de Winston.

Seu rosto permaneceu completamente inescrutável. Nunca demonstre desânimo! Nunca demonstre ressentimento!

Um único piscar de olhos poderia denunciá-lo. Ele ficou observando enquanto a instrutora erguia os braços acima da cabeça e — não se podia dizer com graça, mas com notável clareza e eficiência — se abaixava e colocava a primeira junta dos dedos sob os pés.

— Isso, camaradas! É assim que eu quero ver vocês fazendo. Me observem novamente. Tenho trinta e nove anos e quatro filhos. Agora olhem.

Ela se curvou novamente.

— Vocês veem que meus joelhos não estão dobrados. Todos vocês podem fazer isso, se quiserem — acrescentou, enquanto se endireitava. — Qualquer pessoa com menos de quarenta e cinco anos é perfeitamente capaz de tocar os dedos dos pés. Nem todos temos o privilégio de lutar na linha de frente, mas pelo menos podemos nos manter em forma. Lembrem-se de nossos meninos na frente do Malabar! E os marinheiros nas Fortalezas Flutuantes! Pensem no que eles têm de aguentar. Agora tentem novamente. Assim está melhor, camaradas, está muito melhor — acrescentou, encorajadoramente, quando Winston, com uma estocada violenta, conseguiu tocar os dedos dos pés com os joelhos não dobrados, pela primeira vez em vários anos.

4

Com um suspiro profundo e inconsciente que nem mesmo a proximidade da teletela poderia impedi-lo de proferir quando seu dia de trabalho começava, Winston puxou o ditógrafo para si, soprou a poeira do bocal e colocou os óculos. Em seguida, desenrolou e uniu com um clipe os quatro pequenos cilindros de papel que o tubo pneumático já despejara no lado direito de sua escrivaninha.

Nas paredes do cubículo havia três orifícios. À direita do ditógrafo, um pequeno tubo pneumático para mensagens escritas; à esquerda, um tubo maior para jornais; na parede lateral, ao alcance do braço de Winston, uma grande fenda retangular protegida por uma grade de arame. Esta última servia para descartar resíduos de papel. Fendas semelhantes existiam aos milhares ou dezenas de milhares em todo o edifício, não apenas em todas as salas, mas em intervalos curtos em todos os corredores. Por alguma razão, haviam sido apelidados de buracos da memória. Quando a pessoa sabia que algum documento precisava ser destruído, ou mesmo quando topava com um pedaço qualquer de papel usado, levantava automaticamente a tampa do buraco da memória mais próximo e o jogava ali dentro, e então o papel era levado numa corrente de ar quente até cair numa das fornalhas descomunais que permaneciam ocultas nos recessos do edifício.

Winston examinou os quatro pedaços de papel que havia desenrolado. Cada um continha uma mensagem de apenas uma ou duas linhas, no jargão abreviado — não realmente em Novilíngua, mas com a maioria das palavras no idioma — que era usado no Ministério para fins internos. Eles diziam:

> *times 17.3.84 retificar discurso áfrica imprecisões*
> *times 19.12.83 checar edição hoje estimativas trimestre quatro pt 83*
> *erros impressão*
> *times 14.2.84 retificar mal citado chocolate retificar*

times 3.12.83 reportagem ordemdia duplomaisnãobom ref despessoas reescrever completamente mostrarsup antearquiv

Com uma leve sensação de satisfação, Winston deixou a quarta mensagem de lado. Era um trabalho complexo e responsável, e era melhor deixá-lo por último. As outras três eram questões rotineiras, embora a segunda provavelmente significasse alguma leitura tediosa de listas de números.

Winston discou "edições anteriores" na teletela e pediu as edições apropriadas do Times, que deslizou para fora do tubo pneumático depois de apenas alguns minutos de atraso. As mensagens que recebera referiam-se a artigos ou notícias que, por uma razão ou outra, julgavam necessário alterar ou, segundo a expressão oficial, retificar. Por exemplo, apareceu no Times de 17 de março que, em seu discurso do dia anterior, o Grande Irmão previra que a frente sul da Índia permaneceria quieta, mas que uma ofensiva eurasiana seria lançada em breve no Norte da África. Por acaso, o Comando Superior da Eurásia lançara sua ofensiva no Sul da Índia e deixara o Norte da África em paz. Foi, portanto, necessário reescrever um parágrafo do discurso do Grande Irmão, de modo a fazê-lo prever o que realmente acontecera. Ou, ainda, o Times de 19 de dezembro publicara as previsões oficiais da produção de várias classes de bens de consumo no quarto trimestre de 1983, que era também o sexto trimestre do Nono Plano Trienal. A edição de hoje continha uma declaração da produção real, a partir da qual parecia que as previsões estavam, em todos os casos, totalmente erradas. O trabalho de Winston era retificar os números originais, fazendo-os concordar com os posteriores. Quanto à terceira mensagem, referia-se a um erro muito simples que poderia ser corrigido em alguns minutos. Ainda há pouco tempo, em fevereiro, o Ministério da Abundância havia feito uma promessa (uma "promessa categórica", nas palavras deles) de que não haveria redução da provisão de chocolate em 1984. Na verdade, como Winston sabia, a provisão de chocolate deveria ser reduzida de trinta para vinte gramas no final daquela semana. Bastava substituir a promessa original por um aviso de que provavelmente seria necessário reduzir a provisão em algum momento de abril.

Assim que Winston retificou cada uma das mensagens, juntou com clipes as ditografias de suas correções às respectivas edições do Times e as empurrou para o tubo pneumático. Então, com um movimento quase inconsciente, amassou a mensagem original e todas as anotações que ele mesmo havia feito, e as jogou no buraco da memória para serem devoradas pelas chamas.

O que acontecia no labirinto invisível para o qual os tubos pneumáticos conduziam, ele não sabia em detalhes, mas sabia em termos gerais. Assim que todas as correções necessárias de qualquer número particular do Times tivessem sido reunidas e agrupadas, esse número seria reimpresso, a cópia original destruída e a cópia corrigida, colocada nos arquivos em seu lugar. Esse processo de alteração contínua era aplicado não apenas a jornais, mas a livros, periódicos, panfletos, cartazes, folhetos, filmes, trilhas sonoras, desenhos animados, fotografias — todo tipo de literatura ou documentação que pudesse ter qualquer significado político ou ideológico. Dia a dia e quase minuto a minuto, o passado ia sendo atualizado. Dessa forma, todas as previsões feitas pelo Partido poderiam ser comprovadas por meio de provas documentais, e nenhuma notícia, ou qualquer expressão de opinião que conflitasse com as necessidades do momento, jamais poderia permanecer registrada. Toda a história era um palimpsesto, limpo e reinscrito exatamente com a frequência necessária. Em nenhum caso seria possível, uma vez feita a escritura, provar que qualquer falsificação tivesse ocorrido. A maior seção do Departamento de Registros, muito maior do que aquela em que Winston trabalhava, consistia simplesmente de pessoas cujo dever era rastrear e coletar todas as cópias de livros, jornais e outros documentos que haviam sido substituídos e deveriam ser destruídos. Uma série do Times que poderia, por causa de mudanças no alinhamento político ou profecias equivocadas proferidas pelo Grande Irmão, ter sido reescrita uma dúzia de vezes, ainda estava nos arquivos com sua data original, e nenhuma outra cópia existia para contradizê-la. Livros, também, eram recuperados e reescritos repetidas vezes, invariavelmente reeditados sem qualquer admissão de que sequer uma alteração tivesse sido feita. Mesmo as instruções escritas que Winston recebeu, e das quais invariavelmente se livrou assim que lidou com elas, nunca declararam ou sugeriram que um ato de falsificação tivesse sido cometido: sempre a referência era a lapsos, erros, erros de impressão ou citações erradas que era necessário corrigir no interesse da exatidão.

Enquanto reajustava os números do Ministério da Abundância, Winston pensou que, na verdade, não se tratava nem mesmo de falsificação. Era apenas a substituição de uma bobagem por outra. A maior parte do material com o qual se estava lidando não tinha conexão com nada no mundo real, nem mesmo o tipo de conexão contida em uma mentira direta. As estatísticas eram tão fantasiosas em sua versão original quanto em sua versão retificada. Na maior parte do tempo, esperava-se que as tirasse da cabeça. Por exemplo, a previsão do Ministério da Abundância estimou a produção de botas para o trimestre em 145 milhões de pares. A produção real fora dada como 62 milhões. Winston, porém, ao reescrever a previsão, reduziu o número para 57 milhões, de modo a permitir a alegação usual de que a cota havia sido superada. Em qualquer caso, 62 milhões não estavam mais perto da verdade do que 57 milhões, ou seja, 145 milhões. Muito provavelmente nenhuma bota havia sido produzida. Mais provável ainda, ninguém sabia quantas haviam sido produzidas, nem se interessava em saber. Tudo o que se sabia era que a cada trimestre eram produzidos números astronômicos de botas no papel, enquanto talvez metade da população da Oceania andava descalça. E assim era com todas as classes de fatos registrados, grandes ou pequenos. Tudo se desvanecia em um mundo de sombras no qual, finalmente, até mesmo a data do ano se tornava incerta.

Winston olhou para o outro lado do corredor. No cubículo correspondente, do outro lado, um homem pequeno, de aparência precisa e queixo escuro, chamado Tillotson, trabalhava sem parar, com um jornal dobrado no joelho e a boca muito próxima do porta-voz do locutor. Parecia tentar manter o que dizia em segredo entre ele e a teletela. Olhou para cima, e seus óculos lançaram um flash hostil na direção de Winston.

Winston mal conhecia Tillotson e não tinha ideia de que tipo de trabalho ele fazia. As pessoas do Departamento de Registros não falavam abertamente sobre seus empregos. No longo corredor sem janelas, com sua dupla fileira de cubículos e seu interminável farfalhar de papéis e murmúrios de vozes, havia uma dúzia de pessoas que Winston nem conhecia pelo nome, embora diariamente as visse correndo para os corredores ou gesticulando no Dois Minutos de Ódio. Sabia que no cubículo ao lado dele a mulherzinha de cabelos ruivos labutava dia após dia, simplesmente rastreando e apagando da imprensa nomes de pessoas que haviam sido vaporizadas e, portanto, consideradas como nunca tendo existido. Havia certa adequação nisso, já que seu próprio marido havia sido vaporizado alguns anos antes. E a alguns cubículos de distância uma criatura suave, ineficaz e sonhadora, chamada Ampleforth, com orelhas muito peludas e um surpreendente talento para malabarismo com rimas e metros, empenhava-se em produzir versões deturpadas — textos definitivos, como eram chamados — de poemas que haviam se tornado ideologicamente ofensivos, mas que por uma razão ou outra deveriam ser retidos nas antologias. E esse salão, com seus cinquenta trabalhadores ou quase, era apenas uma subseção, uma única célula, por assim dizer, na enorme complexidade do Departamento de Registros. Além, acima, abaixo, estavam outros enxames de trabalhadores engajados em uma multidão inimaginável de empregos. Lá estavam as imensas gráficas com seus subeditores, seus especialistas em tipografia e seus estúdios elaboradamente equipados para a falsificação de fotografias. Havia a seção de teleprogramas com seus engenheiros, produtores e equipes de atores especialmente escolhidos pela habilidade em imitar vozes. Havia exércitos de escriturários de referência cujo trabalho consistia simplesmente em elaborar listas de livros e periódicos que deviam ser revogados. Havia os vastos repositórios, onde os documentos corrigidos eram armazenados, e as fornalhas ocultas, onde as cópias originais eram destruídas. E, em alguns lugares bastante anônimos, havia os cérebros dirigentes que coordenavam todo o esforço e estabeleciam as linhas de política que tornavam necessário que esse fragmento do passado fosse preservado, aquele falsificado e o outro apagado de existência.

O Departamento de Registros, no final das contas, era apenas um único ramo do Ministério da Verdade, cuja função principal não era reconstruir o passado, mas fornecer aos cidadãos da Oceania jornais, filmes, livros didáticos, programas de teletela, peças de teatro, romances — com todo tipo concebível de informação, instrução ou entretenimento, de uma estátua a um slogan, de um poema lírico a um tratado biológico, de um livro de ortografia infantil a um dicionário de Novilíngua. O Ministério não devia apenas suprir as necessidades multifacetadas do Partido, mas também repetir toda a operação em um nível inferior em benefício do proletariado. Havia toda uma cadeia de departamentos separados lidando com literatura proletária, música, drama e entretenimento em geral. Ali eram produzidos jornais horríveis contendo quase nada, exceto esporte, crime e astrologia, novelas sensacionais de cinco centavos, filmes cheios de cenas de sexo e canções sentimentais compostas inteiramente por meios mecânicos em um tipo especial de caleidoscópio conhecido como versificador. Havia até uma subseção inteira — Pornodiv, assim chamada em Novilíngua — envolvida na produção do tipo mais baixo de pornografia, que era enviado em pacotes lacrados e que nenhum membro do Partido, exceto aqueles que trabalhavam nele, tinha permissão para olhar.

Três mensagens haviam saído do tubo pneumático enquanto Winston estava trabalhando, mas eram questões simples, e ele as descartara antes que o Dois Minutos de Ódio o interrompesse. Quando o ódio acabou, voltou ao cubículo, pegou o dicionário de Novilíngua da prateleira, empurrou o ditógrafo para o lado, limpou os óculos e começou o trabalho principal da manhã.

O maior prazer de Winston na vida era seu trabalho. A maior parte era uma rotina tediosa, mas incluídos nela havia trabalhos tão difíceis e intrincados que se podia perder neles como nas profundezas de um problema matemático — peças delicadas de falsificação nas quais não havia nada para guiá-lo, exceto seu conhecimento dos princípios do Socing e a estimativa do que o Partido queria que se dissesse. Winston era bom nesse tipo de coisa. Ocasionalmente, ele era até mesmo encarregado de retificar os principais artigos do Times, escritos inteiramente em Novilíngua. Ele desenrolou a mensagem que havia deixado de lado. Ela dizia:

> *times 3.12.83 reportagem ordemdia gi duplomaisnãobom ref despessoas reescrever completamente mostrarsup antearquiv*

Isso poderia ser traduzido da seguinte maneira em Velhafala (ou inglês padrão):

> *A reportagem sobre a ordem do dia pronunciada pelo Grande Irmão e publicada no Times do dia 3 de dezembro de 1983 ficou péssima e ainda faz referência a pessoas que não existem. Reescreva-a e apresente um rascunho a seus superiores antes de mandá-la para o arquivo.*

Winston leu a matéria ofensiva. A ordem do dia do Grande Irmão, ao que parecia, tinha sido principalmente dedicada a elogiar o trabalho de uma organização conhecida como FFCC, que fornecia cigarros e outros itens para os marinheiros nas Fortalezas Flutuantes. Um certo camarada Withers, um membro proeminente do Partido Interno, fora escolhido para menção especial e premiado com uma condecoração, a Ordem do Mérito Conspícuo, Segunda Classe.

Três meses depois, o FFCC foi dissolvido repentinamente sem nenhuma razão apresentada. Pode-se supor que Withers e seus associados estivessem agora em miséria, mas não havia notícia do assunto na imprensa ou na teletela. Isso era de se esperar, uma vez que era incomum que criminosos políticos fossem julgados ou mesmo denunciados publicamente. Os grandes expurgos envolvendo milhares de pessoas, com julgamentos públicos de traidores e criminosos de pensamento que tinham feito confissões abjetas de seus crimes e depois tinham sido executados, eram peças de exibição especiais que não tinham ocorrido com mais frequência do que uma vez em alguns anos. Mais comumente, as pessoas que tinham incorrido no desagrado do Partido simplesmente desapareceram e nunca mais se ouvira falar delas. Nunca se tinha a menor ideia do que havia acontecido com elas. Em alguns casos, poderiam nem estar mortas. Talvez trinta pessoas conhecidas pessoalmente por Winston, sem contar seus pais, tivessem desaparecido em um momento ou outro.

Winston acariciou o nariz suavemente com um clipe de papel. No cubículo do outro lado do caminho, o camarada Tillotson ainda estava agachado secretamente sobre o seu ditógrafo. Ergueu a cabeça por um momento: novamente o flash de espetáculo hostil. Winston se perguntou se o camarada Tillotson estava ocupado no mesmo trabalho que ele. Era perfeitamente possível. Uma obra tão complicada nunca seria confiada a uma única pessoa: por outro lado, entregá-la a um comitê seria admitir abertamente que um ato de fabricação estava ocorrendo. Muito provavelmente, cerca de uma dúzia de pessoas estava trabalhando em versões rivais do que o Grande Irmão havia realmente dito. E, atualmente, algum cérebro mestre no Partido Interno selecionaria essa ou aquela versão, iria reeditá-la e colocar em movimento os complexos processos de referência cruzada que seriam necessários, e então a mentira escolhida passaria para os registros permanentes e se tornaria verdade.

Winston não sabia por que Withers havia caído em desgraça. Talvez tivesse sido por corrupção ou incompetência. Talvez o Grande Irmão estivesse apenas se livrando de um subordinado muito popular. Talvez Withers ou alguém próximo a ele fossem suspeitos de tendências heréticas. Ou talvez — o que era o mais provável de tudo — a coisa simplesmente tivesse acontecido porque expurgos e vaporizações eram uma parte necessária da mecânica do governo. A única pista real estava nas palavras "refs despessoas", que indicavam que Withers já estava morto. Não era possível presumir que esse fosse o caso quando as pessoas eram presas. Às vezes eram soltas e podiam permanecer em liberdade por até um ou dois anos antes de serem executadas. Muito ocasionalmente alguma pessoa que se acreditava estar morta há muito tempo fazia uma reaparição fantasmagórica em algum julgamento público que implicaria centenas de outras com seu testemunho antes de desaparecer, dessa vez para sempre. Withers, entretanto, já era uma despessoa. Ele não existia: ele nunca existira. Winston decidiu que não seria suficiente simplesmente reverter a tendência do discurso do Grande Irmão. Era melhor fazer com que tratasse de algo totalmente desconectado de seu assunto original.

Ele poderia transformar o discurso na denúncia usual de traidores e criminosos de pensamento, mas isso era um pouco óbvio demais, ao passo que inventar uma vitória no front, ou algum triunfo da superprodução no Nono Plano Trienal, poderia complicar demais os registros. O que era necessário era um pedaço de pura fantasia. De repente, surgiu em sua mente, pronta, por assim dizer, a imagem de um certo Camarada Ogilvy, que morrera recentemente em batalha, em circunstâncias heroicas. Houve ocasiões em que o Grande Irmão dedicara sua Ordem do Dia para homenagear algum membro humilde do Partido, cujas vida e morte considerasse um exemplo digno a ser seguido. Hoje ele devia homenagear um certo Camarada Ogilvy. Era verdade que não existia nenhum Camarada Ogilvy, mas algumas linhas de impressão e algumas fotos falsas logo o trariam à existência.

Winston pensou por um momento, então puxou o ditógrafo para si e começou a ditar no estilo familiar do Grande Irmão: um estilo ao mesmo tempo militar e pedante e, por causa de um truque de fazer perguntas e respondê-las prontamente, muito fácil de imitar ("Que lições tiramos desse fato, camaradas? A lição — que aliás é também um dos princípios fundamentais do Socing — de que" etc. etc.)

Aos três anos, o Camarada Ogilvy recusara todos os brinquedos, exceto um tambor, uma submetralhadora e um modelo de helicóptero. Aos seis anos — um ano antes, por um relaxamento especial das regras — ele se juntara aos Espiões, aos nove havia sido um líder de tropa. Aos onze, denunciara o tio à Polícia do Pensamento depois de ouvir uma conversa que lhe parecera ter tendências criminosas. Aos dezessete anos, havia sido organizador distrital da Liga da Juventude Antissexo. Aos dezenove anos, projetara uma granada de mão que fora adotada pelo Ministério da Paz e que, em seu primeiro julgamento, matara trinta e um prisioneiros eurasianos de uma só vez. Aos vinte e três ele morrera em uma missão. Perseguido por aviões a jato inimigos enquanto sobrevoava o Oceano Índico com despachos importantes, pesara seu corpo com sua metralhadora e saltara do helicóptero para águas profundas, despachos e tudo — um fim, disse o Grande Irmão, impossível contemplar sem sentimentos de inveja. O Grande Irmão acrescentou algumas observações sobre a pureza e obstinação da vida do Camarada Ogilvy. Ele era um abstêmio total e não fumava, não tinha recreações, exceto uma hora diária de exercício, e tinha feito um voto de celibato, acreditando que o casamento e o cuidado de uma família fossem incompatíveis com uma vida 24 horas por dia devoção ao dever. Ele não tinha assunto para conversar, exceto os princípios do Socing, e nenhum objetivo na vida, exceto a derrota do inimigo eurasiano e a caça de espiões, sabotadores, criminosos mentais e traidores em geral.

Winston debateu consigo mesmo se concederia ao Camarada Ogilvy a Ordem do Mérito Conspícuo: no final, decidiu não o fazer por conta das referências cruzadas desnecessárias que isso acarretaria.

Mais uma vez, olhou para seu rival no cubículo oposto. Algo parecia dizer, com certeza, que Tillotson estava fazendo o mesmo trabalho que ele. Não havia como saber que cargo seria finalmente adotado, mas ele tinha a profunda convicção de que seria o seu. O Camarada Ogilvy, inimaginável uma hora antes, agora era um fato. Pareceu-lhe curioso que se pudessem criar homens mortos, mas não vivos. O Camarada Ogilvy, que nunca existira no presente, agora existia no passado, e quando o ato de falsificação fosse esquecido ele existiria com a mesma autenticidade e sob as mesmas evidências que Carlos Magno ou Júlio César.

5

Na cantina de teto baixo, bem no subsolo, a fila do almoço avançava lentamente. A sala já estava muito cheia e era ensurdecedoramente barulhenta. Da grelha do balcão saía o vapor do guisado, com um cheiro amargo e metálico que não superava os vapores do Gin Victory. Do outro lado da sala havia um pequeno bar, um mero buraco na parede, onde era possível comprar gim por dez centavos a dose.

— Exatamente quem eu estava procurando — disse uma voz nas costas de Winston.

Ele se virou. Era seu amigo Syme, que trabalhava no Departamento de Pesquisa. Talvez "amigo" não fosse exatamente a palavra certa. Hoje em dia, não se tinham amigos, tinham-se apenas camaradas, mas havia alguns mais agradáveis que outros. Syme era filólogo e especialista em Novilíngua. Na verdade, ele fazia parte da enorme equipe de especialistas agora engajada na compilação da Décima Primeira Edição do Dicionário Novilíngua. Era uma criatura minúscula, menor que Winston, de cabelos escuros e olhos grandes e protuberantes, ao mesmo tempo tristes e zombeteiros, que pareciam examinar de perto o rosto de quem falava com ele.

— Eu queria te perguntar se você tem alguma lâmina de barbear — disse ele.

— Nenhuma! — respondeu Winston, com uma espécie de pressa culpada. — Eu já procurei em todos os lugares. Não existem mais.

Todo mundo ficava pedindo lâminas de barbear. Na verdade, Winston tinha duas não usadas que estava guardando porque tinham estado em falta no mês anterior. A qualquer momento, havia algum artigo necessário que as lojas do Partido não conseguiam fornecer. Às vezes eram botões, às vezes lã, às vezes cadarços; no momento, eram as lâminas de barbear. Você só poderia obtê-las, se é que fosse possível, vasculhando mais ou menos furtivamente no mercado "livre".

— Eu tenho usado a mesma lâmina por seis semanas — adicionou, mentindo.

A fila andou novamente. Quando pararam, Winston se virou e olhou de novo para Syme, e cada um deles pegou uma bandeja de metal gordurosa de uma pilha no final do balcão.

— Você foi ver os prisioneiros serem enforcados ontem? — perguntou Syme.

— Eu estava trabalhando — respondeu Winston, com indiferença. — Verei nos vídeos, creio.

— Não acho que substitua a emoção — disse Syme.

Seus olhos zombeteiros percorreram o rosto de Winston.

"Eu conheço você", os olhos pareciam dizer. "Sei quando está mentindo. Sei muito bem por que você não foi ver aqueles prisioneiros enforcados."

De uma forma intelectual, Syme era venenosamente ortodoxo. Falava com uma satisfação desagradável e exultante dos ataques de helicóptero a aldeias inimigas, julgamentos e confissões de criminosos mentais, as execuções nos porões do Ministério do Amor. Falar com ele era basicamente uma questão de afastá-lo de tais assuntos e enredá-lo, se possível, nos detalhes técnicos da Novilíngua, sobre a qual ele era autoritário e interessante. Winston virou um pouco a cabeça para o lado, para evitar o escrutínio dos grandes olhos escuros.

— Foi um bom enforcamento — disse Syme, reminiscente. — Acho que estraga tudo quando eles amarram os pés. Gosto de vê-los chutando. E acima de tudo, no final, a língua de fora, e azul — um azul bastante brilhante. Esse é o detalhe que me atrai.

— O próximo, por favor! — gritou o proletário de avental branco com a concha.

Winston e Syme empurraram as bandejas para baixo da grade. Em cada um foi despejado rapidamente o almoço regulamentar — uma vasilha de metal com guisado rosa-acinzentado, um pedaço de pão, um cubo de queijo, uma caneca de Café Victory sem leite e um comprimido açucarado.

— Há uma mesa ali, sob aquela teletela — disse Syme. — Vamos pegar um gim no caminho.

O gim era servido a eles em canecas de porcelana sem alça. Abriram caminho através da sala lotada e desembrulharam suas bandejas na mesa com tampo de metal, em um canto da qual alguém havia deixado uma piscina de guisado, uma bagunça líquida imunda que tinha a aparência de vômito. Winston pegou sua caneca de gim, parou por um instante para recuperar a coragem e engoliu o líquido com gosto de óleo. Quando piscou as lágrimas de seus olhos, de repente percebeu que estava com fome. Começou a engolir colheradas do ensopado, que, em meio a seu desleixo geral, continha cubos de uma substância rosada e esponjosa que provavelmente era uma preparação de carne. Nenhum dos dois voltou a falar, até que esvaziassem os recipientes. Da mesa à esquerda de Winston, um pouco atrás de suas costas, alguém falava rápida e continuamente, uma tagarelice áspera quase como o grasnar de um pato, perfurando o tumulto geral da sala.

— Como está o Dicionário? — perguntou Winston, levantando a voz para sobrepô-la ao barulho.

— Devagar — respondeu Syme. — Estou nos adjetivos. É fascinante.

Ele se animou imediatamente com a menção à Novilíngua. Empurrou o caixote para o lado, pegou o pedaço de pão com uma das mãos delicadas e o queijo com a outra, e se inclinou sobre a mesa para poder falar sem gritar.

— A Décima Primeira Edição é a edição definitiva — disse ele. — Estamos colocando a linguagem em sua forma final — a forma que terá quando ninguém falar mais nada. Quando terminarmos, pessoas como você terão de aprender tudo de novo. Você acha, ouso dizer, que nossa principal tarefa é inventar novas palavras, mas não tem nada a ver! Estamos destruindo palavras — dezenas, centenas delas, todos os dias. Estamos reduzindo a linguagem até o osso. A Décima Primeira Edição não conterá uma única palavra que se tornará obsoleta antes do ano 2050.

Mordeu o pão com fome e deu alguns goles, depois continuou a falar, com uma espécie de paixão pedante. Seu rosto moreno e magro ficou animado, seus olhos perderam a expressão zombeteira e ficaram quase sonhadores.

— É uma coisa linda destruir palavras! Claro que o grande desperdício está nos verbos e adjetivos, mas existem centenas de substantivos que também podem ser eliminados. Não são apenas os sinônimos, também existem os antônimos. Afinal, que justificativa existe para uma palavra que é simplesmente o oposto de outra? Uma palavra contém seu oposto em si mesma. Veja "bom", por exemplo. Se você tem uma palavra como "bom", que necessidade há de uma palavra como "ruim"? "Nãobom" vai servir tão bem ou melhor, porque é exatamente o oposto, aquilo que a palavra não é. Ou, se você quiser uma versão mais forte de "bom", que sentido há em ter uma série de palavras vagas e inúteis como "excelente" e "esplêndido" e todas as outras? "Maisbom" cobre o significado, ou "dobromaisbom" se quiser algo ainda mais forte. Claro que já usamos essas palavras, mas na versão final do Novilíngua não haverá mais nada. No final, toda a noção de bondade e maldade será coberta por apenas seis palavras — na verdade, apenas uma palavra. Não vê a beleza disso, Winston? Foi ideia do Grande Irmão originalmente, é claro — acrescentou, refletindo posteriormente.

Uma espécie de ânsia insípida passou pelo rosto de Winston com a menção do Grande Irmão. No entanto, Syme detectou imediatamente uma certa falta de entusiasmo.

— Você não gosta muito de Novilíngua, Winston — disse ele, quase com tristeza. — Mesmo quando escreve, você ainda está pensando na Velhafala. Eu leio algumas daquelas peças que você escreve no Times ocasionalmente. São boas, mas são traduções. Em seu coração, você prefere se ater à Velhafala, com toda a sua imprecisão e tons inúteis de significado. Você não entende a beleza da destruição das palavras. Você sabia que a Novilíngua é a única língua do mundo cujo vocabulário fica menor a cada ano?

Winston sabia disso, é claro. Sorriu tentando ser simpático, sem confiar em si mesmo para falar. Syme mordeu outro fragmento do pão escuro, mastigou-o brevemente e continuou:

— Você não percebe que todo o objetivo da Novilíngua é estreitar o âmbito do pensamento? No fim, tornaremos o crime de pensamento literalmente impossível, porque não haverá palavras para expressá-lo. Cada conceito que pode ser necessário será expresso por exatamente uma palavra, com seu significado rigidamente definido e todos os significados subsidiários apagados e esquecidos. Na Décima Primeira Edição já estamos quase atingindo esse objetivo. Mas o processo continuará muito depois de você e eu estarmos mortos. A cada ano, existem menos e menos palavras, e o alcance da consciência fica sempre um pouco menor. Mesmo agora, é claro, não há razão ou desculpa para cometer crimes de pensamento. É apenas uma questão de autodisciplina, de controle da realidade. Mas no fim não haverá necessidade nem disso. A Revolução estará completa quando a linguagem for perfeita. Novilíngua é Socing e Socing é Novilíngua — acrescentou ele, com uma espécie de satisfação mística. — Já lhe ocorreu, Winston, que até o ano 2050, no mais tardar, nenhum ser humano que pudesse entender tal conversa como a que estamos tendo agora estará vivo?

— Exceto... — começou Winston em dúvida, e parou.

Estava na ponta da língua dizer "Exceto os proletários", mas se conteve porque não tinha certeza de que essa observação não fosse de alguma forma heterodoxa. Syme, contudo, adivinhara o que ele ia dizer.

— Os proletários não são seres humanos — disse ele, descuidadamente. — Em 2050 — provavelmente mais cedo — todo o conhecimento real da Velhafala terá desaparecido. Toda a literatura do passado terá sido destruída. Chaucer, Shakespeare, Milton, Byron — existirão apenas em versões de Novilíngua, não apenas mudados para algo diferente, mas na verdade para algo contraditório do que costumavam ser. Até a literatura do Partido mudará. Até os slogans mudarão. Como você pode ter um slogan como "liberdade é escravidão" quando o conceito de liberdade for abolido? Todo o clima de pensamento será diferente. Na verdade, não haverá pensamento, como o entendemos agora. Ortodoxia significa não pensar — não precisar pensar. Ortodoxia é inconsciência.

"Um dia desses", pensou Winston com súbita e profunda convicção, "Syme será vaporizado. Ele é muito inteligente. Ele vê com clareza e fala com clareza. O Partido não gosta dessas pessoas. Um dia ele vai desaparecer. Está escrito na cara dele."

Winston havia terminado seu pão com queijo. Virou-se um pouco de lado na cadeira, para beber sua caneca de café. Na mesa à sua esquerda, o homem com voz estridente ainda falava sem remorsos. Uma jovem que talvez fosse sua secretária, e que estava sentada de costas para Winston, estava escutando e parecia concordar avidamente com tudo o que ele dizia. De vez em quando, Winston ouvia alguma observação como "Acho que você está certo, concordo com você", pronunciada em uma voz feminina jovem e bastante boba. Mas a outra voz não parava por um instante, mesmo quando a garota estava falando. Winston conhecia o homem de vista, embora não soubesse mais nada sobre ele além de ocupar um cargo importante no Departamento de Ficção. Era um homem de cerca de trinta anos, com uma garganta musculosa e uma boca grande e móvel. Sua cabeça estava um pouco jogada para trás, e, devido ao ângulo em que estava sentado, seus óculos refletiam a luz e apresentavam a Winston dois discos em branco em vez de olhos. O que era um pouco horrível era que, pelo fluxo de som que saía de sua boca, era quase impossível distinguir uma única palavra. Apenas uma vez Winston captou uma frase — "eliminação completa e final de Goldsteinismo" –, sacudiu muito rapidamente e, ao que parecia, tudo em uma peça, como uma linha de tipo fundido sólido. De resto, era apenas um barulho, um blablablá. E, embora não se pudesse realmente ouvir o que o homem estava dizendo, não se poderia ter nenhuma dúvida sobre sua natureza geral. Ele poderia estar denunciando Goldstein e exigindo medidas mais severas contra criminosos do pensamento e sabotadores, poderia estar fulminando contra as atrocidades do exército eurasiano, poderia estar elogiando o Grande Irmão ou os heróis na frente do Malabar — não fazia diferença. Fosse o que fosse, podia-se ter certeza de que cada palavra era pura ortodoxia, puro Socing. Enquanto observava o rosto sem olhos com a mandíbula se movendo rapidamente para cima e para baixo, Winston teve a curiosa sensação de que aquele não era um ser humano real, mas uma espécie de boneco. Não era o cérebro do homem que falava, era sua laringe. O que estava saindo dele consistia em palavras, mas não era fala no verdadeiro sentido: era um ruído pronunciado na inconsciência, como o grasnar de um pato.

Syme ficou em silêncio por um momento e, com o cabo da colher, traçava desenhos na poça de ensopado. A voz da outra mesa grasnou rapidamente, facilmente audível, apesar do barulho ao redor.

— Há uma palavra em Novilíngua — disse Syme –, não sei se você conhece: patofala, grasnar como um pato. É uma daquelas palavras interessantes que têm dois significados contraditórios. Aplicado a um oponente, é um abuso, aplicado a alguém com quem você concorda, é um elogio.

"Com certeza Syme será vaporizado", Winston pensou novamente. Pensou nisso com certa tristeza, embora soubesse muito bem que Syme o desprezasse e detestasse ligeiramente, perfeitamente capaz de denunciá-lo como criminoso mental se visse algum motivo para o fazer. Havia algo sutilmente errado com Syme. Havia algo que lhe faltava: discrição, indiferença, uma espécie de estupidez salvadora. Não se poderia dizer que ele era heterodoxo. Ele acreditava nos princípios do Socing, venerava o Grande Irmão, se alegrava com as vitórias, odiava os hereges, não apenas com sinceridade, mas com uma espécie de zelo inquieto, uma informação atualizada, que o membro comum do Partido não abordava. No entanto, um leve ar de má reputação sempre o sondava. Dizia coisas que seria melhor não dizer, tinha lido muitos livros, frequentava o Café Chestnut Tree, reduto de pintores e músicos. Não havia lei, nem mesmo uma lei não escrita, contra a frequência de idas ao Café Chestnut Tree, mas o lugar era de algum modo de mau agouro. Os velhos e desacreditados líderes do Partido costumavam se reunir ali antes de serem finalmente expurgados. O próprio Goldstein, dizia-se, às vezes fora visto lá, anos e décadas atrás. Não era difícil prever o destino de Syme. E, no entanto, era fato que se Syme entendesse, mesmo por três segundos, a natureza de suas opiniões secretas, de Winston, o trairia instantaneamente para a Polícia do Pensamento. O mesmo aconteceria com qualquer outra pessoa, aliás: mas Syme mais do que a maioria. O zelo não era suficiente. Ortodoxia era inconsciência.

Syme ergueu os olhos e disse:

— Lá vem o Parsons.

Algo no tom de sua voz parecia acrescentar "aquele idiota". Parsons, o colega inquilino de Winston nas Mansões Victory, estava de fato atravessando a sala — um homem atarracado de tamanho médio com cabelos claros e rosto de sapo. Aos trinta e cinco anos, já estava engordando no pescoço e na cintura, mas seus movimentos eram rápidos e infantis. Toda a sua aparência era a de um garotinho que crescera, tanto que, embora estivesse usando o macacão regulamentar, era quase impossível não pensar nele vestido com o short azul, a camisa cinza e o lenço vermelho dos Espiões. Ao visualizá-lo, sempre se via uma imagem de joelhos com covinhas e mangas enroladas de antebraços rechonchudos. De fato, Parsons invariavelmente voltava a usar shorts quando uma caminhada na comunidade ou qualquer outra atividade física dava a ele uma desculpa para fazer isso. Ele cumprimentou os dois com um alegre "Olá, Olá!" e sentou-se à mesa, exalando um cheiro intenso de suor. Gotas de umidade se destacavam por todo o seu rosto rosado. Sua capacidade de suar era incrível. No Centro Comunitário, sempre se saberia dizer quando ele estava jogando tênis de mesa pela umidade do cabo do bastão. Syme havia tirado uma tira de papel sobre a qual havia uma longa coluna de palavras e a estudava com um lápis entre os dedos.

— Olhe para ele trabalhando na hora do almoço — disse Parsons, cutucando Winston. — Dedicado, hein? O que você tem aí, meu velho? Algo um pouco inteligente demais para mim, imagino. Smith, meu velho, vou lhe dizer por que estou perseguindo você. É por causa daquela *contri* que você se esqueceu de me dar.

— Que *contri* é essa? — perguntou Winston, sentindo automaticamente o dinheiro. Cerca de um quarto de seu salário tinha que ser reservado para assinaturas voluntárias, que eram tão numerosas que era difícil controlá-las.

— Para a Semana do Ódio. Sabe? Coleta de porta em porta. Sou tesoureiro do nosso bloco. Estamos nos esforçando e vamos dar um tremendo show. Eu te digo, não será minha culpa se a velha Mansão Victory não tiver o maior conjunto de bandeiras de toda a rua. Você me prometeu dois dólares.

Winston encontrou e entregou duas notas amassadas e sujas, que Parsons anotou em um pequeno caderno, com a caligrafia limpa de analfabetos.

— A propósito, meu velho — disse ele –, ouvi dizer que aquele pequeno delinquente que tenho lá em casa atirou em você com sua catapulta ontem. Dei a ele uma boa reprimenda por isso. Na verdade, disse a ele que tiraria a catapulta se ele fizesse de novo.

— Acho que ele ficou um pouco chateado por não assistir à execução — disse Winston.

— Ah, bem, o que quero dizer mostra o espírito certo, não é? Eles são pequenos delinquentes travessos, os dois, mas muito dedicados! Eles só pensam nos espiões e na guerra, é claro. Você sabe o que aquela garotinha fez no sábado passado, quando sua tropa estava fazendo uma caminhada em Berkhamsted? Conseguiu que duas outras garotas fossem com ela, escapuliu da caminhada e passou a tarde inteira seguindo um homem estranho. Ficaram na cola dele por duas horas direto pela floresta, e então, quando chegaram em Amersham, o entregaram para as patrulhas.

— Por que fizeram isso? — perguntou Winston, um tanto surpreso. Parsons continuou, triunfante:

— Minha garotinha tinha certeza de que era algum tipo de agente inimigo — podia ter caído de paraquedas, por exemplo. Mas aqui está o ponto, meu velho. O que você acha que a fez desconfiar dele em primeiro lugar? Ela viu que ele estava usando sapatos engraçados, disse que nunca tinha visto ninguém usando sapatos assim. Portanto, as chances eram de que ele fosse um estrangeiro. Muito inteligente para uma garota de sete anos, hein?

— O que aconteceu com o homem?

— Ah, isso eu não sei dizer, é claro. Mas eu não ficaria totalmente surpreso se... — Parsons fez o movimento de apontar um rifle e estalou a língua, simulando uma explosão.

— Boa... — disse Syme distraidamente, sem levantar os olhos de sua tira de papel.

— É claro que não podemos correr o risco — concordou Winston, obediente.

— O que quero dizer é que estamos no meio de uma guerra — observou Parsons.

Como se confirmando isso, um toque de trombeta soou da teletela logo acima de suas cabeças. No entanto, não foi a proclamação de uma vitória militar, apenas um anúncio do Ministério da Abundância.

— Camaradas! — gritou uma voz jovem e ansiosa. — Atenção, camaradas! Temos notícias gloriosas para vocês. Vencemos a batalha pela produção! Os retornos agora concluídos da produção de todas as classes de bens de consumo mostram que o padrão de vida aumentou não menos que 20% no ano passado. Esta manhã, em toda a Oceania, houve manifestações espontâneas irreprimíveis quando os trabalhadores marcharam para fora das fábricas e escritórios e desfilaram pelas ruas com faixas expressando sua gratidão ao Grande Irmão pela vida nova e feliz que sua sábia liderança nos concedeu. Aqui estão alguns dos totais obtidos. Alimentos...

A frase "nossa vida nova e feliz" foi repetida várias vezes. Tinha sido uma das frases favoritas do Ministério da Abundância. Parsons, com a atenção atraída pelo toque da trombeta, ficou sentado ouvindo com uma espécie de solenidade escancarada, uma espécie de tédio edificado. Ele não conseguia acompanhar os números, mas estava ciente de que eram, de alguma forma, um motivo de satisfação. Havia puxado um cachimbo enorme e imundo que já estava cheio pela metade com tabaco carbonizado. Com a provisão de tabaco de 100 gramas por semana, raramente era possível encher um cachimbo até o topo. Winston fumava um cigarro Victory, que segurava cuidadosamente na horizontal. A nova provisão só viria no dia seguinte, e ele tinha apenas quatro cigarros. No momento, havia bloqueado os ouvidos para os ruídos mais remotos e estava ouvindo o material que fluía da teletela. Parecia que havia até mesmo manifestações de agradecimento ao Grande Irmão por aumentar a provisão de chocolate para vinte gramas por semana. Refletiu que, no dia anterior, fora anunciado que a provisão seria reduzida para vinte gramas por semana. Seria possível que pudessem engolir isso, depois de apenas vinte e quatro horas? Sim, seria. Parsons engoliu facilmente, com a estupidez de um animal. A criatura sem olhos da outra mesa engoliu fanaticamente, apaixonadamente, com um desejo furioso de rastrear, denunciar e vaporizar qualquer um que sugerisse que na semana anterior a provisão fora de trinta gramas. Syme também — de uma forma mais complexa, envolvendo duplipensar, Syme engoliu-o. Estaria Winston, então, sozinho na posse de uma memória?

As estatísticas fabulosas continuaram a ser anunciadas na teletela. Em comparação com o ano anterior, havia mais comida, mais roupas, mais casas, mais móveis, mais panelas, mais combustível, mais navios, mais helicópteros, mais livros, mais bebês — mais de tudo, exceto doenças, crime e insanidade. Ano após ano e minuto a minuto, tudo e todos estavam subindo rapidamente. Como Syme havia feito, Winston pegou a colher e começou a mexer no molho de cor clara que pingava pela mesa, formando um padrão com uma longa faixa. Ele meditou, ressentido, sobre a textura física da vida. Sempre fora assim? A comida sempre tivera esse gosto? Olhou à sua volta na cantina. Uma sala lotada de teto baixo, paredes sujas pelo contato de inúmeros corpos; mesas e cadeiras de metal surradas, colocadas tão juntas que ficava-se sentado com os cotovelos se tocando; colheres tortas, bandejas amassadas, canecas brancas grosseiras; todas as superfícies gordurosas, sujeira em cada rachadura; e um cheiro azedo composto de gim ruim e café ruim, ensopado metálico e roupas sujas. Sempre em seu estômago e em sua pele havia uma espécie de protesto, uma sensação de que se era enganado por algo a que se tinha direito. Era verdade que ele não tinha lembranças de nada muito diferente. Em qualquer momento que pudesse se lembrar com precisão, nunca houvera o suficiente para comer, ninguém nunca tinha meias ou roupas de baixo que não estivessem cheias de buracos, a mobília sempre fora danificada e frágil, quartos aquecidos, trens lotados, casas caindo aos pedaços, pão escuro, chá uma raridade, café com gosto horrível, cigarros insuficientes — nada barato e abundante, exceto gim sintético. E embora, é claro, piorasse conforme o corpo envelhecia, não era um sinal de que essa não fosse a ordem natural das coisas, se o coração de alguém adoecesse com o desconforto, a sujeira e a escassez, os invernos intermináveis, a viscosidade das meias, os elevadores que nunca funcionavam, a água fria, o sabão arenoso, os cigarros que se despedaçavam, a comida com seus estranhos sabores malévolos? Por que alguém deveria considerá-lo intolerável, a menos que tivesse algum tipo de memória antiga de que as coisas um dia tinham sido diferentes?

Olhou em volta da cantina novamente. Quase todo mundo era feio, e ainda seria feio mesmo se estivesse vestido de outra forma se não fosse com o macacão azul do uniforme. Do outro lado da sala, sentado sozinho a uma mesa, um homenzinho curiosamente parecido com um besouro bebia uma xícara de café, e seus olhinhos lançavam olhares desconfiados de um lado para o outro. Winston pensou sobre como era fácil (se não se olhasse ao redor) acreditar que o tipo físico instituído pelo Partido como um ideal — jovens altos e musculosos e donzelas de cabelos louros, cheias de vida, queimadas de sol, despreocupados — existiam e eram até maioria. Na verdade, pelo que ele podia julgar, a maioria das pessoas na pista de Pouso 1 eram pequenas, morenas e desfavorecidas. Era curioso como aquele tipo que lembrava um besouro proliferava nos ministérios: homens baixinhos, atarracados, que ganhavam peso muito cedo na vida, de pernas curtas, movimentos rápidos e esquivos e rostos obesos e inescrutáveis, sempre com olhos muito pequenos. Esse era o tipo que parecia florescer mais facilmente nos domínios do Partido.

O anúncio do Ministério da Abundância terminou com outro toque de trombeta e deu lugar a uma música metálica. Parsons, levado a um vago entusiasmo pelo bombardeio de figuras, tirou o cachimbo da boca.

— O Ministério da Abundância certamente fez um bom trabalho este ano — observou, com um aceno de cabeça conhecedor. — A propósito, meu velho Smith, suponho que você não tenha nenhuma lâmina de barbear que possa me dar?

— Nenhuma. Eu tenho usado a mesma lâmina por seis semanas.

— Ah, bem... não custava perguntar, não é mesmo?

— Desculpe — respondeu Winston.

A voz grasnada da mesa ao lado, temporariamente silenciada durante o anúncio do Ministério, recomeçou, mais alta do que nunca. Por alguma razão, Winston de repente se viu pensando na Sra. Parsons, com seu cabelo ralo e a poeira nas rugas do rosto. Em dois anos, aquelas crianças a denunciariam à Polícia do Pensamento. A Sra. Parsons seria vaporizada. Syme seria vaporizado. Winston seria vaporizado. O'Brien seria vaporizado. Parsons, por outro lado, nunca seria vaporizado. A criatura sem olhos com a voz grasnadora nunca seria vaporizada. Os homenzinhos semelhantes a besouros que correm tão agilmente pelos corredores labirínticos dos ministérios, eles também nunca seriam vaporizados. E a garota de cabelo escuro, a garota do Departamento de Ficção — ela também nunca seria vaporizada. Parecia-lhe que sabia instintivamente quem sobreviveria e quem morreria: embora não fosse fácil dizer o que garantia exatamente essa sobrevivência.

Nesse momento, foi arrancado de seu devaneio com um puxão violento. A garota da mesa ao lado havia se virado parcialmente e estava olhando para ele. Era a garota de cabelo escuro. Estava olhando para ele de lado, mas com curiosa intensidade. No instante em que ela chamou sua atenção, desviou o olhar novamente.

As costas de Winston estavam cobertas de suor. Uma horrível pontada de terror passou por ele. Desapareceu quase imediatamente, mas deixou uma espécie de inquietação incômoda. Por que ela estava olhando para ele? Por que ela continuava o seguindo? Infelizmente, não conseguia se lembrar se ela já estava à mesa quando ele chegou ou se tinha chegado depois. Mas ontem, de qualquer forma, durante os Dois Minutos de Ódio, ela se sentara imediatamente atrás dele quando não havia necessidade aparente de fazê-lo. Bastante provavelmente seu verdadeiro objetivo era ouvi-lo e verificar se ele estava gritando alto o suficiente.

Seu pensamento anterior voltou à sua mente: provavelmente ela não era de fato um membro da Polícia do Pensamento, mas eram precisamente os espiões amadores o maior perigo de todos. Ele não sabia há quanto tempo ela estava olhando para ele, mas talvez por mais de cinco minutos, e era possível que suas feições não estivessem perfeitamente sob controle. Era terrivelmente perigoso deixar seus pensamentos vagarem quando você estava em qualquer lugar público ou dentro do alcance de uma teletela. A menor coisa pode denunciá-lo. Um tique nervoso, um olhar inconsciente de ansiedade, um hábito de murmurar para si mesmo — qualquer coisa que carregasse consigo a sugestão de anormalidade, de algo a esconder. Em qualquer caso, usar uma expressão imprópria no rosto (parecer incrédulo quando uma vitória foi anunciada, por exemplo) era em si uma ofensa punível. Havia até uma palavra para isso em Novilíngua: rostocrime.

    A garota deu as costas para ele novamente. Talvez, afinal, não o estivesse seguindo, talvez fosse coincidência que tivesse se sentado tão perto dele dois dias seguidos. Seu cigarro havia apagado, e ele o colocou cuidadosamente na beirada da mesa. Ele terminaria de fumar depois do trabalho, se pudesse manter o fumo nele. Muito provavelmente a pessoa na mesa ao lado era um espião da Polícia do Pensamento, e muito provavelmente ele estaria nos porões do Ministério do Amor dentro de três dias, mas uma ponta de cigarro não deve ser desperdiçada. Syme dobrou a tira de papel e guardou-a no bolso. Parsons começou a falar novamente.

    — Eu já te contei, meu velho — disse ele, rindo sob a haste de seu cachimbo –, sobre a vez em que aqueles dois delinquentes que tenho lá em casa atearam fogo na saia da velha da mercearia porque a viram embrulhando salsichas em um pôster do Grande Irmão? Esgueiraram-se por trás dela e atearam fogo nela com uma caixa de fósforos. Acredito que tenham feito um grande estrago. Pequenos delinquentes, hein? Mas muito espertos! É um treinamento de primeira classe que eles dão nos Espiões hoje em dia — melhor do que na minha época, até. Qual você acha que é a última coisa que deram para eles? Cornetas acústicas para escutar pelas fechaduras! Minha filhinha trouxe uma para casa outra noite — experimentei na porta da nossa sala de estar e calculei que dava para ouvir duas vezes mais do que com o ouvido no buraco. Claro que é apenas um brinquedo, veja bem. Ainda assim, dá a eles a ideia certa, hein?

    Nesse momento, a teletela soltou um assobio agudo. Era o sinal para voltar ao trabalho. Todos os três homens pularam para se juntar à luta em volta dos elevadores, e o fumo restante caiu do cigarro de Winston.

6

Winston estava escrevendo em seu diário:

Isso aconteceu há três anos. Era uma noite escura, em uma rua estreita perto de uma das grandes estações ferroviárias. Ela estava parada, perto de uma porta na parede, sob um poste de luz que mal iluminava. Tinha um rosto jovem, muito ossudo. Foi realmente a maquiagem que me atraiu, a brancura dela, como uma máscara, e os lábios vermelhos brilhantes. As partidárias nunca se maquiam. Não havia mais ninguém na rua e nenhuma teletela. Ela disse dois dólares. Eu...

No momento, era muito difícil prosseguir. Winston fechou os olhos e pressionou os dedos contra eles, tentando espremer a visão que se repetia. Teve uma tentação quase irresistível de gritar uma série de palavras sujas com toda a sua voz. Ou bater a cabeça contra a parede, chutar a mesa e atirar o tinteiro pela janela — fazer qualquer coisa violenta, barulhenta ou dolorosa que pudesse apagar a memória que o atormentava.

Seu pior inimigo, ele refletiu, era seu próprio sistema nervoso. A qualquer momento, a tensão dentro de si era capaz de se traduzir em algum sintoma visível. Ele pensou em um homem com quem havia cruzado na rua algumas semanas antes; um homem de aparência bastante comum, membro do Partido, de trinta e cinco a quarenta anos, alto e magro, que carregava uma pasta. Eles estavam a poucos metros de distância quando o lado esquerdo do rosto do homem repentinamente se contorceu em uma espécie de espasmo. Aconteceu de novo quando se cruzaram: apenas um estremecimento, rápido como o clique do obturador de uma câmera, mas obviamente habitual. Ele se lembrou de ter pensado na época: "aquele pobre diabo está acabado". E o assustador era que a ação foi possivelmente inconsciente. O perigo mais mortal de todos era falar durante o sono. Não havia como se proteger contra isso, pelo que ele sabia.

Respirou fundo e continuou escrevendo:

> *Eu passei com ela pela porta e atravessei um quintal até uma cozinha no porão. Havia uma cama encostada na parede e um abajur na mesa, muito baixo. Ela...*

Seus dentes estavam cerrados. Queria cuspir. Simultaneamente com a mulher na cozinha do porão, pensou em Katharine, sua esposa. Winston era casado - pelo menos fora casado — provavelmente ainda era casado: pelo que sabia, a mulher não estava morta. Parecia respirar novamente o cheiro abafado e quente da cozinha do porão, um odor composto de insetos e roupas sujas e um cheiro vil e barato, mesmo assim atraente, porque nenhuma mulher do Partido jamais usava perfume, ou poderia ser imaginada fazendo isso. Apenas os proletários usavam perfume. Na cabeça dele, o cheiro era inseparavelmente misturado com fornicação.

Aquela mulher fora seu primeiro deslize em cerca de dois anos. Sair com prostitutas era proibido, é claro, mas era uma daquelas regras que ocasionalmente se tinha coragem de quebrar. Era perigoso, mas não era uma questão de vida ou morte. Ser pego com uma prostituta poderia significar cinco anos em um campo de trabalho forçado e nada mais que isso, se não se tivesse cometido outro crime. E era fácil, desde que se pudesse evitar ser pego em flagrante. Os bairros mais pobres fervilhavam de mulheres prontas para se venderem. Algumas podiam até ser compradas por uma garrafa de gim, bebida que os proletários não eram autorizados a consumir. O Partido estava tacitamente inclinado a encorajar a prostituição, como uma válvula de escape para os instintos que não podiam ser totalmente suprimidos. A mera libertinagem não importava muito, contanto que fosse furtiva e sem alegria e envolvesse apenas as mulheres de uma classe submersa e desprezada. O crime imperdoável era a promiscuidade entre os membros do Partido. Mas — embora esse fosse um dos crimes que os acusados nos grandes expurgos invariavelmente confessavam — era difícil imaginar algo assim acontecendo.

O objetivo do Partido não era apenas impedir que homens e mulheres formassem lealdades que ele talvez não pudesse controlar. Seu propósito real e não declarado era remover todo o prazer do ato sexual. O inimigo era menos o amor que o erotismo, tanto dentro como fora do casamento. Todos os matrimônios entre membros do Partido tinham de ser aprovados por uma comissão designada para o efeito, e — embora o princípio nunca fosse claramente declarado — a permissão era sempre recusada se o casal em questão desse a impressão de se sentir fisicamente atraído um pelo outro. O único propósito reconhecido do casamento era gerar filhos para o Partido. A relação sexual deveria ser vista como uma pequena operação um tanto repulsiva, como fazer um enema. Novamente, isso nunca era colocado em palavras simples, mas de forma indireta era ensinado a todos os membros desde a infância. Havia até organizações como a Liga da Juventude Antissexo, que defendia o celibato completo para ambos os sexos. Todas as crianças deveriam ser geradas por inseminação artificial (Semart, como era chamada em Novilíngua) e criadas em instituições públicas. Winston sabia que isso não tinha um propósito totalmente sério, mas de alguma forma se encaixava na ideologia geral do Partido. O Partido estava tentando matar o instinto sexual ou, se isso não fosse possível, ao menos distorcê-lo e denegri-lo. Não sabia por que isso acontecia, mas parecia natural que fosse assim. No que diz respeito às mulheres, os esforços do Partido eram amplamente bem-sucedidos.

Pensou novamente em Katharine. Deviam ter se passado nove, dez — quase onze anos desde que tinham se separado. Era curioso como raramente pensava nela. Ele era capaz de esquecer por dias que já havia sido casado. Tinham ficado juntos por cerca de quinze meses. O Partido não permitia o divórcio, mas antigamente encorajava a separação quando não havia filhos.

Katharine era uma garota alta, loira, de postura muito ereta e movimentos esplêndidos. Tinha um rosto aquilino e ousado, um rosto que se poderia chamar de nobre até que se descobrisse que não havia nada por trás dele. Muito cedo em sua vida de casados ele percebera — embora talvez fosse apenas porque a conhecia mais intimamente do que a maioria das pessoas — que ela tinha, sem exceção, a mente mais estúpida, vulgar e vazia que ele já havia conhecido. Ela não tinha um pensamento que não fosse um slogan, e não havia imbecilidade, absolutamente nenhuma que não fosse capaz de engolir se o Partido entregasse a ela. "A trilha sonora humana", ele a apelidara em sua própria mente. No entanto, poderia ter suportado viver com ela se não fosse por apenas uma coisa — sexo.

    Ela parecia estremecer e enrijecer assim que ele a tocava. Abraçá-la era como abraçar uma imagem de madeira articulada. E o estranho era que, mesmo quando ela o apertava contra si, ele tinha a sensação de que ela o estava empurrando com todas as suas forças. A rigidez de seus músculos conseguia transmitir essa impressão. Ela ficaria lá com os olhos fechados, nem resistindo nem cooperando, mas fazendo uma representação. Era extraordinariamente embaraçoso e, depois de um tempo, tornava-se horrível. Mesmo assim ele poderia ter suportado viver com ela se tivesse sido combinado que eles deveriam permanecer celibatários. Mas, curiosamente, foi Katharine quem recusara. Eles deveriam, dissera ela, gerar um filho, se pudessem. Assim, a apresentação continuara a acontecer, uma vez por semana com bastante regularidade, sempre que não era impossível.

Ela até o lembrava disso pela manhã, como algo que tivesse que ser feito naquela noite e que não pudesse ser esquecido. Ela tinha dois nomes para isso. Um era "fazer um bebê", e o outro era "nosso dever para com o Partido" (sim, ela tinha realmente usado essa frase). Logo Winston começou a ter um sentimento de pavor positivo quando o dia marcado chegava. Felizmente, não tiveram filho, no final ela concordara em desistir de tentar, e logo depois eles se separaram.

Winston suspirou baixinho. Pegou a caneta novamente e escreveu:

> *Ela se jogou na cama e, imediatamente, sem qualquer tipo de preliminar da maneira mais grosseira e horrível que se pode imaginar, levantou a saia. Eu...*

Ele se viu parado ali, à luz fraca da lamparina, com o cheiro de insetos e odores baratos em suas narinas, e em seu coração um sentimento de derrota e ressentimento que mesmo naquele momento estava misturado com o pensamento do corpo branco de Katharine, congelado para sempre pelo poder hipnótico do Partido. Por que sempre tinha que ser assim? Por que ele não podia ter uma esposa de verdade, em vez dessas brigas imundas em intervalos de anos? Mas um verdadeiro caso de amor era um acontecimento quase impensável. As mulheres do Partido eram todas iguais. A castidade estava tão arraigada neles quanto a lealdade ao Partido. Fosse por cuidadoso condicionamento precoce, por jogos e água fria, pelo lixo que era jogado neles na escola, nos Espiões e na Liga da Juventude, por palestras, desfiles, canções, slogans e música marcial, o sentimento natural era expulso deles. Sua razão lhe dizia que deveria haver exceções, mas seu coração não acreditava nisso. Todos eram inexpugnáveis, como o Partido pretendia que fossem. E o que ele queria, mais do que ser amado, era derrubar aquele muro de virtude, mesmo que fosse apenas uma vez em toda a sua vida. O ato sexual, realizado com sucesso, era uma rebelião. O desejo era considerado crime.

Até mesmo ter despertado Katharine, se pudesse, teria sido uma sedução, embora ela fosse sua esposa.

Mas o resto da história tinha de ser escrito. Ele escreveu:

Eu acendi a lâmpada. Quando eu a vi na luz...

Depois da escuridão, a luz fraca da lamparina de parafina parecia muito forte. Pela primeira vez ele pôde ver a mulher corretamente. Deu um passo na direção dela e então parou, cheio de luxúria e terror. Estava dolorosamente consciente do risco que corria ao ir até lá. Era perfeitamente possível que as patrulhas o pegassem na saída: por falar nisso, eles poderiam estar esperando do lado de fora da porta naquele momento. Se ele fosse embora sem nem mesmo fazer o que viera fazer...

Isso tinha que ser escrito, tinha que ser confessado. O que ele viu de repente, à luz do lampião, foi que a mulher era velha. A maquiagem era tão grossa em seu rosto que parecia que poderia rachar como uma máscara de papelão. Havia mechas brancas em seu cabelo; mas o detalhe realmente terrível era que sua boca se abriu um pouco, revelando nada além de uma escuridão cavernosa. Ela não tinha dente algum.

Escreveu apressadamente, em uma caligrafia irregular:

Quando a vi na luz, era uma mulher bastante velha, pelo menos cinquenta anos. Mas fui em frente e fiz o que tinha que fazer.

Winston pressionou os dedos contra as pálpebras novamente. Tinha finalmente escrito, mas não fazia diferença. A terapia não funcionara. O desejo de gritar palavras sujas no topo de sua voz era tão forte como sempre.

7

"Se há esperança", escreveu Winston, "ela está nos proletários".

Se é que havia esperança, a esperança só podia estar nos proletários porque só lá, naquelas massas desatendidas, naquele enxame de gente, oitenta e cinco por cento da população da Oceania, havia alguma possibilidade de que se gerasse a força capaz de destruir o Partido. Era impossível derrubar o Partido de dentro para fora. Seus inimigos, se é que existiam inimigos, não tinham como se unir ou mesmo se identificar. Mesmo se a lendária Irmandade existisse, como possivelmente existia, era inconcebível que seus membros pudessem se reunir em número superior a dois ou três. Rebelião significava um olhar nos olhos, uma inflexão da voz, no máximo uma palavra sussurrada ocasionalmente. Os proletários, se ao menos pudessem se tornar conscientes de sua própria força, não teriam necessidade de conspirar. Eles só precisariam se levantar e se sacudir como um cavalo espantando moscas. Se quisessem, poderiam explodir o Partido em pedaços amanhã de manhã. Certamente, mais cedo ou mais tarde, deveria ocorrer a eles fazer isso? Mas...

Winston se lembrou de como uma vez estava andando por uma rua movimentada quando um grito tremendo de centenas de vozes — de mulheres — irrompeu de uma rua lateral um pouco adiante. Um grito formidável de raiva e desespero, um profundo e alto "Oh-o-o-o-oh!" que continuou zumbindo como o tocar de um sino. Seu coração deu um salto. "Já começou!", ele tinha pensado. Um motim! Os proletários estão finalmente se soltando! Ao chegar ao local, viu uma multidão de duzentas ou trezentas mulheres se aglomerando em torno das barracas de um mercado de rua, com rostos tão trágicos como se fossem os passageiros condenados de um navio que afundava. Mas, naquele momento, o desespero geral se transformava em uma multidão de brigas individuais. Parecia que uma das barracas estava vendendo panelas de lata. Eram coisas miseráveis e frágeis, mas panelas de qualquer tipo sempre eram difíceis de conseguir. Agora o suprimento havia acabado inesperadamente. As mulheres bem-sucedidas, esbarrando e empurrando umas às outras, tentavam fugir com suas panelas, enquanto dezenas de outras gritavam em volta da barraca, acusando o dono de favoritismo e de ter mais panelas em algum lugar de reserva. Houve uma nova explosão de gritos. Duas mulheres inchadas, uma delas com o cabelo caindo, tinham agarrado a mesma panela e estava tentando arrancá-la das mãos uma da outra. Por um momento, as duas estavam puxando, e então a maçaneta se soltou. Winston as observou com desgosto. E, no entanto, apenas por um momento, que poder quase assustador havia soado naquele grito de apenas algumas centenas de gargantas! Por que eles nunca podiam gritar assim, sobre qualquer coisa que importasse?

Ele escreveu:

> *Até que se tornem conscientes, eles nunca se rebelarão e, até que tenham se rebelado, não podem se tornar conscientes.*

Isso, ele refletiu, quase poderia ser uma transcrição de um dos livros didáticos do Partido. O Partido alegava, é claro, ter libertado os proletários da escravidão. Antes da Revolução, haviam sido terrivelmente oprimidos pelos capitalistas, passaram fome e foram açoitados, mulheres forçadas a trabalhar nas minas de carvão (as mulheres ainda trabalhavam nas minas de carvão, na verdade), crianças vendidas nas fábricas aos seis anos. Mas, simultaneamente, fiel aos Princípios do duplipensar, o Partido ensinava que os proletários eram inferiores naturais que deviam ser mantidos em sujeição, como os animais, pela aplicação de algumas regras simples. Na realidade, muito pouco se sabia sobre os proletários. Não era necessário saber muito. Enquanto continuassem a trabalhar e se reproduzir, suas outras atividades não teriam importância. Deixados à própria sorte, como gado solto nas planícies da Argentina, voltariam a um estilo de vida que lhes parecia natural, uma espécie de padrão ancestral. Nasceriam, cresceriam nas sarjetas, começariam a trabalhar aos doze anos, passariam por um breve florescimento — período de beleza e desejo sexual, se casariam aos vinte, chegariam à meia-idade aos trinta, morreriam, pela a maior parte, aos sessenta. O trabalho físico pesado, o cuidado da casa e dos filhos, brigas mesquinhas com vizinhos, filmes, futebol, cerveja e, acima de tudo, jogos de azar, tinham enchido o horizonte de suas mentes. Mantê-los sob controle não era difícil. Alguns agentes da Polícia do Pensamento sempre se moviam entre eles, espalhando falsos rumores e marcando e eliminando os poucos indivíduos que eram julgados capazes de se tornarem perigosos; mas nenhuma tentativa fora feita para doutriná-los com a ideologia do Partido. Não era desejável que os proletários tivessem fortes sentimentos políticos. Tudo o que era exigido deles era um patriotismo primitivo ao qual se podia recorrer sempre que fosse necessário fazê-los aceitar mais horas de trabalho ou provisões mais curtas. E, mesmo quando ficavam descontentes, como às vezes ficavam, seu descontentamento não levava a lugar nenhum, porque, como não tinham ideias gerais, só podiam focalizá-lo em queixas específicas mesquinhas. Os males maiores invariavelmente escapavam de sua atenção. A grande maioria dos proletários nem tinha teletelas em casa. Até a polícia civil interferia muito pouco na vida deles. Havia um grande índice de criminalidade em Londres, todo um mundo dentro de um mundo de ladrões, bandidos, prostitutas, traficantes de drogas e gângsteres de todos os tipos; mas como tudo acontecia entre os próprios proletários, não havia importância. Em todas as questões morais, eram autorizados a seguir seu código ancestral. O puritanismo sexual do Partido não era imposto a eles. A promiscuidade não era punida, o divórcio era permitido. Por falar nisso, até mesmo o culto religioso era sido permitido se os proletários mostrassem qualquer sinal de necessidade ou desejo. Eles estavam sob suspeita. Como diz o slogan do Partido: "Proletários e animais são livres".

Winston estendeu sua mão e coçou com cautela sua úlcera varicosa. Ela havia começado a coçar novamente. Sempre se acabava voltando para o mesmo ponto: a impossibilidade de saber como realmente era a vida antes da Revolução. Tirou da gaveta uma cópia de um livro de história infantil que havia pegado emprestado da Sra. Parsons e começou a copiar uma passagem para o diário:

> *Nos velhos tempos (diziam), antes da gloriosa Revolução, Londres não era a bela cidade que conhecemos hoje. Era um lugar escuro, sujo e miserável, onde quase ninguém tinha o que comer e onde centenas e milhares de pobres não tinham botas nos pés e nem mesmo um teto para dormir. Crianças com menos idade que você tinham de trabalhar doze horas por dia para mestres cruéis que as açoitavam com chicotes se trabalhassem muito devagar e não as alimentavam com nada além de farinha de rosca e água. Mas, em meio a toda essa pobreza terrível, havia apenas algumas casas grandes e bonitas que eram habitadas por homens ricos que tinham até trinta empregados para cuidar delas. Esses homens ricos eram chamados de capitalistas. Eram homens gordos e feios com rostos perversos, como o da foto da página seguinte. Você pode ter certeza de que ele usa um longo casaco preto que era chamado de sobrecasaca e um chapéu esquisito e brilhante em forma de chaminé, que era chamado de cartola.*

Esse era o uniforme dos capitalistas, e ninguém mais tinha permissão para usá-lo. Os capitalistas possuíam tudo no mundo, e todos os outros eram seus escravos. Eles possuíam todas as terras, todas as casas, todas as fábricas e todo o dinheiro. Se alguém lhes desobedecesse, eles poderiam jogá-los na prisão, ou poderiam tirar seu emprego e matá-lo de fome. Quando qualquer pessoa comum falava com um capitalista, ele tinha que se encolher e se curvar a ele, e tirar o boné e chamá-lo de "Senhor". O chefe de todos os capitalistas era chamado de Rei, e...

Mas ele conhecia o resto da história. Haveria menção dos bispos em suas mangas de gramado, os juízes em suas vestes de arminho, o pelourinho, os troncos, a esteira, as caudas *cat-o'-nine*, o Banquete do Lorde Mayor e a prática de beijar o dedo do pé do Papa. Havia também algo chamado *jus primae noctis*, que provavelmente não seria mencionado em um livro didático para crianças. Era a lei pela qual todo capitalista tinha o direito de dormir com qualquer mulher que trabalhasse em uma de suas fábricas.

Como se poderia dizer o quanto era mentira? Poderia ser verdade que o ser humano médio estivesse melhor agora do que antes da Revolução. A única evidência em contrário era o protesto mudo em seus próprios ossos, a sensação instintiva de que as condições em que se vivia eram intoleráveis e que em algum outro momento elas deviam ter sido diferentes. Ocorreu-lhe que o que realmente era característico da vida moderna não eram sua crueldade e insegurança, mas simplesmente sua nudez, sua sujeira, sua indiferença. A vida, se se olhasse ao redor, não guardava qualquer semelhança não apenas com as mentiras que fluíam das teletelas, mas mesmo com os ideais que o Partido tentava alcançar. Grandes áreas dela, mesmo para um membro do Partido, eram neutras e apolíticas, uma questão de se arrastar por trabalhos enfadonhos, lutar por um lugar no metrô, cerzir uma meia surrada, vender um comprimido açucarado, economizar uma ponta de cigarro. O ideal estabelecido pelo Partido era algo enorme, terrível e brilhante — um mundo de aço e concreto, de máquinas monstruosas e armas terríveis –, uma nação de guerreiros e fanáticos, marchando em perfeita unidade, todos pensando os mesmos pensamentos e gritando os mesmos slogans, perpetuamente trabalhando, lutando, triunfando, perseguindo — trezentos milhões de pessoas, todas com a mesma face. A realidade era de cidades decadentes e sombrias, onde pessoas desnutridas andavam de um lado para outro com sapatos furados, em casas remendadas do século XIX que sempre cheiravam a repolho e banheiros sujos. Ele parecia ter uma visão de Londres, vasta e em ruínas, cidade com um milhão de latas de lixo, e misturada a ela estava uma foto da Sra. Parsons, uma mulher com o rosto enrugado e cabelos ralos, mexendo desamparadamente em um cano de lixo bloqueado.

Winston se abaixou e coçou o tornozelo novamente. Dia e noite as teletelas machucavam seus ouvidos com estatísticas provando que as pessoas hoje tinham mais comida, mais roupas, melhores casas, melhores recreações — viviam mais, trabalhavam menos horas, eram maiores, mais saudáveis, mais fortes, mais felizes, mais inteligentes, mais educadas do que as pessoas de cinquenta anos atrás. Nenhuma palavra poderia ser provada ou contestada. O Partido afirmava, por exemplo, que hoje quarenta por cento dos proletários adultos eram alfabetizados: antes da Revolução, dizia-se, o número era de apenas quinze por cento. O Partido afirmava que a taxa de mortalidade infantil era agora de apenas cento e sessenta por mil, enquanto antes da Revolução era de trezentos — e assim por diante. Era como uma única equação com duas incógnitas. Podia muito bem ser que literalmente cada palavra nos livros de história, mesmo as coisas que se aceitava sem questionar, fossem pura fantasia. Pelo que ele sabia, poderia nunca ter existido uma lei como *jus primae noctis*, ou qualquer capitalista, ou qualquer vestimenta como uma cartola.

Tudo se esmaecia na névoa. O passado fora anulado, o ato da anulação fora esquecido, a mentira se tornara verdade. Somente uma vez na vida depois do acontecimento ele possuíra um indício concreto, inquestionável, de um ato de falsificação. Esse indício estivera entre seus dedos por trinta segundos. Em 1973, deve ter sido — de qualquer forma, mais ou menos na época em que ele e Katharine tinham se separado. Mas a data realmente relevante fora sete ou oito anos antes.

A história realmente começara em meados dos anos sessenta, o período dos grandes expurgos em que os líderes originais da Revolução foram eliminados de uma vez por todas. Em 1970, nenhum deles fora deixado, exceto o próprio Grande Irmão. Todo o resto já havia sido exposto como traidor e contrarrevolucionário. Goldstein havia fugido e estava escondido, ninguém sabia onde, e, dos outros, alguns simplesmente tinham desaparecido, enquanto a maioria fora executada após espetaculares julgamentos públicos nos quais confessaram seus crimes. Entre os últimos sobreviventes estavam três homens, chamados Jones, Aaronson e Rutherford. Devia ter sido em 1965 que esses três foram presos. Como sempre acontecia, eles haviam desaparecido por um ano ou mais, de modo que ninguém sabia se estavam vivos ou mortos, e então de repente foram trazidos para se incriminarem da maneira usual. Eles haviam confessado inteligência com o inimigo (naquela data, também, o inimigo era a Eurásia), desvio de fundos públicos, o assassinato de vários membros do Partido de confiança, intrigas contra a liderança do Grande Irmão que haviam começado muito antes de acontecer a Revolução, e atos de sabotagem causando a morte de centenas de milhares de pessoas. Depois de confessar essas coisas, foram perdoados e reintegrados ao Partido e receberam cargos que eram na verdade sinecuras, mas que pareciam importantes. Todos os três escreveram artigos longos e abjetos no Times, analisando os motivos de sua deserção e prometendo fazer as pazes.

Algum tempo depois de seu lançamento, Winston realmente viu os três no Café Chestnut Tree. Ele se lembrou do tipo de fascinação aterrorizada com que os observava com o canto do olho. Eram homens muito mais velhos que ele, relíquias do mundo antigo, quase as últimas grandes figuras remanescentes dos tempos heroicos do Partido. O glamour da luta clandestina e da guerra civil ainda vagamente se apegava a eles. Ele tinha a sensação, embora já naquela época os fatos e as datas estivessem ficando confusos, de que sabia seus nomes anos antes do que do Grande Irmão. Mas também eram bandidos, inimigos, intocáveis, condenados à extinção com certeza absoluta dentro de um ou dois anos. Ninguém que uma vez caíra nas mãos da Polícia do Pensamento escapara no final. Eles eram cadáveres esperando para serem enviados de volta ao túmulo.

Não havia ninguém em nenhuma das mesas mais próximas a eles. Não era sábio nem mesmo ser visto na vizinhança dessas pessoas. Estavam sentados em silêncio diante de copos de gim aromatizado com cravo, a especialidade do café. Dos três, era Rutherford quem mais impressionava Winston. Rutherford já fora um caricaturista famoso, cujos cartuns brutais tinham ajudado a inflamar a opinião popular antes e durante a Revolução. Mesmo agora, em longos intervalos, seus desenhos estavam aparecendo no Times. Eles eram simplesmente uma imitação de seus trejeitos anteriores, curiosamente sem vida e não convincentes. Sempre eram uma revisão dos temas antigos — cortiços, crianças famintas, batalhas de rua, capitalistas de cartola. Mesmo nas barricadas, os capitalistas ainda pareciam agarrar-se a suas cartolas, um esforço sem fim e sem esperança de voltar ao passado. Era um homem monstruoso, com uma juba de cabelos grisalhos oleosos, o rosto enrugado e marcado, com grossos lábios enegrecidos. Em certa época, deve ter sido imensamente forte; agora seu grande corpo se encontrava curvado, inclinado, protuberante, caindo em todas as direções. Parecia estar se quebrando diante dos olhos, como uma montanha desmoronando.

Era a hora solitária das quinze. Winston agora não conseguia se lembrar de como chegara ao café naquela hora. O lugar estava quase vazio. Uma música metálica saía das teletelas. Os três homens estavam sentados em seu canto, quase imóveis, sem falar. Sem ser comandado, o garçom trouxe novos copos de gim. Havia um tabuleiro de xadrez na mesa ao lado deles, com as peças arrumadas, mas nenhum jogo iniciado. E então, por talvez meio minuto no total, algo aconteceu às teletelas. A melodia que eles tocavam mudou, e o tom da música também. Aí veio algo difícil de descrever. Era uma nota peculiar, rachada, estridente e zombeteira: em sua mente, Winston a chamava de nota amarela. E então uma voz da teletela cantou:

> *Sob o castanheiro que se espalha*
> *Eu te vendi e você me vendeu:*
> *Lá mentem eles, e aqui estamos nós*
> *Sob o castanheiro que se espalha.*

Os três homens não se mexeram. Winston olhou novamente para o rosto em ruínas de Rutherford e percebeu que seus olhos estavam cheios de lágrimas. Pela primeira vez notou, com uma espécie de estremecimento interior, mas sem saber do que estremecia, que Aaronson e Rutherford tinham o nariz quebrado.

Um pouco depois, os três foram presos novamente. Parecia que eles haviam se envolvido em novas conspirações desde o momento de sua libertação. No segundo julgamento, confessaram todos os seus crimes antigos novamente e mais vários outros. Foram executados, e seu destino, registrado nas histórias do Partido, uma advertência à posteridade. Cerca de cinco anos depois, em 1973, Winston estava desenrolando um maço de documentos que acabara de cair do tubo pneumático sobre sua mesa quando encontrou um fragmento de papel que evidentemente havia sido colocado entre os outros e depois esquecido. No instante em que o achatou, viu seu significado. Era meia página arrancada do Times de cerca de dez anos antes — a metade superior da página, de modo que incluía a data — que continha uma fotografia dos delegados em alguma função do Partido em Nova York. Proeminentes no meio do grupo estavam Jones, Aaronson e Rutherford. Não havia como confundi-los, de qualquer forma seus nomes estavam na legenda na parte inferior.

A questão é que em ambos os julgamentos os três homens tinham confessado que naquela data estavam em solo eurasiano. Eles tinham voado de um campo de aviação secreto no Canadá para um ponto de encontro em algum lugar na Sibéria, e conversado com membros do Estado-Maior da Eurásia, a quem revelaram importantes segredos militares. A data ficara gravada na memória de Winston porque parecia ser um dia de verão, mas toda a história devia estar registrada em incontáveis outros lugares também. Havia apenas uma conclusão possível: as confissões eram mentiras.

Claro, isso não fora em si uma descoberta. Mesmo naquela época, Winston não imaginava que as pessoas dizimadas nos expurgos tivessem realmente cometido os crimes de que eram acusadas. Mas essa era uma evidência concreta, um fragmento do passado abolido, como um osso fóssil que surge no estrato errado e destrói uma teoria geológica. Era o suficiente para explodir o Partido em átomos, se de alguma forma pudesse ser publicado para o mundo e seu significado divulgado.

Ele tinha ido direto ao trabalho. Assim que viu o que era a fotografia e o que significava, cobriu-se com outra folha de papel. Felizmente, quando a desenrolou, ela estava de cabeça para baixo do ponto de vista da teletela.

Winston pôs a prancheta nos joelhos e empurrou a cadeira para trás, para ficar o mais longe possível da teletela. Manter seu rosto sem nenhuma expressão não era difícil, e até mesmo sua respiração podia ser controlada com esforço, apesar de não ser possível controlar as batidas do coração, e a teletela era delicada o suficiente para captá-los. Ele deixou passar o que julgou serem dez minutos, atormentado o tempo todo pelo medo de que algum acidente — uma corrente repentina soprando sobre sua mesa, por exemplo — o traísse. Então, sem descobri-lo novamente, jogou a fotografia no buraco da memória, junto com alguns outros papéis usados. Dentro de mais um minuto, talvez, ela teria se desintegrado e virado cinzas.

Isso foi há dez — onze anos. Hoje, provavelmente, teria guardado aquela fotografia. Era curioso que o fato de a ter segurado entre os dedos lhe parecesse fazer diferença ainda agora, quando a própria fotografia, assim como o acontecimento que registrava, eram apenas memória. Será que o controle do Partido sobre o passado teria ficado menos poderoso pelo fato de que uma prova material que já não existia havia um dia existido?

Mas hoje, supondo que pudesse ser de alguma forma ressuscitada de suas cinzas, a fotografia poderia nem mesmo ser uma prova. Já na época em que fizera sua descoberta, a Oceania não estava mais em guerra com a Eurásia, e deve ter sido aos agentes da Lestásia que os três mortos tinham traído seu país. Desde então, houve outras mudanças — duas, três, não conseguia se lembrar quantas. Muito provavelmente as confissões tinham sido escritas e reescritas até que os fatos e as datas originais não tivessem mais o menor significado. O passado não apenas mudava, como mudava continuamente. O que mais o afligia com a sensação de pesadelo era que nunca havia entendido claramente por que a enorme impostura fora cometida. As vantagens imediatas de falsificar o passado eram óbvias, mas o motivo último era misterioso. Pegou sua caneta novamente e escreveu:

Eu entendo **como**: Eu não entendo **por quê**.

Winston se perguntou, como já havia se perguntado antes, se ele mesmo era um lunático. Talvez os lunáticos fossem simplesmente minoria. Houve um tempo em que era um sinal de loucura acreditar que a Terra girava em torno do sol; hoje, loucura era acreditar que o passado é inalterável. Ele podia ser o **único** que acreditava nisso e, se fosse o caso, então era lunático. Mas a ideia de ser lunático não o perturbava muito: o horror era que ele também pudesse estar errado.

Pegou o livro de história infantil e olhou para o retrato do Grande Irmão estampado no frontispício. Os olhos hipnóticos pareciam olhar nos seus. Era como se uma força enorme o estivesse pressionando — algo que penetrava em seu crânio, batendo contra o seu cérebro, assustando-o para além de suas crenças, persuadindo-o, quase, a negar a evidência de seus sentidos. No final, o Partido anunciaria que dois mais dois eram cinco, e se teria que acreditar. Era inevitável que fizessem essa afirmação mais cedo ou mais tarde: a lógica de sua posição exigia que fosse assim. Não apenas a validade da experiência, mas a própria existência da realidade externa era tacitamente negada por sua filosofia. A heresia das heresias era o senso comum. E o assustador não era que eles o matassem por pensar de outra forma, mas que eles poderiam estar certos. Afinal, como sabemos que dois mais dois são quatro? Ou que a força da gravidade funciona? Ou que o passado é imutável? Se o passado e o mundo externo existem apenas na mente, e se a própria mente é controlável, o que acontecerá?

Mas não! Sua coragem pareceu endurecer de repente, por conta própria. O rosto de O'Brien, não evocado por qualquer associação óbvia, flutuou em sua mente. Ele sabia, com mais certeza do que antes, que O'Brien estava do seu lado. Estava escrevendo o diário para O'Brien — para O'Brien: era como uma carta interminável que ninguém jamais leria, mas que fora endereçada a uma pessoa em particular e tirou a cor desse fato.

O Partido mandava você rejeitar a evidência de seus olhos e ouvidos. Era seu comando final e mais essencial. Sentia um aperto no coração ao pensar no enorme poder exercido contra ele, na facilidade com que qualquer intelectual do Partido o derrubaria em um debate, nos argumentos sutis que ele não seria capaz de entender, muito menos responder. E ainda assim ele estava certo! Eles estavam errados, e ele estava certo. O óbvio, o tolo e o verdadeiro precisam ser defendidos. Os truísmos são verdadeiros, mantenha-se firme nisso! O mundo sólido existe, suas leis não mudam. As pedras são duras, a água é úmida, os objetos sem suporte caem em direção ao centro da Terra. Com a sensação de que estava falando com O'Brien e também de que estava estabelecendo um axioma importante, escreveu:

> *Liberdade é a liberdade de dizer que dois mais dois são quatro. Se isso for concedido, tudo o mais se seguirá.*

8

De algum lugar no fundo de uma viela, o aroma de café torrado — café de verdade, não o do Café Victory — se espalhava pela rua. Winston fez uma pausa involuntária. Por talvez dois segundos, estava de volta ao mundo meio esquecido de sua infância. Então uma porta bateu, parecendo interromper aroma cheiro tão abruptamente quanto se tivesse sido um som.

Winston havia caminhado vários quilômetros pelas calçadas, e sua úlcera varicosa latejava. Era a segunda vez em três semanas que ele faltava a uma noite no Centro Comunitário: um ato temerário, pois era de conhecimento geral que o número de atendimentos no Centro era verificado com cuidado. Em princípio, os membros do Partido não tinham tempo livre e nunca estavam sozinhos, exceto quando estavam na cama. Presumia-se que, quando não estavam trabalhando, comendo ou dormindo, participavam de algum tipo de recreação comunitária: fazer qualquer coisa que sugerisse um gosto pela solidão, até mesmo dar um passeio sozinho, era sempre um pouco perigoso. Havia uma palavra para isso em Novilíngua: vidaprópria, significando individualismo e excentricidade. Mas essa noite, quando ele saiu do Ministério, o bálsamo do ar de abril o havia tentado. O céu estava de um azul mais quente do que ele vira naquele ano, e de repente a longa e barulhenta noite no Centro, os jogos entediantes e exaustivos, as palestras, a camaradagem estaladiça untada pelo gim pareceram intoleráveis. Num impulso ele se afastou do ponto de ônibus e vagou para o labirinto de Londres, primeiro para o sul, depois para o leste, depois para o norte novamente, perdendo-se em ruas desconhecidas e mal se importando com a direção que estava tomando.

"Se há esperança", escreveu no diário, "ela está nos proletários". As palavras insistiam em voltar-lhe à mente: a declaração de uma verdade mística e um absurdo palpável. Ele estava em algum lugar das favelas indistintas e pardacentas ao norte e a leste do que antes fora a estação Saint Pancras. Avançava por uma rua de paralelepípedos com pequenas casas de dois andares com portas amassadas que davam diretamente para a calçada e que de algum modo lembravam curiosamente buracos de rato. Havia poças de água suja aqui e ali entre as pedras. Um mar de gente circulava pelas passagens escuras que davam acesso aos sobradinhos e pelos becos transversais à rua — garotas na flor da idade, com as bocas grosseiramente pintadas de batom, jovens que perseguiam as garotas, mulheres gingadas e gordas que mostravam como as garotas ficariam em dez anos, velhas criaturas curvadas arrastando-se sobre os pés abertos e crianças esfarrapadas descalças que brincavam nas poças e depois corriam ao ouvir gritos raivosos de suas mães. Talvez um quarto das janelas da rua estivesse quebrado e fechado com tábuas. A maioria das pessoas não prestava atenção a Winston; alguns o olhavam com uma espécie de curiosidade cautelosa. Duas mulheres monstruosas, com antebraços cor de tijolo dobrados sobre os aventais, conversavam do lado de fora de uma porta. Winston ouviu fragmentos de conversa ao se aproximar.

— "É" , eu falei pra ela, "você tem toda a razão", foi o que eu disse. "Mas eu queria ver você no meu lugar, aposto que tinha feito igual". "Criticar é fácil", eu falei, "mas você não tem os problemas que eu tenho".

— É verdade — disse a outra. — É isso mesmo, é exatamente isso.

As vozes estridentes pararam abruptamente. As mulheres estudaram Winston com um silêncio hostil enquanto ele passava. Mas não era exatamente hostilidade; apenas uma espécie de cautela, um enrijecimento momentâneo, como quando algum animal desconhecido passa na sua frente. O macacão azul do Partido não poderia ser uma visão comum em uma rua como esta. Na verdade, não era sensato ser visto em tais lugares, a menos que se tivessem negócios definidos lá. As patrulhas podem pará-lo se topar com elas. "Posso ver seus documentos, camarada? O que você está fazendo aqui? A que horas você saiu do trabalho? Este é o seu caminho normal para casa?" — e assim por diante. Não que houvesse alguma regra contra voltar a pé para casa por um caminho incomum: mas isso bastava para que a Polícia do Pensamento ficasse alerta, se fosse informada.

De repente, toda a rua estava em comoção. Havia gritos de advertência de todos os lados. As pessoas batiam nas portas como coelhos. Uma jovem saltou de uma porta um pouco à frente de Winston, agarrou uma criancinha que brincava em uma poça, enrolou seu avental em volta dela e saltou para trás, tudo em apenas um movimento. No mesmo instante, um homem de terno preto parecido com uma sanfona, que havia emergido de um beco lateral, correu em direção a Winston, apontando excitadamente para o céu.

— Cuidado! A maria-fumaça! — gritou. — Cuidado, patrão! Lá vem ela! Depressa, se jogue no chão!

"Maria-fumaça" era um apelido que por algum motivo os proletários davam aos mísseis. Winston prontamente se jogou de cara no chão. Os proletários quase sempre estavam certos quando davam um aviso desse tipo. Pareciam ter algum tipo de instinto que lhes dizia, com vários segundos de antecedência, quando um foguete estava chegando, embora os foguetes supostamente viajassem mais rápido que o som. Winston colocou os antebraços acima da cabeça. Houve um rugido que pareceu fazer o pavimento erguer-se; uma chuva de objetos leves tamborilou em suas costas. Ao se levantar, descobriu que estava coberto com fragmentos de vidro da janela mais próxima.

Seguiu em frente. A bomba havia demolido um grupo de casas duzentos metros rua acima. Uma nuvem negra de fumaça pairava no céu, e abaixo dela, havia uma nuvem de poeira de gesso na qual uma multidão já se formava em torno das ruínas. Havia uma pequena pilha de gesso na calçada à sua frente, e no meio dela ele podia ver uma faixa vermelha brilhante. Quando se levantou, viu que se tratava de uma mão humana decepada no pulso. Exceto pelo coto ensanguentado, a mão era tão branca que parecia um molde de gesso.

Winston chutou aquela coisa para a sarjeta e, para evitar a multidão, virou em uma rua lateral à direita. Em três ou quatro minutos estava fora da área afetada pela bomba, e a sórdida vida com enxames de pessoas nas ruas continuava como se nada tivesse acontecido. Eram quase vinte horas, e os bares que os proletários frequentavam (*pubs*, como os chamavam) estavam lotados de clientes. De suas portas de vaivém sujas, abrindo e fechando sem parar, saía um cheiro de urina, serragem e cerveja azeda. Num ângulo formado por uma fachada saliente, três homens estavam de pé muito próximos, o do meio segurando um jornal dobrado que os outros dois estudavam sobre o ombro. Mesmo antes de estar perto o suficiente para ver a expressão em seus rostos, Winston podia ver a absorção em cada linha de seus corpos. Obviamente, era uma notícia séria que estavam lendo. Ele estava a poucos passos deles quando de repente o grupo se separou e dois dos homens estavam em violenta altercação. Por um momento, pareceram quase à beira de um golpe.

— Você tá surdo ou o quê? Tô falando que faz mais de um ano que não dá nada com sete no final!

— Deu o sete, sim, que eu sei!

— Não deu, não! Lá em casa eu tenho tudo anotado. Faz mais de dois anos que anoto esses números num pedaço de papel. Anoto tudo, não fica nada de fora. E tô te dizendo que faz um tempão que não dá nada com sete no final...

— Mas é certeza que deu o sete! Se você quiser, te falo até a porcaria do número. O final eu sei que era quatro zero sete. Isso foi em fevereiro, na segunda semana de fevereiro.

— Fevereiro uma ova! Tenho esses números direitinho lá em casa. Tô falando que...

— Ah, parem de encher o saco! — disse o terceiro sujeito.

Estavam falando sobre a loteria. Trinta metros adiante, Winston olhou para trás. Eles ainda estavam discutindo, com rostos vívidos e apaixonados. A Loteria, com seu pagamento semanal de enormes prêmios, era o único evento público ao qual os proletários prestavam muita atenção. Era provável que houvesse alguns milhões de proletários para os quais a Loteria era a principal, senão a única razão, de permanecerem vivos. Era seu deleite, sua loucura, seu anódino, seu estimulante intelectual. No que dizia respeito à Loteria, mesmo as pessoas que mal sabiam ler e escrever pareciam capazes de cálculos intrincados e façanhas impressionantes de memória. Havia todo um grupo de homens que ganhava a vida simplesmente vendendo sistemas, previsões e amuletos da sorte. Winston não tinha nada a ver com o funcionamento da Loteria, que era administrada pelo Ministério da Abundância, mas ele estava ciente (na verdade, todos no Partido sabiam) que os prêmios eram em grande parte imaginários. Apenas pequenas quantias eram realmente pagas, e os vencedores dos grandes prêmios muitas vezes eram pessoas inexistentes. Na ausência de qualquer intercomunicação real entre uma parte da Oceania e outra, não era difícil operar esse sistema.

Mas, se havia esperança, ela estava nos proletários. Winston deveria se agarrar a isso. Quando se coloca a ideia em palavras, ela parece razoável: quando se olhava para os seres humanos passando na calçada é que se tornava um ato de fé. A rua para a qual ele havia virado descia ladeira abaixo. Tinha a sensação de que já havia estado naquela vizinhança antes e que havia uma avenida principal não muito longe. De algum lugar à frente veio um estrondo de vozes gritando. A rua fez uma curva fechada e terminou em uma escadaria que levava a um beco submerso onde alguns donos de barracas vendiam verduras murchas. Nesse momento, Winston se lembrou de onde estava. O beco dava para a rua principal, e, na curva seguinte, a menos de cinco minutos de distância, ficava a loja de sucata onde ele comprara o livro em branco que agora era seu diário. E, em uma pequena papelaria não muito longe, comprara seu porta-canetas e seu frasco de tinta.

Parou por um momento no topo da escada. Do outro lado do beco havia um pequeno *pub* sujo, cujas janelas pareciam estar congeladas, mas na verdade estavam apenas cobertas de poeira. Um homem muito velho, curvado mas ativo, com bigodes brancos que se eriçavam para a frente como os de um camarão, empurrou a porta de vaivém e entrou. Enquanto Winston observava, ocorreu-lhe que o velho, que devia ter oitenta anos pelo menos, já estava na meia-idade quando a Revolução acontecera. Ele e alguns outros como ele eram os últimos elos que agora existiam com o mundo desaparecido do capitalismo. No próprio Partido, não tinham restado muitas pessoas cujas ideias tivessem sido formadas antes da Revolução. A geração mais velha fora quase totalmente exterminada nos grandes expurgos dos anos cinquenta e sessenta, e os poucos que sobreviveram há muito estavam aterrorizados até a rendição intelectual completa. Se ainda houvesse alguém vivo que pudesse lhe dar um relato verdadeiro das condições no início do século, só poderia ser um proletário. De repente, a passagem do livro de história que ele havia copiado no diário voltou à mente de Winston, e um impulso lunático tomou conta dele. Ele iria para o *pub*, iria raspar conhecimento com aquele velho e questioná-lo. Diria: "Conte-me sobre sua vida quando você era menino. Como era naquela época? As coisas estavam melhores do que são agora ou estavam piores?".

Apressado, para não ter tempo de se assustar, desceu os degraus e atravessou a rua estreita. Claro que era uma loucura. Como sempre, não havia regra definida contra falar com proletários e frequentar seus *pubs*, mas era uma ação muito incomum para passar despercebida. Se as patrulhas aparecessem, poderia alegar um ataque de desmaio, mas provavelmente não acreditariam nele. Winston empurrou a porta, e um cheiro horrível de cerveja azeda o atingiu no rosto. Quando ele entrou, o barulho das vozes caiu para cerca de metade do volume. Atrás de suas costas, podia perceber todos olhando seu macacão azul. Um jogo de dardos que acontecia do outro lado da sala interrompeu-se por cerca de trinta segundos. O velho que ele havia seguido estava de pé no bar, tendo uma espécie de discussão com o barman, um jovem corpulento, de nariz adunco e antebraços enormes. Outro grupo, de pé em volta com copos nas mãos, observava a cena.

— Fui educado, não fui? — perguntou o velho, empertigando os ombros, irritado. — Está me dizendo que não tem uma caneca de um quartilho nesta porcaria de boteco?

— E que droga de quartilho é essa? — retrucou o barman, inclinando-se para a frente, com as pontas dos dedos apoiadas no balcão.

— Olha só esse sujeito! Diz que é dono de botequim e não sabe o que é quartilho! Ora, um quartilho é um quarto de galão. Daqui a pouco vou ter que te ensinar o alfabeto.

— Nunca nem ouvi falar — disse laconicamente o barman. — Nós, aqui, só temos copos de um litro e copos de meio litro. Estão nessa prateleira bem aí na sua frente.

— Mas eu insisto que quero um quartilho — disse o velho. — É a coisa mais fácil do mundo tirar um quartilho. No meu tempo não tinha esse negócio de litro.

— No seu tempo as pessoas moravam em árvores — respondeu o barman, olhando de relance para os outros fregueses.

Houve uma gargalhada, e a inquietação causada pela entrada de Winston pareceu desaparecer. O rosto com a barba branca do velho ficou rosado. Ele se virou, resmungando para si mesmo, e esbarrou em Winston. Winston o segurou suavemente pelo braço.

— Posso lhe oferecer uma bebida? — perguntou.

— Você é um cavalheiro — disse o outro, endireitando os ombros novamente. Parecia não ter notado o macacão azul de Winston. — Um quartilho! — acrescentou ele agressivamente ao barman. — Um quartilho da loira!

O barman despejou dois meios-litros de cerveja marrom-escura em copos grossos que enxaguava em um balde sob o balcão. Cerveja era a única bebida que podia ser consumida em *pubs* proletários. Eles não podiam beber gim, embora, na prática, conseguissem obtê-lo com bastante facilidade. O jogo de dardos estava a todo vapor novamente, e o grupo de homens no bar começou a falar sobre bilhetes de loteria. A presença de Winston foi esquecida por um momento. Havia uma mesa de negociação sob a janela onde ele e o velho podiam conversar sem medo de serem ouvidos. Era terrivelmente perigoso, mas de qualquer forma não havia teletela na sala, algo de que ele se certificou assim que entrou.

— Poderia ter me tirado um quartilho — resmungou o velho, enquanto se acomodava atrás de um copo. — Meio litro não é suficiente. Não satisfaz. E um litro é demais. Só de pensar dá vontade de ir no banheiro. Sem falar no preço.

— Você deve ter presenciado grandes mudanças desde que era jovem — comentou Winston timidamente.

Os olhos azul-claros do velho moveram-se do tabuleiro de dardos para o bar, e do bar para a porta do Gents, como se fosse no bar que ele esperava que as mudanças ocorressem.

— A cerveja era melhor — disse ele, finalmente. — E mais barata! Quando eu era jovem, a cerveja suave — como costumávamos chamá-la — custava quatro *pences* o litro. Isso foi antes da guerra, é claro.

— Que guerra foi essa? — quis saber Winston.

— Todas elas — respondeu o velho, impreciso. Ele então pegou o copo e tornou a empertigar os ombros. — E agora, um brinde à sua saúde!

Em sua garganta magra, o pomo de adão de ponta afiado fez um movimento surpreendentemente rápido para cima e para baixo, e a cerveja desapareceu. Winston foi ao bar e voltou com mais dois copos de meio-litro. O velho parecia ter esquecido seu preconceito de beber um litro inteiro.

— O senhor é muito mais velho do que eu — começou Winston. — Devia ser adulto antes mesmo de eu nascer.

Consegue se lembrar de como era nos velhos tempos, antes da Revolução. As pessoas da minha idade realmente não sabem nada sobre aquela época. Só podemos ler sobre ela em livros, e o que é dito nos livros pode não ser verdade. Eu gostaria de sua opinião sobre isso. A história nos livros diz que a vida antes da Revolução era completamente diferente da que é agora. Houve a mais terrível opressão, injustiça, e a pobreza era pior que qualquer coisa que possamos imaginar. Aqui em Londres, a grande massa do povo nunca tinha o suficiente para comer desde o nascimento até a morte. Metade deles nem tinha botas para calçar. Eles trabalhavam doze horas por dia, saíam da escola às nove, dormiam dez em um quarto. E ao mesmo tempo havia muito poucas pessoas, apenas alguns milhares — os capitalistas, eles eram chamados — que eram ricos e poderosos. Eles possuíam tudo o que havia para possuir. Viviam em casas lindas com trinta empregados, andavam em carros a motor e carruagens de quatro cavalos, bebiam champanhe, usavam cartolas...

O velho se iluminou de repente.

— Cartolas! Engraçado você dizer isso. A mesma coisa veio à minha cabeça ontem, não sei por quê. Eu estava pensando que não vejo uma cartola há anos. Os caras deram fim nelas. A última vez que usei uma foi no funeral da minha cunhada. E isso foi — bem, eu não poderia te dar a data, mas deve ter sido cinquenta anos atrás. Claro que foi apenas alugada para a ocasião...

— As cartolas não são muito importantes. — disse Winston, paciente. — A questão é que esses capitalistas — eles e alguns advogados e padres e outros que viviam neles — eram os senhores da terra. Tudo existia para seu benefício. Vocês — as pessoas comuns, os trabalhadores — eram seus escravos. Podiam fazer o que quisessem com vocês. Eles poderiam mandá-los para o Canadá como gado. Podiam dormir com suas filhas, se quisessem. Podiam mandar açoitar vocês. Vocês tinham que tirar o chapéu quando passavam por eles. Cada capitalista andava com um grupo de lacaios que...

O velho se iluminou novamente.

— Os lacaios! — exclamou. — Essa é uma palavra que não ouço há muito tempo. Lacaios! Isso, sim, me leva de volta ao passado. Lembro que eu costumava — ah, faz muito tempo –, eu costumava ir ao Hyde Park no domingo à tarde para escutar os discursos desse pessoal. Os do Exército da Salvação, os católicos, os judeus, os indianos — tinha de tudo que você pode imaginar. E tinha um sujeito... Ah, não vou saber o nome dele agora, mas estou pra ver um homem pra falar tão bem que nem aquele. Falava as coisas na lata! "São um bando de lacaios!", "Os lacaios da burguesia!", "Os sabujos da classe dominante!", "Os parasitas" — essa era outra. E "hienas" também — me lembro bem que ele chamava os sujeitos de "hienas". Tava falando do Partido Trabalhista.

Winston tinha a sensação de que estavam conversando com propósitos contrários.

— O que eu realmente queria saber era isso: o senhor sente que tem mais liberdade agora do que tinha naquela época? É tratado mais como um ser humano? Nos velhos tempos, as pessoas ricas, as pessoas no topo...

— A Câmara dos Lordes! — interrompeu o velho, nostálgico.

— A Câmara dos Lordes, como queira. O que eu estou perguntando é se essas pessoas tratavam o senhor como inferior só porque eram ricas e o senhor pobre. É verdade, por exemplo, que tinha de chamá-los de "Senhor" e tirar o chapéu quando passava por elas?

O velho parecia pensar profundamente. Bebeu cerca de um quarto de sua cerveja antes de responder.

— Sim. Eles gostavam que a gente tirasse o chapéu para eles. Mostrava respeito. Eu não concordo com isso, mas fiz com bastante frequência. Tive que fazer, como você pode bem imaginar.

— E era normal — estou apenas citando o que li nos livros de história –, era comum essas pessoas e seus servos empurrarem você da calçada para a sarjeta?

— Um deles me empurrou uma vez. Ah, me lembro como se fosse ontem. Era a noite de Regatas, terrivelmente turbulenta como costumava ser, e me deparei com um jovem na Avenida Shaftesbury. Muito cavalheiro, ele era — camisa social, sobretudo preto. E estava meio que ziguezagueando pela calçada quando esbarrei nele acidentalmente. Ele disse: "Por que você não olha por onde anda?". E eu disse: "Você acha que comprou a porcaria do asfalto?". E ele disse: "Vou torcer sua cabeça, se você falar assim de novo comigo". Eu disse: "Você está bêbado. Vou te colocar nos eixos em um minuto". E você não vai acreditar, mas o sujeitinho me deu um empurrão tão forte que me mandou para baixo das rodas de um ônibus. Ah, mas naquela época eu era jovem e ia dar um murro bem dado na cara dele, se...

Uma sensação de impotência tomou conta de Winston. A memória do velho não era nada além de um monte de lixo de detalhes. Alguém poderia questioná-lo o dia todo sem obter nenhuma informação real. As histórias das festas ainda podem ser verdadeiras, de certa forma: podem até ser completamente verdadeiras. Fez uma última tentativa.

— Talvez eu não tenha sido claro — prosseguiu. — O que estou tentando dizer é isso: você está vivo há muito tempo; você viveu metade de sua vida antes da Revolução. Em 1925, por exemplo, já era adulto. Pelo que consegue se lembrar, você diria que a vida em 1925 era melhor do que é agora, ou pior? Se pudesse escolher, preferiria viver naquela época ou agora?

O velho olhou pensativo para o tabuleiro de dardos. Ele terminou sua cerveja, mais devagar do que antes. Quando falou, foi com um ar filosófico tolerante, como se a cerveja o tivesse amadurecido.

— Eu sei o que você espera que eu diga. Você espera que eu diga que preferia ser jovem de novo. A maioria das pessoas diria que prefeririam ser jovens.. Você tem saúde e força quando é jovem. Quando você chega no meu momento da vida, nunca fica bem. Eu sofro algo perverso com meus pés, e a piada da minha bexiga é terrível. Seis e sete vezes por noite, é quando eu saio da cama. Por outro lado, há grandes vantagens em ser um homem velho. Você não tem as mesmas preocupações. Não quer saber de mulher, e isso é ótimo. Eu não vejo uma mulher há quase trinta anos. Nem tenho vontade, se você quer saber.

Winston recostou-se no parapeito da janela. Não adiantava continuar. Estava prestes a comprar mais cerveja quando o velho de repente se levantou e se arrastou rapidamente para o mictório fedorento ao lado da sala. O meio litro extra já estava fazendo efeito nele. Winston ficou sentado por um ou dois minutos, olhando para o copo vazio, e mal percebeu quando seus pés o carregaram para a rua novamente. Dentro de vinte anos, no máximo, ele refletiu, a enorme e simples questão: "A vida era melhor antes da Revolução do que é agora?". Teria deixado de ser respondida de uma vez por todas. Mas na verdade era irrespondível mesmo agora, uma vez que os poucos sobreviventes espalhados do mundo antigo eram incapazes de comparar uma época com a outra. Ele se lembrava de um milhão de coisas inúteis, uma briga com um colega de trabalho, uma busca por uma bomba de bicicleta perdida, a expressão no rosto de uma irmã morta há muito tempo, os redemoinhos de poeira em uma manhã ventosa setenta anos antes: mas todos os fatos relevantes estavam fora do alcance de sua visão. Eram como a formiga, que pode ver objetos pequenos, mas não grandes. E, quando a memória falhou e os registros escritos foram falsificados — quando isso aconteceu, a afirmação do Partido de ter melhorado as condições da vida humana teve que ser aceita, porque não existia, e nunca mais poderia existir, qualquer padrão contra o qual pudesse ser testado.

Nesse momento, sua linha de pensamento parou abruptamente. Ele parou e olhou para cima. Estava em uma rua estreita, com algumas lojinhas escuras, intercaladas por casas. Imediatamente acima de sua cabeça, estavam penduradas três bolas de metal descoloridas que pareciam ter sido douradas. Parecia conhecer o lugar. Claro! Ele estava parado do lado de fora da loja de sucata onde comprara o diário.

Uma pontada de medo o percorreu. Fora um ato suficientemente precipitado comprar o livro no início, e Winston jurou nunca mais se aproximar do lugar novamente. E ainda assim, no instante em que ele permitiu que seus pensamentos vagassem, seus pés o trouxeram de volta por conta própria. Era precisamente contra impulsos suicidas desse tipo que ele esperava se proteger abrindo o diário. Ao mesmo tempo ele percebeu que, embora fossem quase 21 horas, a loja ainda estava aberta. Com a sensação de que seria menos visível por dentro do que pendurado na calçada, passou pela porta. Se questionado, poderia dizer de forma plausível que estava tentando comprar lâminas de barbear.

O proprietário acabara de acender uma lamparina de óleo pendurada que exalava um cheiro sujo, mas agradável. Era um homem de talvez sessenta anos, frágil e curvado, com um nariz longo e benevolente e olhos suaves distorcidos por óculos grossos. Seu cabelo era quase branco, mas suas sobrancelhas eram espessas e ainda pretas. Seus óculos, seus movimentos suaves e exigentes e o fato de estar usando uma jaqueta envelhecida de veludo preto davam-lhe um vago ar de intelectualidade, como se tivesse sido algum tipo de literato, ou talvez músico. Sua voz era suave, como se desbotada, e seu sotaque menos degradado que o da maioria dos proletários.

— Eu reconheci você na calçada — disse ele imediatamente. — Você é o cavalheiro que comprou o álbum de lembrança da jovem. Era um lindo pedaço de papel. Creme, como costumava ser chamado. Não há papel como esse feito há — oh, ouso dizer que há cinquenta anos. — Ele olhou para Winston por cima dos óculos. — Posso fazer algo especial por você? Ou só queria olhar em volta?

— Eu estava passando por aqui — respondeu Winston vagamente. — Só estava dando uma olhada. Não quero nada em particular.

— Tudo bem — disse o outro. — Porque eu não suponho que poderia ter te satisfeito. — Ele fez um gesto de desculpas com sua mão de palma macia. — Você vê como é; uma loja vazia, pode dizer. Entre você e eu, o comércio de antiguidades está quase terminado. Não há mais demanda, e também não há estoque. Móveis, porcelana, vidro, tudo foi quebrado aos poucos. E, claro, a maior parte do material de metal foi derretido. Não vejo um castiçal de latão há anos.

O minúsculo interior da loja estava desconfortavelmente cheio, mas não havia quase nada nela do menor valor. O espaço era muito restrito, porque ao redor das paredes havia uma pilha de inúmeras molduras empoeiradas. Na janela, havia bandejas de porcas e parafusos, cinzéis gastos, canivetes com lâminas quebradas, relógios embaçados que nem mesmo fingiam estar em funcionamento e outras porcarias diversas. Apenas em uma pequena mesa no canto havia uma pilha de bugigangas — caixas de rapé laqueadas, broches de ágata e coisas do gênero — que pareciam poder incluir algo interessante. Enquanto Winston se dirigia para a mesa, sua atenção foi atraída por uma coisa redonda e lisa que brilhava suavemente à luz da lamparina, e ele a pegou.

Era um grande pedaço de vidro, curvo de um lado e plano do outro, formando quase um hemisfério. Havia uma suavidade peculiar, como a da água da chuva, tanto na cor quanto na textura do vidro. No centro, ampliado pela superfície curva, havia um objeto estranho, rosa e convoluto que lembrava uma rosa ou uma anêmona do mar.

— O que é isso? — perguntou Winston, fascinado.

— É um coral. — Disse o velho. — Devem ter tirado do Oceano Índico. Costumavam incrustar essas coisas em vidro. Isso aí tem no mínimo uns cem anos. Ou até mais, pelo aspecto.

— É bonito — disse Winston.

— É bonito — concordou o outro. — Mas hoje em dia pouquíssima gente diria isso. — O homem tossiu. — Agora, se por acaso o senhor estiver pensando em comprá-lo, são quatro dólares. Lembro de um tempo em que um objeto como esse chegava a oito libras, e oito libras valiam... Bom, não sou bom com números, só sei que era um dinheirão. Mas quem liga para antiguidades autênticas hoje em dia, mesmo essas poucas que sobraram?

Winston pagou imediatamente os quatro dólares e colocou a cobiçada coisa no bolso. O que o atraía não era tanto a beleza, mas o ar que parecia possuir de pertencer a uma época bem diferente da atual. O vidro macio e úmido de chuva não era como nenhum vidro que ele já vira. A coisa era duplamente atraente devido à sua aparente inutilidade, embora ele pudesse adivinhar que um dia deveria ter sido usada como peso de papel. Era muito pesada, mas felizmente não fazia muito volume em seu bolso. Era uma coisa estranha, até mesmo comprometedora, para um membro do Partido ter em seu poder. Qualquer coisa velha, aliás, qualquer coisa bonita, sempre era vagamente suspeita. O velho ficou visivelmente mais alegre depois de receber os quatro dólares. Winston percebeu que ele teria aceitado três ou mesmo dois.

— Há outro cômodo no andar de cima que você pode dar uma olhada — disse ele. Não há muitas coisas lá. Apenas algumas peças. Mas, se formos subir, precisaremos de uma luz.

Ele acendeu outra lâmpada e, com as costas curvadas, liderou o caminho lentamente subindo a escada íngreme e gasta ao longo de uma passagem minúscula, até uma sala que não dava para a rua, mas sim para um pátio de paralelepípedos e uma floresta de coifas de chaminé. Winston notou que a mobília ainda estava arrumada, como se o quarto fosse hospedar alguém. Havia um pedaço de carpete no chão, um quadro ou dois nas paredes e uma poltrona funda e desajeitada puxada até a lareira. Um relógio de vidro na lareira marcava doze horas. Debaixo da janela, e ocupando quase um quarto do quarto, havia uma cama enorme com o colchão ainda sobre ela.

— Vivemos aqui até a morte da minha esposa — disse o velho, meio que se desculpando. — Estou vendendo os móveis aos poucos. Essa é uma linda cama de mogno, ou pelo menos será se você conseguir tirar os insetos dela. Mas ouso dizer que achará um pouco complicado.

Ele segurava a lamparina bem no alto, de modo a iluminar todo o ambiente, e na penumbra quente o lugar parecia curiosamente convidativo. Passou pela mente de Winston que provavelmente seria muito fácil alugar o quarto por alguns dólares por semana, se estivesse disposto a correr o risco. Era uma ideia louca e impossível de ser abandonada assim que se pensava nela, mas a sala despertava nele uma espécie de nostalgia, uma espécie de memória antiga. Pareceu-lhe que sabia exatamente o que era sentar-se em uma sala como aquela, em uma poltrona ao lado de uma lareira com os pés no para-lama e uma chaleira no fogão, totalmente sozinho, totalmente seguro, sem ninguém vigiando, nenhuma voz perseguindo, nenhum som exceto o canto da chaleira e o tique-taque amigável do relógio.

— Não há teletela! — Ele não pôde deixar de murmurar.

— Ah! — disse o velho. — Nunca tive uma dessas coisas. Muito caro. E eu nunca senti necessidade disso, de qualquer forma. Veja só que bela mesinha de abas dobráveis ali no canto. Mas o senhor teria que trocar as dobradiças se pretendesse usar as abas.

Havia uma pequena estante de livros no outro canto, e Winston já havia gravitado em sua direção. Não continha nada além de lixo. A caça e a destruição de livros haviam sido feitas com o mesmo rigor nos bairros proletários como em qualquer outro lugar. Era muito improvável que houvesse em qualquer lugar da Oceania uma cópia de um livro impresso antes de 1960. O velho, ainda carregando a lamparina, estava diante de um quadro em uma moldura de jacarandá pendurada do outro lado da lareira, em frente à cama.

— Agora, se você tiver algum interesse em gravuras antigas... — começou, delicadamente.

Winston foi examinar a imagem. Era uma gravura em aço de um edifício oval com janelas retangulares e uma pequena torre na frente. Havia um corrimão em volta do prédio e, na parte de trás, o que parecia ser uma estátua. Winston olhou para ele por alguns momentos. Parecia vagamente familiar, embora ele não se lembrasse da estátua.

— A moldura está fixada na parede — disse o velho, — mas posso desparafusá-la para você...

— Eu conheço aquele prédio... — disse Winston, finalmente. — É uma ruína agora. É no meio da rua em frente ao Palácio da Justiça.

— Está certo. Fora dos Tribunais de Justiça. Foi bombardeado em — oh, muitos anos atrás. Antigamente era uma igreja. São Clemente dos Dinamarqueses, era como a chamavam. Ele sorriu se desculpando, como se consciente de dizer algo um pouco ridículo, e acrescentou: — Sem caroços nem sementes, dizem os sinos de São Clemente!

— O que é isso? — perguntou Winston.

— "Sem caroços nem sementes, dizem os sinos de São Clemente!". Essa era uma rima de quando eu era pequeno. Não me lembro de como começava, mas sei que acabava com "Escove os dentes e seja um bom moço, ou o homem do saco vem cortar o seu pescoço". Era uma espécie de dança. Eles estendiam os braços para você passar por baixo e, quando chegavam a "Escove os dentes e seja um bom moço, ou o homem do saco vem cortar o seu pescoço", baixavam os braços e o pegavam. Eram apenas nomes de igrejas. Todas as igrejas de Londres estavam nesse versinho — quero dizer, todas as principais.

Winston se perguntou vagamente a que século pertencia a igreja. Sempre era difícil determinar a idade de um edifício em Londres. Qualquer coisa grande e impressionante, se tivesse uma aparência razoavelmente nova, era automaticamente declarada como tendo sido construída desde a Revolução, enquanto qualquer coisa que fosse obviamente de uma data anterior era atribuída a algum período obscuro chamado Idade Média. Os séculos do capitalismo eram considerados como um período quando nada de valor fora produzido. Não se podia aprender história com a arquitetura, assim como não se podia aprender com os livros. Estátuas, inscrições, pedras memoriais, nomes de ruas — qualquer coisa que pudesse lançar luz sobre o passado havia sido sistematicamente alterada.

— Eu nunca soube que tinha sido uma igreja — disse ele.

— Sobraram muitas delas, na verdade — disse o velho. — Embora tenham sido usadas para outros fins. Agora, como era esse verso? Ah! Lembrei!

> *Sem caroços nem sementes, dizem os sinos*
> *de São Clemente*
> *Você deve dinheiro a mim, cantam os sinos*
> *da São Martim!*

Isso era tudo que conseguia lembrar.

— Onde ficava a Igreja de São Martim? — perguntou Winston.

— São Martim? Ela ainda existe. Fica na Victory Square, ao lado da galeria de fotos. Um edifício com uma espécie de alpendre triangular e pilares na frente e um grande lance de escadas.

Winston conhecia bem o lugar. Era um museu usado para exibições de propaganda de vários tipos — modelos em escala de bombas de foguetes e fortalezas flutuantes, quadros de cera ilustrando atrocidades inimigas e assim por diante.

— São Martim dos Campos, como costumava ser chamado — complementou o velho –, embora eu não me lembre de nenhum campo em qualquer lugar dessas partes.

Winston não comprou a imagem. Teria sido ainda mais inútil do que o peso de papel de vidro e impossível de transportar para casa, a menos que fosse retirada de sua moldura. Mas ele se demorou mais alguns minutos, conversando com o velho, cujo nome, descobriu, não era Weeks — como se poderia deduzir na inscrição na fachada da loja –, mas Charrington. O Sr. Charrington, ao que parecia, era um viúvo de sessenta e três anos e morava na loja há trinta anos. Durante todo esse tempo, pretendia alterar o nome da janela, mas nunca chegara a fazê-lo. Enquanto eles falavam, a rima meio lembrada continuava correndo pela cabeça de Winston. "Sem caroços nem sementes, dizem os sinos de São Clemente! Você deve dinheiro a mim, cantam os sinos da São Martim!". Era curioso, mas, quando se dizia isso a si mesmo, tinha-se a ilusão de realmente ouvir sinos, os sinos de uma Londres perdida que persistia em algum lugar, disfarçada e esquecida. De um fantasmagórico campanário após o outro, parecia ouvi-los berrando. Ainda assim, até onde conseguia se lembrar, nunca tinha ouvido sinos de igreja na vida real.

Afastou-se do Sr. Charrington e desceu sozinho as escadas, para não deixar que o velho o visse fazendo o reconhecimento da rua antes de sair pela porta. Já havia decidido que após um intervalo adequado — um mês, digamos — ele se arriscaria a revisitar a loja. Talvez não fosse mais perigoso do que fugir de uma noite no Centro. A grande loucura tinha sido voltar aqui em primeiro lugar, depois de comprar o diário e sem saber se o dono da loja era confiável. Contudo...

Sim, ele voltaria. Compraria mais restos de belo lixo. Compraria a gravura de São Clemente dos Dinamarqueses, a tiraria da moldura e a levaria para casa escondida sob o paletó do macacão. Arrastaria o resto do poema para fora da memória do Sr. Charrington. Mesmo o projeto lunático de alugar o quarto no andar de cima passou por sua mente momentaneamente de novo. Por cerca de cinco segundos, a exaltação o deixou descuidado, e ele saiu para a calçada sem sequer dar uma olhada preliminar pela janela. Até começou a cantarolar uma melodia improvisada:

> *Sem caroços nem sementes, dizem os sinos*
> *de São Clemente*
> *Você deve dinheiro a mim, cantam...*

De repente, seu coração pareceu congelar e suas entranhas lacrimejar. Uma figura de macacão azul estava descendo a calçada, a menos de dez metros de distância. Era a garota do Departamento de Ficção, a garota de cabelo escuro. A luz estava fraca, mas não houve dificuldade em reconhecê-la. Ela o olhou diretamente no rosto, depois caminhou rapidamente, como se não o tivesse visto.

Por alguns segundos, Winston ficou paralisado demais para se mover. Então ele virou para a direita e se afastou pesadamente, sem perceber naquele momento que estava indo na direção errada. De qualquer forma, uma questão fora resolvida. Não havia mais dúvidas de que a garota o estava espionando. Ela devia tê-lo seguido até ali, porque não era crível que, por puro acaso, ela estivesse caminhando na mesma noite, passando pela mesma ruazinha obscura, a quilômetros de distância dos bairros onde viviam os membros do Partido. Seria uma coincidência muito grande. Se era realmente uma agente da Polícia do Pensamento, ou simplesmente uma espiã amadora movida pela oficiosidade, pouco importava. Era o suficiente ela estar olhando para ele. Provavelmente o tinha visto entrar no *pub* também.

Era um esforço caminhar. O pedaço de vidro em seu bolso batia contra sua coxa a cada passo, e ele estava meio que decidido a pegá-lo e jogá-lo fora. O pior era a dor na barriga. Por alguns minutos, teve a sensação de que morreria se não chegasse logo ao banheiro. Mas não haveria banheiros públicos em um bairro como aquele. Então o espasmo passou, deixando uma dorzinha chata no lugar.

A rua era um beco sem saída. Winston parou, ficou vários segundos sem saber o que fazer, então se virou e começou a refazer seus passos. Ao se virar, ocorreu-lhe que a garota havia passado por ele há apenas três minutos e que, correndo, ele provavelmente poderia alcançá-la. Poderia seguir seu rastro até que estivessem em algum lugar silencioso, e então esmagar seu crânio com um paralelepípedo. O pedaço de vidro em seu bolso seria pesado o suficiente para isso. Contudo, abandonou a ideia imediatamente, porque até a ideia de fazer qualquer esforço físico lhe era insuportável. Não podia correr, não podia desferir um golpe. Além disso, ela era jovem e vigorosa e se defenderia. Pensou também em correr para o Centro Comunitário e ficar lá até o fechamento do local, a fim de estabelecer um álibi parcial para a noite. Mas isso também era impossível. Uma lassidão mortal apoderou-se de si. Tudo o que ele queria era chegar em casa rapidamente, sentar-se e ficar quieto.

Já passava de vinte e duas horas quando voltou ao apartamento. As luzes seriam apagadas na central às vinte e três e trinta. Foi até a cozinha e engoliu quase uma xícara de chá de Gin Victory. Em seguida, foi até a mesa da alcova, sentou-se e tirou o diário da gaveta, mas não o abriu imediatamente. Da teletela, uma voz feminina violenta berrava uma canção patriótica. Ficou sentado, olhando para a capa de mármore do livro, tentando, sem sucesso, bloquear a voz de sua consciência.

Eles vinham buscá-lo à noite, sempre à noite. O correto era se matar antes que eles o pegassem. Sem dúvida, algumas pessoas faziam isso. Muitos dos desaparecimentos eram, na verdade, suicídios. Mas era preciso uma coragem desesperada para se matar em um mundo onde armas de fogo, ou qualquer veneno rápido e certo, eram completamente impossíveis de serem revertidos. Winston pensou com uma espécie de espanto na inutilidade biológica da dor e do medo, a traição do corpo humano que sempre congela na inércia exatamente quando um esforço especial é necessário. Ele poderia ter silenciado a garota de cabelos escuros se ao menos tivesse agido com rapidez: mas, precisamente por causa do extremo de seu perigo, ele perdera o poder de agir. Ocorreu-lhe que em momentos de crise nunca se luta contra um inimigo externo, mas sempre contra o próprio corpo. Mesmo agora, apesar do gim, a dor surda em seu estômago tornava o pensamento consecutivo impossível. E é o mesmo, ele percebeu, em todas as situações aparentemente heroicas ou trágicas. No campo de batalha, na câmara de tortura, em um navio naufragando, as questões pelas quais se está lutando são sempre esquecidas, porque o corpo incha até encher o universo, e, mesmo quando não se está paralisado de medo ou gritando de dor, a vida é uma luta momento a momento contra a fome, o frio ou a insônia, contra o estômago azedo ou um dente dolorido.

Ele abriu o diário. Era importante escrever algo. A mulher na teletela começara uma nova música. A voz dela parecia grudar em seu cérebro como estilhaços de vidro. Ele tentou pensar em O'Brien, por quem, ou para quem, o diário fora escrito, mas em vez disso começou a pensar nas coisas que aconteceriam com ele depois que a Polícia do Pensamento o levasse. Não importaria se eles o matassem de uma vez. Ser morto era o esperado. Mas antes da morte (ninguém falava dessas coisas, mas todos sabiam delas) havia a rotina da confissão que precisava ser cumprida: rastejar no chão e gritar por misericórdia, o estalar de ossos quebrados, os dentes esmagados e ensanguentados coágulos de cabelo.

Por que se tinha que aguentar, já que o fim era sempre o mesmo? Por que não era possível cortar alguns dias ou semanas de sua vida? Ninguém jamais escapara da detecção e ninguém deixara de confessar. Quando uma vez se sucumbia ao crime de pensamento, era certo que em uma determinada data se estaria morto. Por que então aquele horror, que não alterava nada e tinha que estar embutido no tempo futuro?

Winston tentou, com um pouco mais de sucesso do que antes, invocar a imagem de O'Brien. "Nos encontraremos em um lugar onde não haja escuridão", O'Brien dissera a ele. Ele sabia o que aquilo significava, ou ao menos pensava que sabia. O lugar onde não havia escuridão era o futuro imaginado, que ninguém veria, mas que, por presciência, poderia ser compartilhado misticamente. Mas com a voz da teletela incomodando seus ouvidos, ele não conseguia seguir a linha de pensamento mais longe. Colocou um cigarro na boca. Metade do fumo caiu prontamente em sua língua, um pó amargo que era difícil de cuspir novamente. O rosto do Grande Irmão nadou em sua mente, substituindo o de O'Brien. Exatamente como havia feito alguns dias antes, tirou uma moeda do bolso e olhou para ela. O rosto ergueu os olhos para ele, pesado, calmo, protetor: que tipo de sorriso se escondia sob o bigode escuro? Como um sino de chumbo, as palavras voltaram para ele:

GUERRA É PAZ
LIBERDADE É ESCRAVIDÃO
IGNORÂNCIA É FORÇA

PARTE 2

1

Era no meio da manhã, e Winston havia saído do cubículo para ir ao banheiro.

Uma figura solitária vinha em sua direção, do outro extremo do longo corredor bem iluminado. Era a garota de cabelo escuro. Quatro dias tinham se passado desde a noite em que ele a encontrara do lado de fora da loja de ferragens. Quando ela se aproximou, Winston viu que seu braço direito estava em uma tipoia, o que não se notava à distância porque era da mesma cor do macacão. Provavelmente ela havia esmagado a mão ao girar em torno de um dos grandes caleidoscópios em que as tramas dos romances tinham sido "montadas". Era um acidente comum no Departamento de Ficção.

Eles estavam a uns quatro metros um do outro quando a garota tropeçou e caiu quase de cara no chão. Ela deu um grito agudo de dor. Provavelmente caíra bem em cima do braço ferido. Winston parou abruptamente. A garota ficou de joelhos. Seu rosto tinha ficado com uma cor amarelo-leitosa, contra o qual sua boca se destacava mais vermelha do que nunca. Os olhos dela estavam fixos nos dele, com uma expressão atraente que parecia mais medo do que dor.

Uma emoção curiosa agitou o coração de Winston. Na frente dele estava um inimigo que tentava matá-lo: na frente dele, também, estava uma criatura humana, com dor e talvez um osso quebrado. Ele já havia instintivamente se adiantado para ajudá-la. No momento em que a viu cair sobre o braço enfaixado, foi como se sentisse a dor em seu próprio corpo.

— Você está ferida?

— Não é nada. Meu braço. Vai ficar tudo bem em um segundo.

Ela falou, e parecia que seu coração estava batendo forte. Ela ficou muito pálida.

— Você não quebrou nada?

— Não, estou bem. Doeu por um momento, só isso.

Ela estendeu a mão livre para ele, que a ajudou a se levantar. Ela havia recuperado um pouco de sua cor e parecia muito melhor.

— Não foi nada — repetiu brevemente. — Eu só machuquei um pouco o pulso. Obrigada, camarada!

E com isso continuou na direção em que estava indo, ágil como se realmente não tivesse sido nada. Todo o incidente não durara nem meio minuto. Não deixar que seus sentimentos aparecessem no rosto era um hábito que havia adquirido o status de um instinto e, de qualquer forma, eles estavam em frente a uma teletela quando a coisa acontecera. No entanto, foi muito difícil esconder uma surpresa momentânea, pois, nos dois ou três segundos em que ele a ajudava a se levantar, a garota colocara algo em sua mão. Não havia dúvida de que ela tinha feito tudo aquilo intencionalmente. Era algo pequeno e plano. Ao passar pela porta do banheiro, transferiu-o para o bolso e o apalpou com a ponta dos dedos. Era um pedaço de papel dobrado em um quadrado.

Enquanto estava no mictório, conseguiu, com um pouco mais de dedilhado, desdobrá-lo. Obviamente, devia haver algum tipo de mensagem escrita nele. Por um momento, sentiu-se tentado a colocá-lo em um dos armários e ler imediatamente. Mas isso seria uma loucura chocante, como ele bem sabia. Os reservados eram o lugar mais ininterruptamente vigiado pelas teletelas.

Voltou ao seu cubículo, sentou-se, jogou o pedaço de papel casualmente entre os outros papéis sobre a mesa, colocou os óculos e puxou o ditógrafo para ele.

— Cinco minutos — disse a si mesmo, — cinco minutos, no mínimo!

Seu coração batia forte no peito. Felizmente, o trabalho em que estava empenhado era mera rotina, a retificação de uma longa lista de números, que não precisava de muita atenção.

O que quer que estivesse escrito no papel, devia ter algum tipo de significado político. Pelo que ele podia ver, havia duas possibilidades. Uma, muito mais provável, era que a garota fosse uma agente da Polícia do Pensamento, exatamente como ele temia. Winston não sabia por que a Polícia do Pensamento escolheria entregar suas mensagens dessa maneira, mas talvez eles tivessem seus motivos. O que estava escrito no papel pode ser uma ameaça, uma intimação, uma ordem de suicídio, uma armadilha de algum tipo. Mas havia outra possibilidade mais selvagem que continuava levantando a cabeça, embora ele tentasse em vão suprimi-la. Isto é, que a mensagem não tivesse vindo da Polícia do Pensamento de forma alguma, mas de algum tipo de organização clandestina. Talvez a Irmandade existisse, afinal! Talvez a garota fizesse parte dela! Sem dúvida a ideia era absurda, mas surgira em sua mente no exato instante em que sentiu o pedaço de papel em sua mão. Só alguns minutos depois é que a outra explicação mais provável lhe ocorreu. E mesmo agora, embora seu intelecto lhe dissesse que a mensagem provavelmente significava a morte — ainda assim, não era isso em que ele acreditava, e a esperança irracional persistia, e seu coração batia forte, e foi com dificuldade que impediu sua voz de tremer enquanto murmurava seus números no ditógrafo.

Enrolou o pacote completo de trabalho e o deslizou para dentro do tubo pneumático. Oito minutos tinham se passado. Reajustou os óculos no nariz, suspirou e puxou o próximo lote de trabalho em sua direção, com o pedaço de papel em cima. Ele achatou-o. Nele estava escrito, em uma grande caligrafia não formada:

EU TE AMO.

Por vários segundos, ficou atordoado demais até para jogar o papel incriminador no buraco da memória. Ao fazê-lo, embora conhecesse muito bem o perigo de demonstrar muito interesse, não resistiu a lê-lo mais uma vez, apenas para se certificar de que as palavras estavam mesmo ali.

Durante o resto da manhã, foi muito difícil trabalhar. O que era ainda pior do que ter de focar a mente em uma série de tarefas mesquinhas era a necessidade de esconder sua agitação da teletela. Sentia como se um fogo estivesse queimando sua barriga. O almoço na cantina quente, lotada e barulhenta, foi um tormento. Esperou ficar sozinho por um tempo durante a hora do almoço, mas, por azar, o imbecil do Parsons se jogou ao seu lado, com o cheiro forte de suor quase superando o cheiro metálico de ensopado, e manteve um fluxo de conversa sobre os preparativos para a Semana do Ódio. Estava particularmente entusiasmado com um modelo de papel machê da cabeça do Grande Irmão, com dois metros de largura, que estava sendo feito para a ocasião pela tropa de espiões de sua filha. O irritante era que, com o barulho das vozes, Winston mal conseguia ouvir o que Parsons estava dizendo, constantemente tendo de pedir que algum comentário estúpido fosse repetido. Apenas uma vez ele teve um vislumbre da garota, em uma mesa com duas outras na outra extremidade da sala. Ela parecia não o ter visto, e Winston não olhou naquela direção novamente.

A tarde foi mais suportável. Imediatamente após o almoço, chegou um trabalho delicado e difícil que levaria várias horas e exigia que todo o resto fosse deixado de lado. Consistia em falsificar uma série de reportagens de produção de dois anos antes, de forma a lançar descrédito sobre um membro proeminente do Partido Interno, sob o qual agora pairavam nuvens. Esse era o tipo de coisa em que Winston era bom, e, por mais de duas horas, ele conseguiu manter a garota longe de seus pensamentos por completo. Então a memória de seu rosto voltou e, com ela, um desejo furioso e intolerável de ficar sozinho. Até que ele pudesse ficar sozinho, era impossível pensar nesse novo desenvolvimento. Essa era uma de suas noites no Centro Comunitário. Devorou outra refeição sem gosto na cantina, correu para o Centro, participou da brincadeira solene de um "grupo de discussão", jogou duas partidas de tênis de mesa, engoliu vários copos de gim e sentou-se por meia hora para uma palestra intitulada "Socing em relação ao xadrez". Sua alma se retorceu de tédio, mas pela primeira vez não teve nenhum impulso de se esquivar de sua noite no Centro. Ao ver as palavras "eu te amo", o desejo de permanecer vivo crescera dentro de si, e correr riscos menores de repente lhe parecia estúpido. Só às vinte e três horas, quando estava em casa e na cama — na escuridão, onde se estava a salvo até da teletela, desde que se ficasse em silêncio –, Winston conseguiu pensar continuamente.

Era um problema prático que precisava ser resolvido: como entrar em contato com a garota e marcar um encontro? Não considerava mais a possibilidade de que ela pudesse estar preparando algum tipo de armadilha para ele. Ele sabia que não era o caso, por causa de sua agitação inconfundível quando ela lhe entregou o bilhete. Obviamente ela estava perdendo o juízo, como bem deveria estar. Nem a ideia de recusar seus avanços passou por sua mente. Apenas cinco noites antes, ele havia pensado em quebrar o crânio dela com uma pedra, mas isso não tinha importância. Pensou em seu corpo nu e jovem, como ele tinha visto em seu sonho. Tinha-a imaginado uma tola como todos os outros, a cabeça cheia de mentiras e ódio, a barriga cheia de gelo. Uma espécie de febre tomou conta dele com o pensamento de que poderia perdê-la: o corpo jovem e branco poderia escapar dele! O que temia mais do que qualquer outra coisa era que ela simplesmente mudasse de ideia se ele não entrasse em contato rapidamente. Mas a dificuldade física de se encontrar era enorme. Era como tentar fazer um movimento no xadrez quando se já estava casado. Para qualquer lado que você virasse, a teletela ficava de frente para você. Na verdade, todas as maneiras possíveis de se comunicar com ela lhe ocorreram cinco minutos depois de ler o bilhete; mas, agora, com tempo para pensar, as examinava uma por uma, como se colocasse uma fileira de instrumentos sobre uma mesa.

Obviamente, o tipo de encontro que acontecera pela manhã não poderia ser repetido. Se ela trabalhasse no Departamento de Registros, poderia ser relativamente simples, mas ele tinha apenas uma vaga ideia de onde ficava o Departamento de Ficção e não tinha pretextos para ir até lá. Se ele soubesse onde ela morava e a que horas saía do trabalho, poderia planejar encontrá-la em algum lugar no caminho de casa; mas tentar segui-la para casa não era seguro, porque significaria vagar fora do Ministério, o que certamente seria notado. Enviar uma carta pelo correio estava fora de questão. Por uma rotina que nem sequer era secreta, todas as cartas eram abertas no trânsito. Na verdade, poucas pessoas escreviam cartas. Para as mensagens que ocasionalmente era necessário enviar, havia cartões-postais impressos com longas listas de frases, e riscavam-se as que não eram aplicáveis. Em qualquer caso, ele não sabia o nome da garota, muito menos o endereço dela. Finalmente, decidiu que o lugar mais seguro era a cantina. Se ele pudesse colocá-la sozinha em uma mesa, em algum lugar no meio do salão, não muito perto das teletelas, e com um burburinho suficiente de conversa por toda parte — se essas condições durassem, digamos, trinta segundos, seria possível para trocar algumas palavras.

Durante a semana seguinte, a vida transcorreu como um sonho inquieto. No dia seguinte a garota só apareceu na cantina quando ele estava saindo, pois o apito já havia soado. Presumivelmente ela havia mudado para um turno posterior. Eles passaram um pelo outro sem se olhar. No dia seguinte ela estava na cantina no horário habitual, mas com outras três meninas e logo abaixo de uma teletela. Então, por três dias terríveis, ela não apareceu. Toda a sua mente e corpo pareciam afligidos por uma sensibilidade insuportável, uma espécie de transparência, que tornava cada movimento, cada som, cada contato, cada palavra que ele tinha de falar ou ouvir, uma agonia. Mesmo dormindo, não conseguia escapar totalmente da imagem dela. Não tocou no diário durante aqueles dias. Se havia algum alívio, era em seu trabalho, no qual às vezes conseguia se esquecer de si mesmo por dez minutos seguidos. Não tinha absolutamente nenhuma ideia do que havia acontecido com ela. Não havia nenhuma investigação que ele pudesse fazer. Ela podia ter sido vaporizada, podia ter cometido suicídio, podia ter sido transferida para o outro lado da Oceania: o pior e mais provável de tudo, podia simplesmente ter mudado de ideia e decidido evitá-lo.

No dia seguinte, ela reapareceu. Seu braço estava fora da tipoia, e ela tinha uma faixa de esparadrapo em volta do pulso. O alívio de vê-la foi tão grande que Winston não resistiu a olhar diretamente para ela por vários segundos. No dia seguinte, quase conseguiu falar com ela. Quando ele entrou na cantina, estava sentada a uma mesa bem afastada da parede e sozinha. Era cedo, e o local não estava muito cheio. A fila avançou até que Winston estivesse quase no balcão, e então ficou parada por dois minutos porque alguém na frente estava reclamando que não tinha recebido seu comprimido de sacarina. Mas a garota ainda estava sozinha quando Winston segurou sua bandeja e começou a andar em direção à mesa dela. Ele caminhou casualmente em direção a ela, seus olhos procurando por um lugar em alguma mesa além dela. Ela estava, talvez, a três metros de distância dele. Outros dois segundos bastariam. Então, uma voz atrás dele chamou:

— Smith!

Ele fingiu não ouvir.

— Smith! — repetiu a voz, mais alto.

Não adiantou. Ele se virou. Um jovem loiro de rosto bobo, chamado Wilsher, que ele mal conhecia, o estava convidando com um sorriso para um lugar vago em sua mesa. Não era seguro recusar. Depois de ser reconhecido, ele não poderia sentar-se à mesa com uma garota sozinha. Era muito perceptível. Ele se sentou com um sorriso amigável. O rosto loiro e bobo sorriu para ele. Winston teve uma alucinação de si mesmo quebrando uma picareta bem no meio daquela cara. A mesa da garota se encheu alguns minutos após.

Mas ela deve tê-lo visto vindo em sua direção, e talvez tivesse entendido a indireta. No dia seguinte, ele teve o cuidado de chegar cedo. É claro que ela estava em uma mesa mais ou menos no mesmo lugar, novamente sozinha. A pessoa imediatamente à sua frente na fila era um homem pequeno, veloz, parecido com um besouro, o rosto achatado e os olhos minúsculos e suspeitos. Ao se afastar do balcão com a sua bandeja, Winston viu que o homenzinho estava indo direto para a mesa das garotas. Suas esperanças afundaram novamente. Havia um lugar vago em uma mesa mais distante, mas algo na aparência do homenzinho sugeria que ele estaria suficientemente atento ao seu próprio conforto para escolher a mesa mais vazia. Com gelo no coração, Winston o seguiu. Não adiantava, a menos que ele pudesse ficar sozinho com a garota. Nesse momento, houve um estrondo tremendo. O homenzinho tropeçara, sua bandeja havia voado, dois rios de sopa e café escorriam pelo chão. Ele se pôs de pé com um olhar maligno para Winston, de quem evidentemente suspeitava tê-lo feito tropeçar. Mas tudo bem. Cinco segundos depois, com o coração disparado, Winston estava sentado à mesa da garota.

Não olhou para ela. Desempacotou sua bandeja e imediatamente começou a comer. Era muito importante falar ao mesmo tempo, antes que mais alguém viesse, mas agora um medo terrível havia se apoderado dele. Uma semana se passara desde que ela o abordara pela primeira vez. Ela havia mudado de ideia, devia ter mudado de ideia! Era impossível que esse caso terminasse com sucesso; tais coisas não aconteciam na vida real. Ele poderia ter se encolhido completamente de falar se naquele momento não tivesse visto Ampleforth, o poeta de orelhas cabeludas, vagando molemente pela sala com uma bandeja, procurando um lugar para se sentar. À sua maneira vaga, Ampleforth era apegado a Winston e certamente se sentaria à sua mesa se o visse. Houve, talvez, um minuto para agir. Winston e a garota comiam sem parar. Comiam um ensopado ralo, na verdade sopa de feijão. Em um murmúrio baixo, Winston começou a falar. Nenhum deles ergueu os olhos; constantemente, colocavam o líquido aguado na boca e, entre colheradas, trocavam as poucas palavras necessárias em vozes baixas e inexpressivas.

— A que horas você sai do trabalho?

— Dezoito e trinta.

— Onde podemos nos encontrar?

— Na Victory Square, perto do monumento.

— Está cheio de teletelas.

— Não importa, se tiver muita gente.

— Algum sinal?

— Não. Não venha até mim até que me veja entre muitas pessoas. E não olhe para mim. Apenas fique em algum lugar perto de mim.

— Que horas?

— Dezenove horas.

— Tudo certo.

Ampleforth não viu Winston e se sentou em outra mesa. Não voltaram a falar e, na medida em que era possível para duas pessoas sentadas em lados opostos da mesma mesa, não se olharam. A garota terminou seu almoço rapidamente e foi embora, enquanto Winston ficou para fumar um cigarro.

Winston chegou à Victory Square antes da hora marcada. Vagou ao redor da base da enorme coluna canelada, no topo da qual a estátua do Grande Irmão olhava para o sul em direção aos céus, onde ele havia derrotado os aviões eurasianos (os aviões do Leste, alguns anos atrás) na Batalha de Pista de Pouso 1. Na rua em frente havia uma estátua de um homem a cavalo que devia representar Oliver Cromwell. Cinco minutos depois da hora, a garota ainda não havia aparecido. Mais uma vez, um medo terrível se apoderou de Winston. Ela não viria, mudara de ideia! Ele caminhou lentamente até o lado norte da praça e teve uma espécie de prazer pálido ao identificar a Igreja de São Martim, cujos sinos, quando tinha sinos, tocavam "Você deve dinheiro a mim". Então ele viu a garota de pé na base do monumento, lendo ou fingindo ler um pôster que subia em espiral pela coluna. Não era seguro chegar perto dela até que mais algumas pessoas se acumulassem ao seu lado. Havia teletelas em todo o frontão. Mas, nesse momento, houve um estrondo de gritos e um zumbido de veículos pesados de algum lugar à esquerda. De repente, todos pareciam estar correndo pela praça. A garota passou agilmente em torno dos leões na base do monumento e começou a correr. Winston a seguiu.

Enquanto corria, deduziu de alguns comentários gritados que um comboio de prisioneiros eurasianos estava passando.

Uma densa massa de pessoas já estava bloqueando o lado sul da praça. Winston, em tempos normais, o tipo de pessoa que gravita ao redor de qualquer tipo de confronto, empurrou, deu uma cabeçada e contorceu-se para chegar ao coração da multidão. Logo estava ao alcance do braço da garota, mas o caminho foi bloqueado por um enorme proletário e uma mulher quase igualmente enorme, presumivelmente sua esposa, que parecia formar uma parede impenetrável de carne. Winston se contorceu para o lado e, com uma investida violenta, conseguiu enfiar o ombro entre eles. Por um momento, foi como se suas entranhas estivessem sendo transformadas em polpa entre os dois quadris musculosos, então ele rompeu, suando um pouco. Estava ao lado da garota. Estavam ombro a ombro, ambos olhando fixamente para frente.

Uma longa fila de caminhões, com guardas com cara de pau armados com submetralhadoras de pé em cada esquina, passava lentamente pela rua. Nos caminhões, homenzinhos amarelos em uniformes esverdeados surrados estavam agachados, amontoados uns contra os outros. Seus rostos tristes e mongóis olhavam para fora das laterais dos caminhões, totalmente indiferentes. Ocasionalmente, quando um caminhão sacudia, ouvia-se um cleque-cleque de metal: todos os prisioneiros traziam grilhões. Um após outro, passavam caminhões lotados de rostos tristes. Winston sabia que eles estavam lá, mas os via apenas de vez em quando. O ombro da garota e seu braço até o cotovelo estavam pressionados contra o dele. A bochecha dela estava próxima o suficiente para ele sentir seu calor. Ela assumiu imediatamente o controle da situação, como havia feito na cantina. Começou a falar com a mesma voz inexpressiva de antes, com os lábios mal se movendo, um mero murmúrio facilmente abafado pelo ruído de vozes e dos caminhões.

— Você pode me ouvir?
— Sim.
— Você pode tirar folga no domingo à tarde?
— Sim.
— Então ouça com atenção. Você terá que se lembrar disso. Vá para a Estação Paddington...

Com uma espécie de precisão militar que o surpreendeu, ela traçou o caminho que ele deveria seguir. Uma viagem ferroviária de meia hora; vire à esquerda fora da estação; dois quilômetros ao longo da estrada; um portão com a barra superior faltando; um caminho através de um campo; uma pista com grama; uma trilha entre arbustos; uma árvore morta com musgo. Era como se ela tivesse um mapa dentro da cabeça.

— Você vai conseguir se lembrar de tudo isso? — ela murmurou finalmente.
— Sim.

— Você vira à esquerda, depois à direita, depois à esquerda novamente. E o portão não tem barra superior.

— Sim. Que horas?

— Cerca de quinze. Você pode ter que esperar. Eu vou chegar lá por outro caminho. Tem certeza de que se lembra de tudo?

— Sim.

— Então se afaste de mim o mais rápido que puder.

Ela não precisava ter dito isso a ele. Mas, por enquanto, não conseguiam se livrar da multidão. Os caminhões ainda estavam passando, as pessoas ainda boquiabertas. No início, houve algumas vaias e assobios, mas vinham apenas dos membros do Partido entre a multidão e logo pararam. A emoção predominante era simplesmente curiosidade. Os estrangeiros, fossem da Eurásia ou da Lestásia, eram uma espécie de animal estranho. Literalmente, nunca se via ninguém, exceto sob a forma de prisioneiros, e mesmo como prisioneiros nunca se conseguia mais do que um vislumbre momentâneo deles. Ninguém sabia o que acontecia com eles, exceto os poucos enforcados como criminosos de guerra: os outros simplesmente desapareciam, presumivelmente em campos de trabalhos forçados. Os rostos redondos de Mogol haviam dado lugar a rostos de tipo mais europeu, sujos, barbudos e exaustos. Das maçãs do rosto magras, os olhos olhavam para os de Winston, às vezes com uma intensidade estranha, e voltavam a desaparecer. O comboio estava chegando ao fim. No último caminhão, ele viu um homem idoso, o rosto uma massa de cabelos grisalhos, de pé com os pulsos cruzados à sua frente, como se estivesse acostumado a tê-los amarrados. Estava quase na hora de Winston e a garota se separarem. Mas no último momento, enquanto a multidão ainda os cercava, sua mão procurou a dele e deu um aperto fugaz.

Não foram nem dez segundos, mas pareceu que suas mãos ficaram entrelaçadas por muito tempo. Winston teve tempo de conhecer todos os detalhes da mão dela. Explorou os dedos longos, as unhas bem torneadas, a palma endurecida pelo trabalho com sua fileira de calosidades, a carne lisa sob o pulso. Meramente por sentir, ele saberia disso de vista. No mesmo instante, ocorreu-lhe que não sabia de que cor eram os olhos da garota. Provavelmente eram castanhos, mas pessoas com cabelos escuros às vezes tinham olhos azuis. Virar a cabeça e olhar para ela seria uma loucura inconcebível. Com as mãos entrelaçadas, invisíveis entre a massa de corpos, eles olhavam fixamente à sua frente e, em vez dos olhos da garota, os olhos do prisioneiro idoso fitavam Winston com tristeza por entre os ninhos de cabelo.

2

Winston escolheu o caminho através da luz e da sombra, pisando em poças de ouro onde quer que os ramos se separassem. Sob as árvores à esquerda dele, o solo estava enevoado com campânulas. O ar parecia beijar a pele de quem encontrasse. Eram 2 de maio. De algum lugar mais profundo no coração da floresta ouviu-se o zumbido de pombas.

Ele estava um pouco adiantado. Não houvera dificuldades durante a viagem, e a garota era tão evidentemente experiente que ele ficou menos assustado do que normalmente estaria. Presumivelmente, era possível confiar nela para encontrar um lugar seguro. Em geral, não se pode presumir que se está muito mais seguro no campo do que em

Londres. Não havia teletelas, é claro, mas sempre havia o perigo de microfones ocultos pelos quais a voz pudesse ser captada e reconhecida; além disso, não era fácil fazer uma viagem sozinho sem chamar a atenção. Para distâncias inferiores a 100 quilômetros, não era necessário endossar o passaporte, mas às vezes havia patrulhas rondando as estações ferroviárias, que examinavam os papéis de qualquer membro do Partido que ali encontravam e faziam perguntas embaraçosas. No entanto, nenhuma patrulha havia aparecido, e, a caminho da estação, ele se certificou, por olhares cautelosos para trás, de que não estava sendo seguido. O trem estava cheio de proletários, em clima de feriado por causa do verão. O vagão com assento de madeira em que ele viajava estava lotado até o limite por uma única família enorme, desde uma bisavó desdentada até um bebê de um mês, saindo para passar uma tarde com os "parentes" no campo; conforme tinham explicado livremente a Winston, para conseguir um pouco de manteiga do mercado negro.

A estrada se alargou, e, em um minuto, Winston chegou à trilha de que ela lhe falara, uma mera trilha para gado que mergulhava entre os arbustos. Ele não tinha relógio, mas ainda não podiam ser quinze. As campânulas eram tão densas sob os pés que era impossível não pisar nelas. Ele se ajoelhou e começou a separar algumas para passar o tempo, mas também por uma vaga ideia de que gostaria de ter um ramo de flores para oferecer à garota quando se encontrassem. Reunira um grande buquê e estava aspirando seu perfume levemente enjoativo, quando um som logo atrás dele o fez gelar da cabeça aos pés: a inconfundível crepitação de gravetos sob o peso de um pé. Continuou colhendo as campânulas. Era a melhor coisa a fazer. Poderia ser a garota, ou ele poderia ter sido seguido, afinal. Olhar à sua volta era admitir sua culpa. Pegou uma flor, depois outra. Uma mão pousou de leve em seu ombro.

Ele olhou para cima. Era a garota. Ela balançou a cabeça, evidentemente como um aviso de que ele deveria ficar em silêncio, então separou os arbustos e rapidamente liderou o caminho ao longo da trilha estreita para a floresta. Obviamente havia estado lá antes, pois se esquivava dos pedacinhos pantanosos como por hábito. Winston a seguiu, ainda segurando seu ramo de flores. Sua primeira sensação foi de alívio, mas, enquanto observava o corpo forte e esguio se movendo à sua frente, com a faixa vermelha justa o suficiente para destacar a curva de seus quadris, a sensação de sua própria inferioridade pesou sobre ele. Mesmo agora, parecia bastante provável que, quando ela se virasse e olhasse para ele, ela iria recuar, afinal. A doçura do ar e o verde das folhas o assustavam. Já na caminhada da estação, o sol de maio o fizera se sentir sujo e estiolado, uma criatura de dentro de casa, com a poeira fuliginosa de Londres nos poros da pele. Ocorreu-lhe que até então ele provavelmente nunca a tinha visto em plena luz do dia ao ar livre. Foram até a árvore caída de que ela havia falado. A garota pulou e forçou os arbustos, revelando uma passagem secreta. Winston a seguiu e percebeu que estavam em uma clareira natural, uma pequena colina gramada cercada por mudas altas que a fechavam completamente. A garota parou e se virou.

— Aqui estamos — disse ela.

Ele estava de frente para ela a vários passos de distância. Ainda não se atrevia a se aproximar.

— Eu não queria dizer nada na pista — continuou ela –, no caso de haver um microfone escondido lá. Suponho que não haja, mas poderia haver. Sempre existe a chance de um daqueles porcos reconhecer sua voz. Estamos seguros aqui.

Winston ainda não tinha coragem de se aproximar dela.

— Estamos? — ele repetiu, estupidamente.

— Sim. Olhe para as árvores. — Eram pequenos freixos que haviam sido cortados e que depois tinham brotado de novo, formando uma floresta de postes, nenhum deles mais grosso que o pulso de uma pessoa. — Não há nada grande o suficiente para esconder um microfone. Além disso, eu já estive aqui antes.

Estavam apenas conversando. Winston tinha conseguido se aproximar dela agora. Ela estava muito ereta diante dele, com um sorriso no rosto que parecia levemente irônico, como se estivesse se perguntando por que ele demorava tanto para agir. As campânulas azuis caíram em cascata no chão. Pareciam ter caído por conta própria. Ele pegou a mão dela.

— Você acreditaria — disse ele, — que até este momento eu não sabia de que cor eram seus olhos? — Eles eram castanhos, ele notou, um tom bastante claro de marrom, com cílios escuros. — Agora que viu como realmente sou, ainda suporta olhar para mim?

— Sim, facilmente.

— Eu tenho trinta e nove anos. Eu tenho uma esposa da qual não consigo me livrar. Eu tenho varizes. Eu tenho cinco dentes falsos.

— Eu não poderia me importar menos — disse a garota.

No momento seguinte, não se sabia por obra de quem, mas ela estava em seus braços. No início, Winston não tinha nenhum sentimento, exceto pura incredulidade. Aquele corpo jovem estava tenso contra o seu, os cabelos escuros contra seu rosto, e sim! Na verdade, ela tinha virado o rosto e ele estava beijando sua grande boca vermelha. Ela colocou os braços em volta do pescoço dele e o chamava de querido, de amado. Ele a puxou para o chão, ela totalmente sem resistência, ele podendo fazer o que quisesse com ela. Mas a verdade é que ele não tinha nenhuma sensação física, exceto a de um mero contato. Tudo o que ele sentia eram incredulidade e orgulho. Estava feliz por isso estar acontecendo, mas não sentia nenhum desejo físico. Era cedo demais, a juventude e a beleza dela o assustavam, estava acostumado a viver sem mulher — não sabia por quê. A garota se levantou e tirou uma campânula azul do cabelo. Ela se sentou contra ele, colocando o braço em volta de sua cintura.

— Não se aflija, querido. Não há pressa. Temos a tarde inteira. Não é um esconderijo esplêndido? Eu o encontrei quando me perdi uma vez, em uma caminhada pela comunidade. Se alguém estivesse vindo, poderia ouvi-los a cem metros de distância.

— Qual é o seu nome? — perguntou Winston.

— Julia. Eu sei o seu. É Winston; Winston Smith.

— Como você descobriu?

— Acho que sou melhor em descobrir coisas do que você, querido. Diga-me, o que você pensava de mim antes daquele dia em que lhe dei o bilhete?

Ele não sentiu nenhuma tentação de contar mentiras para ela. Era até uma espécie de oferta de amor começar pelo pior.

— Eu odiava ver você. Eu queria estuprá-la e depois matá-la. Duas semanas atrás, pensei seriamente em quebrar sua cabeça com um paralelepípedo. Se você realmente quer saber, imaginei que tivesse algo a ver com a Polícia do Pensamento.

A menina riu, encantada, evidentemente tomando isso como uma homenagem à excelência de seu disfarce.

— Não sou da Polícia do Pensamento! Você realmente achou isso?

— Bem, talvez não exatamente. Mas pela sua aparência geral — apenas porque você é jovem, cheia de vida e saudável, você entende — eu pensei que provavelmente...

— Você pensou que eu era um bom membro do Partido. Puro em palavras e ações. Banners, procissões, slogans, jogos, caminhadas comunitárias, tudo isso. E você pensou que, se eu tivesse um quarto de chance, eu o denunciaria como um criminoso mental e o mataria?

— Sim, algo do tipo. Muitas meninas são assim, você sabe.

— É essa coisa horrível isso — disse ela, arrancando a faixa vermelha da Liga da Juventude Antissexo e jogando-a em um ramo. Então, como se tocar sua cintura a tivesse lembrado de algo, ela apalpou o bolso de seu macacão e pegou um pequeno pedaço de chocolate. Quebrou-o ao meio e deu um dos pedaços para Winston. Antes mesmo de pegá-lo, sabia pelo cheiro que era um chocolate muito incomum. Era escuro e brilhante e estava embrulhado em papel prateado. O chocolate normalmente era uma coisa esfarelada marrom-opaca que tinha um sabor, tanto quanto se poderia descrever, como da fumaça de uma fogueira de lixo. Mas, em algum momento ou outro, ele provou o chocolate com o pedaço que ela lhe dera. O primeiro cheiro que sentiu despertou-lhe alguma memória que ele não conseguiu identificar, mas que era intensa e preocupante.

— Onde você conseguiu essas coisas?

— Mercado negro — disse ela, indiferente. Acho que sou mesmo esse tipo de garota, para quem vê de fora. Sou boa em jogos. Eu era um líder de tropa nos Espiões. Eu faço trabalho voluntário três noites por semana para a Liga da Juventude Antissexo. Passo horas e horas pregando a baboseira deles por toda a Londres. Sempre carrego a ponta de uma faixa nas paradas. Sempre pareço alegre e nunca me esquivo de nada. Sempre grite com a multidão, é o que eu digo. É a única maneira de ficar seguro.

O primeiro pedaço de chocolate derreteu na língua de Winston. O sabor era delicioso. Mas ainda havia aquela memória movendo-se em torno das bordas de sua consciência, algo fortemente sentido, mas não redutível a uma forma definida, como um objeto visto com o canto do olho. Tentou se esquivar do pensamento, ciente apenas de que era a memória de alguma ação que ele gostaria de desfazer, mas não pôde.

— Você é muito jovem — disse ele. — Você é dez ou quinze anos mais nova do que eu. O que poderia ter visto para se sentir atraída por um homem como eu?

— Foi algo em seu rosto. Eu pensei em arriscar. Eu sou boa em identificar pessoas que não fazem parte. Assim que te vi, soube que você era contra eles.

Eles, ao que parecia, significavam o Partido e, acima de tudo, o Partido Interno, de quem ela falava com um ódio abertamente zombeteiro que deixava Winston inquieto, embora soubesse que ali estariam seguros, se é que fosse possível estar seguro em algum lugar. Uma coisa que o surpreendeu nela foi a grosseria de sua linguagem. Os membros do Partido não deviam xingar, e o próprio Winston muito raramente o fazia, em voz alta, pelo menos. Julia, no entanto, parecia incapaz de mencionar o Partido, e especialmente o Partido Interno, sem usar o tipo de palavras que se viam escritas a giz em becos gotejantes. Ele não desgostou disso. Era apenas um sintoma de sua revolta contra o Partido e todos os seus costumes e, de alguma forma, parecia natural e saudável, como o espirro de um cavalo que cheira a feno estragado. Haviam deixado a clareira e estavam vagando novamente através da sombra quadriculada, com os braços em volta da cintura um do outro sempre que o caminho fosse largo o suficiente para andarem lado a lado. Ele notou como a cintura dela parecia mais macia, agora que a faixa havia sumido. Não falavam acima do tom de um sussurro. Julia disse que, além da clareira, era melhor irem em silêncio. Logo eles haviam alcançado a borda do pequeno bosque. Ela o deteve.

— Não saia para o ar livre. Pode haver alguém observando. Tudo bem se ficarmos atrás dos galhos.

Estavam parados à sombra de arbustos de aveleira. A luz do sol, filtrando-se por inúmeras folhas, ainda estava quente em seus rostos. Winston olhou para o campo além e passou por um choque lento e curioso de reconhecimento. Sabia disso de vista. Um pasto velho e bem fechado, com uma trilha que serpenteia por ele e um pequeno morro aqui e ali. Na sebe irregular do lado oposto, os ramos dos olmos balançavam perceptivelmente com a brisa, e suas folhas se agitavam levemente em densas massas como cabelos de mulheres. Certamente em algum lugar próximo, mas fora da vista, devia haver um riacho com piscinas verdes onde nadavam robalinhos.

— Não há um riacho em algum lugar perto daqui? — sussurrou ele.

— Sim, há um riacho. No limite do próximo campo, na verdade. Tem peixes nele, grandes peixes. Você pode vê-los nas poças sob os salgueiros, balançando o rabo.

— É o País Dourado — disse, quase murmurando.

— O País Dourado?

— Não é nada real. É uma paisagem que às vezes vejo em um sonho.

— Olhe! — sussurrou Julia.

Um tordo pousou em um galho a menos de cinco metros de distância, quase na altura de seus rostos. Talvez não os tivesse visto. Estava no sol, eles na sombra. Abriu as asas, encaixou-as cuidadosamente no lugar novamente, abaixou a cabeça por um momento, como se estivesse fazendo uma espécie de reverência ao sol, e então começou a cantar. No silêncio da tarde, o volume do som era surpreendente. Winston e Julia ficaram juntos, fascinados. A música continuava, minuto após minuto, com variações surpreendentes, nunca se repetindo, quase como se o pássaro estivesse deliberadamente exibindo seu virtuosismo. Às vezes, parava por alguns segundos, se espalhava e recolocava as asas, depois inchava o peito salpicado e recomeçava a cantar. Winston assistia a tudo com uma espécie de vaga reverência. Para quem, para quê, aquele pássaro estava cantando? Nenhum companheiro, nenhum rival estava assistindo. O que o fez sentar-se na beira da floresta solitária e despejar sua música no nada? Winston se perguntou se, afinal de contas, haveria um microfone escondido em algum lugar próximo. Ele e Julia haviam falado apenas em sussurros baixos, e isso não pegaria o que eles haviam falado, mas pegaria o tordo. Talvez na outra extremidade do instrumento algum homenzinho parecido com um besouro estivesse ouvindo atentamente — ouvindo isso. Mas, aos poucos, a torrente de música afastou todas as especulações de sua mente. Era como se fosse uma espécie de líquido que se derramara sobre ele e se misturara com a luz do sol que se filtrava pelas folhas. Ele parou de pensar e apenas sentiu. A cintura da garota na curva de seu braço era macia e quente. Ele a puxou de modo que ficassem frente a frente; o corpo dela parecia derreter no dele. Onde quer que suas mãos se movessem, era tão maleável quanto água. Suas bocas se juntaram; era bem diferente dos beijos fortes que tinham trocado. Quando separaram seus rostos novamente, ambos suspiraram profundamente. O pássaro se assustou e fugiu com um bater de asas.

Winston colocou os lábios contra o ouvido dela.

— Agora — sussurrou ele.

— Não aqui — ela sussurrou de volta. — Voltemos para o esconderijo. É mais seguro.

Rapidamente, com um estalar ocasional de gravetos, abriram caminho de volta à clareira. Quando estavam dentro do círculo de mudas, ela se virou e o encarou. Ambos respiravam rápido, mas o sorriso reapareceu nos cantos de sua boca. Ela ficou olhando para ele por um instante, depois apalpou o zíper do macacão. E sim! Era quase como em seu sonho.

Quase tão rapidamente quanto ele imaginara, ela havia rasgado as roupas e, quando as jogou de lado, foi com o mesmo gesto magnífico pelo qual toda uma civilização parecia ser aniquilada. Seu corpo brilhava ao sol. Por um momento, contudo, ele não olhou para o corpo dela; seus olhos estavam ancorados no rosto sardento com seu sorriso fraco e ousado. Winston se ajoelhou diante dela e segurou suas mãos.

— Você já fez isso antes?

— Claro. Centenas de vezes — bem, dezenas de vezes, pelo menos.

— Com membros do Partido?

— Sim, sempre com membros do Partido.

— Com membros do Partido Interno?

— Não com aqueles porcos, não. Mas há vários deles que fariam isso na primeira oportunidade. Não são os santinhos que parecem ser.

Seu coração deu um salto. Muitas vezes ela tinha feito isso: desejara que tivessem sido centenas — milhares. Qualquer coisa que sugerisse corrupção sempre o enchia de uma esperança selvagem. Quem diria, talvez o Partido estivesse podre sob a superfície, e seu culto à extenuidade e abnegação fosse simplesmente uma simulação de iniquidade oculta. Se ele pudesse ter infectado todos eles com lepra ou sífilis, com que prazer o teria feito! Qualquer coisa para apodrecer, para enfraquecer, para minar! Ele a puxou para baixo de forma que ficassem ajoelhados cara a cara.

— Ouça. Quanto mais homens já teve, mais eu te amo. Você entende isso?

— Sim, perfeitamente.

— Eu odeio pureza, odeio bondade! Eu não quero que nenhuma virtude exista em qualquer lugar. Quero que todos sejam corruptos até os ossos.

— Bem, então, eu devo servir para você, querido. Estou corrompida até os ossos.

— Você gosta de fazer isso? Não me refiro simplesmente a mim: quero dizer a coisa em si?

— Eu adoro.

Isso era acima de tudo o que ele queria ouvir. Não apenas o amor de uma pessoa, mas o instinto animal, o simples desejo indiferenciado: essa era a força que destruiria em pedaços o Partido. Ele a pressionou contra a grama, entre as campânulas caídas. Dessa vez não houve dificuldade. Logo o subir e descer de seus seios desacelerou para a velocidade normal, e em uma espécie de desamparo agradável se desfizeram. O sol parecia ter ficado mais quente. Ambos estavam com sono. Ele estendeu a mão para o macacão descartado e puxou-o parcialmente sobre ela. Quase imediatamente, adormeceram e dormiram por cerca de meia hora.

Winston acordou primeiro. Ele se sentou e observou o rosto sardento, ainda dormindo pacificamente, apoiado na palma da mão dela. Exceto pela boca, não se poderia chamá-la de bonita. Havia uma ou duas linhas ao redor dos olhos, se a olhasse de perto. O cabelo curto e escuro era extraordinariamente espesso e macio. Ocorreu-lhe que ainda não sabia o sobrenome dela ou onde ela morava.

O corpo jovem e forte, agora indefeso no sono, despertou nele um sentimento de pena e proteção, mas a ternura irracional que sentira sob a aveleira, enquanto o tordo cantava, ainda não havia voltado. Ele puxou o macacão de lado e estudou seu flanco branco e liso. Nos velhos tempos, ele pensou, um homem olhava para o corpo de uma garota e via que era desejável, e esse era o fim da história. Mas não era possível ter amor puro ou luxúria pura hoje em dia. Nenhuma emoção era pura, porque tudo se misturava com medo e ódio. O abraço deles era uma batalha, o clímax uma vitória. Era um golpe desferido contra o Partido. Um ato político.

3

— Podemos vir aqui mais uma vez — disse Julia. — Geralmente é seguro usar qualquer esconderijo duas vezes. Mas não por mais um mês ou dois, é claro.

Assim que ela acordou, seu comportamento mudou. Ela se tornara alerta e profissional, vestiu-se, amarrou a faixa escarlate na cintura e começou a organizar os detalhes do retorno para casa. Parecia natural que essa tarefa coubesse a ela. Ela obviamente tinha uma astúcia prática que faltava a Winston, parecia conhecer perfeitamente os arredores de Londres — um conhecimento acumulado ao longo de incontáveis caminhadas comunitárias. A rota que ela deu a ele era bem diferente daquela pela qual ele tinha vindo, e o levou em uma estação ferroviária diferente.

Nunca volte para casa pelo mesmo caminho com que saiu — disse ela, como se estivesse dizendo um princípio geral importante. Ela partiria primeiro, e Winston teria de esperar meia hora antes de segui-la.

Ela havia nomeado um lugar onde poderiam se encontrar depois do trabalho, dali a quatro noites. Era uma rua de um dos bairros mais pobres, onde havia uma feira, geralmente lotada e barulhenta. Ela ficaria rondando as barracas, fingindo estar em busca de cadarços ou linhas de costura. Se ela julgasse que a barra estava limpa, assoaria o nariz quando ele se aproximasse; caso contrário, deveria passar por ela sem ser reconhecido. Mas com sorte, no meio da multidão, seria seguro conversar por um quarto de hora e marcar outro encontro.

— E agora eu devo ir — disse ela, assim que ele recebeu suas instruções. — Devo voltar às dezenove e trinta. Tenho que dedicar duas horas para a Liga da Juventude Antissexo, distribuindo folhetos ou algo assim. Não é horrível? Dê-me uma escova. Tenho gravetos no cabelo? Tem certeza que não? Então adeus, meu amor, adeus!

Ela se jogou nos braços dele, beijou-o quase com violência e, um momento depois, abriu caminho por entre as mudas e desapareceu na floresta com muito pouco barulho.

Mesmo agora Winston não tinha descoberto seu sobrenome ou endereço. No entanto, não fazia diferença, pois era inconcebível que eles pudessem se encontrar em casa ou trocar qualquer tipo de comunicação por escrito.

 Acontece que eles nunca mais voltaram para a clareira na floresta. Durante o mês de maio, houve apenas mais uma ocasião em que realmente conseguiram fazer amor. Foi em outro esconderijo conhecido por Julia, o campanário de uma igreja em ruínas em um trecho quase deserto do país onde uma bomba atômica havia caído trinta anos antes. Era um bom esconderijo quando se chegava lá, mas o caminho era muito perigoso. De resto, só podiam se encontrar nas ruas, em um lugar diferente todas as noites, nunca por mais de meia hora de cada vez. Na rua, geralmente era possível conversar, de certo modo. Enquanto desciam pelas calçadas lotadas, não exatamente lado a lado e sem nunca olharem um para o outro, mantinham uma conversa curiosa e intermitente que acendia e apagava como as vigas de um farol, repentinamente silenciada pela aproximação de um uniforme do Partido ou pela proximidade de uma teletela, então retomada minutos depois no meio de uma frase, abruptamente interrompida quando se separavam no local combinado, continuada quase sem introdução no dia seguinte. Julia parecia estar bastante acostumada com esse tipo de conversa, que ela chamava de "falar em prestações".

Também era surpreendentemente hábil em falar sem mover os lábios. Apenas uma vez em quase um mês de encontros noturnos, conseguiram trocar um beijo. Estavam passando em silêncio por uma rua lateral (Julia nunca falava quando eles estavam longe das ruas principais) quando houve um rugido ensurdecedor, a terra se ergueu e o ar escureceu, e Winston se viu deitado de lado, machucado e apavorado. Uma bomba-foguete devia ter caído bem perto. De repente, ele percebeu o rosto de Julia a alguns centímetros do seu, mortalmente branco, branco como giz. Até seus lábios estavam brancos. Ela estava morta! Winston a apertou contra si e descobriu que estava beijando um rosto quente e vivo. Mas havia alguma coisa empoeirada que ficara no caminho de seus lábios. Os rostos de ambos estavam densamente revestidos de estuque.

Havia noites em que chegavam ao ponto de encontro e depois tinham de passar um pelo outro sem sinal, porque uma patrulha acabara de dobrar a esquina ou um helicóptero pairava no alto. Mesmo que fosse menos perigoso, ainda teria sido difícil encontrar tempo para um encontro. A semana de trabalho de Winston era de 60 horas, a de Julia era ainda mais longa, e seus dias livres variavam de acordo com a pressão do trabalho e nem sempre coincidiam. Em todo caso, Julia raramente tinha uma noite totalmente livre. Passava uma quantidade surpreendente de tempo assistindo a palestras e manifestações, distribuindo literatura para a Liga da Juventude Antissexo, preparando faixas para a Semana do Ódio, fazendo cobranças para a campanha de poupança e atividades semelhantes. Valia a pena, dizia ela, era camuflagem. Se você mantiver as pequenas regras, poderá quebrar as grandes. Ela até induziu Winston a hipotecar mais uma de suas noites, inscrevendo-se no trabalho de meio período com munições, feito voluntariamente por zelosos membros do Partido. Assim, uma noite por semana, Winston passava quatro horas de tédio paralisante, aparafusando pequenos pedaços de metal que provavelmente eram partes de fusíveis de bombas, em uma oficina mal iluminada e com correntes de ar, onde o bater de martelos se misturava sombriamente com a música das teletelas.

Quando se encontraram na torre da igreja, as lacunas em sua conversa fragmentada foram preenchidas. Era uma tarde escaldante. O ar na pequena câmara quadrada acima dos sinos estava quente e estagnado e cheirava a esterco de pombo. Eles ficaram sentados, conversando por horas no chão empoeirado e coberto de galhos, um ou outro se levantando de vez em quando para lançar um olhar através das fendas das setas e ter certeza de que ninguém estava vindo.

Julia tinha 26 anos. Ela morava em um albergue com outras trinta meninas ("Sempre no fedor de mulheres! Como eu odeio mulheres!", como ela havia dito) e trabalhava, como ele havia adivinhado, nas máquinas de escrever romances no Departamento de Ficção. Ela gostava de seu trabalho, que consistia principalmente em operar e fazer a manutenção de um motor elétrico que era potente, porém complicado. Ela não era "inteligente", mas gostava de usar as mãos e se sentia à vontade com máquinas. Sabia descrever todo o processo de composição de um romance, desde a diretriz geral emitida pelo Comitê de Planejamento até o retoque final pelo Esquadrão de Reescrita. Mas não estava interessada no produto acabado. Ela "não ligava muito para ler", nas palavras dela. Os livros eram apenas uma mercadoria que precisava ser produzida, como geleia ou cadarços.

Não tinha lembranças de nada antes do início dos anos sessenta, e a única pessoa que ela conhecera que falava com frequência dos dias anteriores à Revolução era um avô que desaparecera quando ela tinha oito anos. Na escola, havia sido capitã do time de hóquei e ganhado o troféu de ginástica dois anos consecutivos. Havia sido uma líder de tropa nos Espiões e secretária de ramo na Liga da Juventude antes de entrar para a Liga da Juventude Antissexo. Ela sempre tivera um excelente caráter. Até mesmo (uma marca infalível de boa reputação) fora escolhida para trabalhar no Pornodiv, a subseção do Departamento de Ficção que produzia pornografia barata para distribuição entre os proletários. Ela disse que a divisão recebera o nome de Casa da

Nojeira pelas pessoas que trabalhavam lá. Lá permaneceu por um ano, ajudando a produzir livretos em pacotes lacrados com títulos como "Histórias de surras" ou "Uma noite em uma escola para meninas", para serem comprados furtivamente por jovens proletários que tinham a impressão de que estavam comprando alguma coisa ilegal.

— Como são esses livros? — Perguntou Winston, curioso.

–- Ah, um lixo horrível. São apenas seis histórias, muito recortadas e reaproveitadas. Bom, só trabalhei nos caleidoscópios, claro. Nunca fiz parte do Pelotão Reescritor. Não sou literata, querido — nem para isso eu sirvo.

Ele soube com espanto que todos os funcionários do Pornodiv, exceto os chefes dos departamentos, eram meninas. A teoria era que os homens, cujos instintos sexuais eram menos controláveis que os das mulheres, corriam maior risco de serem corrompidos pela sujeira que manuseavam.

— Eles nem gostam de ter mulheres casadas lá — acrescentou ela. As meninas sempre devem ser puras. Eis aqui uma que não é, de qualquer maneira.

Ela teve seu primeiro caso de amor quando tinha dezesseis anos, com um membro do Partido de sessenta que mais tarde cometeria suicídio para evitar a prisão.

— Uma boa providência, do contrário teriam arrancado meu nome dele quando ele confessou.

Desde então, houve vários outros. A vida, como ela via, era muito simples. Você queria se divertir, e "eles", ou seja, o Partido, queriam impedir que você se divertisse. Era quebrar as regras o máximo possível. Parecia pensar que era tão natural que "eles" desejassem roubar seus prazeres quanto que se evitasse ser pego. Ela odiava o Partido e dizia isso com todas as letras, mas não o criticava de maneira geral. A menos quando tocava em sua própria vida, não tinha nenhum interesse na doutrina do Partido. Winston notou que ela nunca usava palavras em Novilíngua, exceto aquelas que haviam passado para o uso diário. Nunca tinha ouvido falar da Irmandade e se recusava a acreditar em sua existência. Qualquer tipo de revolta organizada contra o Partido, que estava fadada ao fracasso, parecia-lhe estúpida. O mais inteligente era quebrar as regras e continuar vivo do mesmo jeito. Ele se perguntou vagamente quantos outros como ela poderia haver na geração mais jovem de pessoas que tinham crescido no mundo da Revolução, sem saber de mais nada, aceitando o Partido como algo inalterável, como o céu, não se rebelando contra sua autoridade, simplesmente fugindo como um coelho se esquiva de um cachorro.

Não discutiram a possibilidade de se casar. Era muito remoto para valer a pena pensar. Nenhum comitê imaginável sancionaria tal casamento, mesmo que Katharine, a esposa de Winston, pudesse de alguma forma ter sido eliminada. Era impossível, mesmo como um sonho.

— Como era sua esposa?

— Ela era... você conhece a palavra em Novalíngua benepensante? Significa naturalmente ortodoxa, incapaz de ter um pensamento ruim.

— Não, eu não conhecia a palavra, mas conheço o tipo de pessoa, com certeza.

Ele começou a contar a ela a história de sua vida de casado, mas, curiosamente, ela já parecia saber as partes essenciais. Ela descreveu para ele, quase como se tivesse visto ou sentido, o enrijecimento do corpo de Katharine assim que ele a tocava, a maneira como ela ainda parecia estar empurrando-o com todas as suas forças, mesmo quando seus braços estavam apertado firmemente em torno dele. Com Julia, ele não sentia dificuldade em falar sobre essas coisas: Katharine, em todo caso, há muito deixara de ser uma lembrança dolorosa para se tornar apenas uma lembrança desagradável.

— Eu poderia ter aguentado se não fosse por uma coisa — disse ele. Winston contou a ela sobre a pequena cerimônia fria que Katharine o forçara a realizar na mesma noite todas as semanas. — Ela odiava, mas nada a fazia parar de fazer isso. Ela costumava chamá-lo de... você nem imagina.

— "Nosso dever para com o Partido" — disse Julia, prontamente.

— Como você sabe?

— Eu também estive na escola, querido. Conversas sobre sexo uma vez por mês para maiores de dezesseis anos. E no Movimento Juvenil. Eles esfregavam isso em você por anos. Ouso dizer que funciona em muitos casos. Mas é claro que você nunca sabe; as pessoas são tão hipócritas...

Julia começou a especular sobre o assunto. Com ela, tudo sempre dava em sua própria sexualidade. Assim que esse tópico era abordado de alguma forma, ela demonstrava grande sabedoria. Diferentemente de Winston, entendia o significado profundo do puritanismo sexual do Partido. A ideia não era apenas que o instinto sexual criasse um mundo próprio fora do controle do Partido — um instinto que, por isso, tinha de ser destruído, se possível. O mais importante era que a privação sexual levava à histeria, e isso era desejável porque podia ser transformado em fervor guerreiro e usado de combustível de veneração ao líder. Eis como Julia descrevia a questão:

— Quando você faz amor, está gastando energia; e depois você se sente feliz e não dá a mínima para nada. Eles não suportam que você se sinta assim. Eles querem que você esteja explodindo de energia o tempo todo. Toda essa marcha para cima e para baixo, vivas e agitando bandeiras, é simplesmente sexo azedo. Se você está feliz por dentro, por que deveria ficar animado com o Grande Irmão e os planos de três anos e o ódio de dois minutos e todo o resto de sua maldita podridão?

Isso era verdade, ele pensou. Havia uma conexão direta e íntima entre castidade e ortodoxia política. Pois como poderiam o medo, o ódio e a credulidade lunática de que o Partido precisava em seus membros ser mantidos no tom certo, a não ser reprimindo algum instinto poderoso e usando-o como força motriz? O impulso sexual era perigoso para o Partido, e o Partido o havia responsabilizado. Eles haviam pregado uma peça semelhante com o instinto de paternidade. A família não podia realmente ser abolida, e, de fato, as pessoas eram encorajadas a gostar dos filhos, quase da maneira antiga. Os filhos, por outro lado, eram sistematicamente voltados contra os pais e ensinados a espioná-los e relatar seus desvios. A família havia se tornado, na prática, uma extensão da Polícia do Pensamento. Era um dispositivo por meio do qual todos podiam ser cercados noite e dia por informantes que os conheciam intimamente.

De repente, sua mente se voltou para Katharine. Katharine, sem dúvida, o teria denunciado à Polícia do Pensamento se não fosse burra demais para detectar a falta de ortodoxia de suas opiniões. Mas o que realmente o fez se lembrar dela neste momento foi o calor sufocante da tarde, que fez com que o suor escorresse de sua testa. Winston começou a contar a Julia algo que tinha acontecido, ou melhor, não tinha acontecido, em outra tarde sufocante de verão, onze anos antes.

Fazia três ou quatro meses que estavam casados. Eles haviam se perdido em uma caminhada comunitária em algum lugar de Kent: haviam ficado com os outros por apenas alguns minutos, mas pegaram o caminho errado e logo se viram parados na beira de uma velha pedreira de giz. Era uma queda brusca de dez ou vinte metros, com pedras no fundo. Não havia ninguém a quem pudessem perguntar o caminho. Assim que percebeu que estavam perdidos, Katharine ficou muito inquieta. Ficar longe da multidão barulhenta de caminhantes, mesmo que por um momento, deu-lhe a sensação de estar agindo errado. Ela queria se apressar de volta pelo caminho pelo qual tinham vindo e começar a procurar na outra direção. Mas, nesse momento, Winston notou alguns tufos de salgueirinhas crescendo nas fendas do penhasco abaixo deles. Um tufo era de duas cores, magenta e vermelho-tijolo, aparentemente crescendo na mesma raiz. Ele nunca tinha visto nada parecido e chamou Katharine para olhar.

— Olha, Katharine! Olhe para essas flores. Esse amontoado perto do fundo. Você vê que são de duas cores diferentes?

Ela já tinha se virado para ir embora, mas voltou um tanto preocupada por um momento. Até se inclinou sobre a face do penhasco para ver onde ele estava apontando. Winston estava parado um pouco atrás dela e colocou a mão em sua cintura para firmá-la. Nesse momento, de repente, ocorreu-lhe como eles estavam completamente sozinhos. Não havia criatura humana em lugar nenhum, nenhuma folha se mexendo, nem mesmo um pássaro acordado. Em um lugar como aquele, o perigo de haver um microfone escondido era muito pequeno, e, mesmo que houvesse, captaria apenas sons. Era a hora mais quente e sonolenta da tarde. O sol brilhava sobre eles, o suor fazia cócegas em seu rosto. E o pensamento o atingiu...

— Por que você não deu um bom empurrão nela? Eu teria dado.

— Sim, querida, você teria. Eu faria, se eu fosse a mesma pessoa que sou agora. Ou talvez eu... não sei.

— Você se arrepende de não ter feito isso?

— Sim. No geral, me arrependo de não ter feito isso.

Estavam sentados lado a lado, no chão empoeirado. Ele a puxou para mais perto dele. A cabeça dela repousava em seu ombro, o cheiro agradável de seu cabelo dominando o esterco de pombo. Ela era muito jovem, pensou ele, ainda esperava alguma coisa da vida, não entendia que empurrar uma pessoa inconveniente de um penhasco não resolveria nada.

— Na verdade, não teria feito diferença — disse ele.

— Então por que você lamenta não ter feito isso?

— Só porque prefiro um positivo ao negativo. Neste jogo que estamos jogando, não podemos vencer. Alguns tipos de falha são melhores do que outros, só isso.

Ele sentiu os ombros dela se contorcerem em discordância. Ela sempre o contradizia quando ele dizia algo desse tipo. Ela não aceitaria como uma lei da natureza que o indivíduo sempre fosse derrotado. De certa forma, percebia que ela mesma estava condenada, que mais cedo ou mais tarde a Polícia do Pensamento iria pegá-la e matá-la, mas em outra parte de sua mente acreditava que era de alguma forma possível construir um mundo secreto no qual se pudesse viver como se escolhe. Tudo o que era preciso eram sorte, astúcia e ousadia. Ela não entendia que felicidade não existia, que a única vitória estava num futuro distante, muito depois de estar morto, que a partir do momento de declarar guerra ao Partido era melhor pensar em si mesmo como um cadáver.

— Nós somos os mortos — disse ele.

— Ainda não morremos — disse Julia prosaicamente.

— Não fisicamente. Seis meses, um ano — cinco anos, possivelmente. Eu tenho medo da morte. Você é jovem, então provavelmente tem mais medo disso do que eu. Obviamente, devemos adiar o máximo que pudermos. Mas faz muito pouca diferença. Enquanto os seres humanos permanecerem humanos, morte e vida serão a mesma coisa.

— Ah, que bobagem! Com quem você preferiria dormir, comigo ou com um esqueleto? Você não gosta de estar vivo? Você não gosta de sentir: "esta sou eu, esta é minha mão, esta é minha perna, eu sou real, sou sólida, estou viva"! Você não gosta disto?

Ela se contorceu e apertou o peito contra ele. Ele podia sentir seus seios, maduros, mas firmes, através do macacão. Seu corpo parecia estar transferindo um pouco de sua juventude e vigor para o dele.

— Sim, gosto.

— Então pare de falar em morrer. E agora ouça, querido, temos que nos preparar para a próxima vez que nos encontrarmos. Podemos muito bem voltar para o lugar na floresta. Ali pudemos fazer um bom e longo descanso. Mas você deve chegar lá por um caminho diferente dessa vez. Tenho tudo planejado. Você pega o trem — mas, olha, eu desenharei o caminho para você.

E, de sua maneira prática, ela juntou um pequeno punhado de poeira e, com um galho de ninho de pombos, começou a desenhar um mapa no chão.

4

Winston olhou ao redor da salinha miserável acima da loja do Sr. Charrington. Ao lado da janela, a cama enorme estava arrumada, com cobertores esfarrapados e um travesseiro sem cobertura. O relógio antigo mostrando doze horas tiquetaqueava no consolo da lareira. No canto, sobre a mesa de abas dobráveis, o peso de papel de vidro que ele comprara na última visita brilhava suavemente na meia-escuridão.

No para-choque havia um fogão a óleo de lata velho, uma panela e duas xícaras, fornecidas pelo Sr. Charrington. Winston acendeu o fogo e colocou uma panela com água para ferver. Trouxera um envelope cheio de Café Victory e algumas pastilhas açucaradas. Os ponteiros do relógio marcavam dezessete e vinte: eram dezenove e vinte, na verdade. Ela viria às dezenove e trinta.

Loucura, loucura, dizia seu coração: loucura consciente, gratuita, suicida. De todos os crimes que um membro do Partido poderia cometer, esse era o menos possível de esconder. Na verdade, a ideia primeiro flutuou em sua cabeça na forma de uma visão, do peso de papel de vidro espelhado pela superfície da mesa. Conforme previra, o Sr. Charrington não impôs dificuldades em alugar o quarto. Estava obviamente feliz com os poucos dólares que isso lhe traria. Tampouco pareceu chocado quando ficou escancarado que Winston queria o quarto para um caso de amor. Em vez disso, olhou para a meia distância e falou sobre generalidades, com um ar tão delicado que dava a impressão de que se tornara parcialmente invisível. A privacidade, disse ele, era algo muito valioso. Todo mundo queria um lugar onde pudesse ficar sozinho de vez em quando. E, quando eles tinham tal lugar, era apenas uma cortesia comum em qualquer um que o conhecesse manter seu conhecimento para si mesmo. Parecendo quase desaparecer ao fazer isso, acrescentou que havia duas entradas para a casa, uma delas pelo quintal, que dava para um beco.

O sol de junho ainda brilhava alto no céu, e no pátio ensolarado uma mulher gigantesca, como um pilar normando, braços fortes e vermelhos e um avental feito de algum tecido grosseiro em volta da cintura, andava a passos pesados de lá para cá entre uma tina e um varal, pendurando uma série de quadrados brancos que Winston identificou como fraldas de bebê. Sempre que sua boca não estava entupida com pregadores de roupa, punha-se ela a cantar num contralto vigoroso:

> *Era um capricho e nada mais,*
> *Doce como um dia de abril,*
> *Mas seu olhar azul de anil*
> *Roubou para sempre a minha paz!*

A música vinha assombrando Londres há semanas. Era uma das inúmeras canções semelhantes publicadas para o benefício dos proletários por uma subseção do Departamento de Música. As letras dessas canções haviam sido compostas sem qualquer intervenção humana em um instrumento conhecido como versificador. Mas a mulher cantava com tanta melodia que transformara a terrível porcaria em um som quase agradável. Winston podia ouvir a mulher cantando e o raspar de seus sapatos nas lajes, os gritos das crianças na rua, em algum lugar ao longe o rugido fraco do tráfego, e ainda a sala parecia curiosamente silenciosa, graças à ausência de uma teletela.

Loucura, loucura, loucura! — pensou ele novamente. Era inconcebível que eles pudessem frequentar aquele lugar por mais do que algumas semanas sem serem pegos. Mas a tentação de ter um esconderijo que fosse realmente seu, dentro de casa e por perto, fora demais para os dois. Por algum tempo, depois de sua visita ao campanário da igreja, foi impossível marcar reuniões. As horas de trabalho tinham aumentado drasticamente, em antecipação à Semana do Ódio. Demorara mais de um mês, mas os enormes e complexos preparativos que isso implicava estavam gerando trabalho extra para todos. Por fim, tinham conseguido garantir uma tarde livre no mesmo dia. Eles tinham concordado em voltar para a clareira na floresta. Na noite anterior, se encontraram brevemente na rua. Como de costume, Winston mal olhou para Julia enquanto se aproximavam na multidão, mas pelo breve olhar que ele deu a ela parecia que ela estava mais pálida do que de costume.

— O plano furou — murmurou ela, assim que julgou seguro falar. — Amanhã, quero dizer.

— O quê?

— Amanhã à tarde. Eu não posso ir.

— Por que não?

— Oh, o motivo de sempre. Começou cedo desta vez.

Por um momento, Winston sentiu uma raiva violenta. Durante o mês em que a conhecera, a natureza de seu desejo por ela mudara. No início, havia pouca sensualidade verdadeira nisso. A primeira vez que fizeram amor fora simplesmente um ato de vontade. Mas depois, na segunda vez, fora diferente. O cheiro de seu cabelo, o gosto de sua boca, a sensação de sua pele pareciam ter penetrado nele ou no ar ao seu redor. Ela havia se tornado uma necessidade física, algo que ele não apenas desejava, mas a que sentia ter direito. Quando ela disse que não poderia vir, teve a sensação de que ela o estava traindo. Mas bem nesse momento a multidão os pressionou e suas mãos se encontraram acidentalmente. Ela apertou rapidamente as pontas dos dedos dele, que pareciam convidar não ao desejo, mas ao afeto. Ocorreu-lhe que, quando se vivia com uma mulher, essa decepção específica devia ser um acontecimento normal e recorrente, e uma ternura profunda, como ele nunca sentira por ela antes, de repente tomou conta dele. Desejou que fossem um casal com dez anos de vida em comum. Desejou estar andando pelas ruas com ela como estavam fazendo agora, mas abertamente e sem medo, falando de trivialidades e comprando coisas para a casa. Ele desejava, acima de tudo, ter um lugar onde pudessem ficar juntos a sós, sem a obrigação de fazerem amor cada vez que se encontrassem. Não foi realmente naquele momento, mas em algum momento do dia seguinte, que lhe ocorreu a ideia de alugar o quarto do Sr. Charrington. Quando ele sugeriu isso a Julia, ela concordou com uma prontidão inesperada. Ambos sabiam que era loucura. Era como se estivessem intencionalmente se aproximando de seus túmulos. Enquanto esperava na beira da cama, Winston pensou novamente nos porões do Ministério do Amor. Era curioso como aquele horror predestinado entrava e saía da consciência. Lá estava ele, fixado em tempos futuros, precedendo a morte tão certamente quanto 99 precede 100. Não se podia evitá-lo, mas talvez se pudesse adiá-lo: e, no entanto, em vez disso, de vez em quando, por um ato intencional e consciente, escolhe-se encurtar o intervalo antes de ele acontecer.

Nesse momento, ouviu-se um passo rápido na escada. Julia entrou repentinamente na sala. Carregava uma sacola de ferramentas de lona marrom grossa, como Winston às vezes a vira carregando de um lado para outro no Ministério. Ele avançou para tomá-la nos braços, mas ela se desvencilhou com bastante pressa, em parte porque ainda segurava a bolsa de ferramentas.

— Meio segundo — disse ela. — Deixe-me mostrar o que eu trouxe. Você trouxe um pouco daquele Café Victory imundo? Eu pensei que iria trazer. Você pode jogá-lo fora de novo, porque não vamos precisar dele. Olhe aqui.

Ela caiu de joelhos, abriu a bolsa e tirou algumas chaves inglesas e uma chave de fenda que preenchia a parte superior dela. Embaixo havia vários pacotes de papel bem organizados. O primeiro pacote que ela passou para Winston despertou-lhe uma sensação estranha, mas vagamente familiar. Estava cheio de algum tipo de coisa pesada como areia que cedia onde quer que se tocasse.

— Não é açúcar? — perguntou ele.

— Açúcar de verdade. Não sacarina, açúcar. E aqui está um pedaço de pão — pão branco de verdade, não a porcaria a que estamos acostumados — e um pequeno pote de geleia. E aqui está uma lata de leite — mas olhe! Este é o que eu realmente tenho orgulho. Eu tive que enrolar um pouco de saco em volta dele, porque...

Porém não foi preciso que ela explicasse por que tivera de embrulhar aquilo em um pano. O aroma já enchia a sala, um aroma forte e quente que parecia uma emanação de sua infância, mas que ocasionalmente encontrava mesmo agora, soprando por uma passagem antes de uma porta bater, ou se difundindo misteriosamente em um ambiente lotado da rua, inalado por um instante e depois dissipado novamente.

— É café — murmurou ele. — Café de verdade.

— É o café do Partido Interno. Tem um quilo inteiro aqui — disse ela.

— Como você conseguiu todas essas coisas?

— É tudo parte do Partido Interno. Não há nada que aqueles porcos não tenham, nada. Mas é claro que garçons, criados e pessoas beliscam coisas e — olhe, eu também tenho um pacotinho de chá.

Winston se agachou ao lado dela. Ele rasgou uma ponta do pacote.

— É chá de verdade. Não folhas de amora.

— Há muito chá ultimamente. Eles capturaram a Índia ou algo assim — disse ela, vagamente. — Mas escute, querido. Quero que fique de costas para mim por três minutos. Vá e sente-se do outro lado da cama. Não chegue muito perto da janela. E não se vire até eu lhe dizer.

Winston olhou distraidamente através da cortina de musselina. No pátio, a mulher de braços vermelhos ainda marchava de um lado para o outro, entre a banheira e a linha. Ela tirou mais dois pinos da boca e cantou com profundo sentimento:

Dizem que o tempo tudo cura
E que no fim tudo se esquece,
Mas risos e choros — creio que parece
Que a vida passa e eles perduram!

Parecia que ela sabia de cor toda a música emocionante. Sua voz flutuava com o doce ar de verão, muito melodiosa, carregada de uma espécie de feliz melancolia. Tinha-se a sensação de que ela teria ficado perfeitamente satisfeita, se a noite de junho tivesse sido interminável e o estoque de roupas inesgotável, em permanecer ali por mil anos, remendando fraldas e cantando besteiras. Pareceu-lhe curioso que nunca tivesse ouvido um membro do Partido cantar sozinho e espontaneamente. Teria até parecido um pouco heterodoxo, uma excentricidade perigosa, como falar sozinho. Talvez fosse apenas quando as pessoas estavam em algum lugar perto do nível de fome que tinham algo sobre o que cantar.

— Você pode se virar agora — disse Julia.

Winston se virou e por um segundo quase não conseguiu reconhecê-la. O que ele realmente esperava era vê-la nua. Mas ela não estava nua. A transformação ocorrida foi muito mais surpreendente do que isso. Ela havia pintado o rosto.

Ela devia ter entrado em alguma loja no bairro proletário e comprado um conjunto completo de maquiagem. Seus lábios estavam profundamente avermelhados, suas bochechas pintadas de vermelho, seu nariz cheio de pó. Havia até um toque de algo sob os olhos para torná-los mais brilhantes. Não havia sido feita com muita habilidade, mas os padrões de Winston em tais assuntos não eram elevados. Ele nunca tinha visto ou imaginado uma mulher do Partido com cosméticos no rosto. A melhora em sua aparência era surpreendente. Com apenas algumas pinceladas de cor nos lugares certos, ela se tornara não apenas muito mais bonita, mas, acima de tudo, muito mais feminina. Seu cabelo curto e macacão de menino apenas contribuíram para o efeito.

Quando ele a tomou nos braços, uma onda de violetas sintéticas inundou suas narinas. Ele se lembrou da penumbra de uma cozinha no porão e da boca cavernosa de uma mulher. Era o mesmo perfume que ela havia usado, mas no momento isso não parecia importar.

— E perfumada! — disse ele.

— Sim, querido, perfumada também. E você sabe o que vou fazer depois? Vou conseguir um vestido de mulher de verdade de algum lugar e usá-lo em vez dessas calças ensanguentadas. Vou usar meias de seda e sapatos de salto alto! Nesta sala, serei uma mulher, não uma camarada do Partido.

Eles tiraram a roupa e subiram na enorme cama de mogno. Foi a primeira vez que ele se despiu na presença dela. Até agora ele tinha tido muita vergonha de seu corpo pálido e magro, com as veias varicosas se destacando em suas panturrilhas e a mancha descolorida em seu tornozelo. Não havia lençóis, mas o cobertor sobre o qual estavam deitados era puído e liso, e o tamanho e a elasticidade da cama surpreenderam a ambos.

— Com certeza está cheio de insetos, mas quem se importa? — disse Julia.

Hoje em dia, nunca se via cama de casal, exceto nas casas dos proletários. Winston tinha dormido ocasionalmente em uma na infância: Julia nunca tinha dormido em uma antes, pelo que ela conseguia se lembrar.

Logo adormeceram um pouco. Quando Winston acordou, os ponteiros do relógio marcavam quase nove horas. Ele não se mexeu, porque Julia estava dormindo com a cabeça na curva de seu braço. A maior parte da maquiagem dela havia se transferido para o rosto dele ou para o travesseiro, mas uma leve mancha de blush ainda realçava a beleza de sua bochecha. Um raio amarelo do sol poente iluminava o pé da cama e acendeu a lareira, onde a água da panela fervia rapidamente. Lá embaixo, no quintal, a mulher havia parado de cantar, mas os gritos fracos das crianças vinham da rua. Winston se perguntou vagamente se no passado abolido teria sido uma experiência normal deitar na cama assim, no frescor de uma noite de verão, um homem e uma mulher sem roupas, fazendo amor quando queriam, conversando sobre o que escolhiam, não sentindo nenhuma urgência em se levantar, simplesmente deitados e ouvindo sons pacíficos do lado de fora. Certamente nunca poderia ter havido um momento em que isso parecesse normal? Julia acordou, esfregou os olhos e se apoiou no cotovelo para olhar o fogão a óleo.

— Metade daquela água foi fervida — disse ela. — Vou me levantar e fazer um café num instante. Temos uma hora. A que horas eles desligam as luzes em seus apartamentos?

— Vinte e três e trinta.

— No albergue, é às vinte e três. Mas você tem que entrar antes disso, porque... ei! Sai daí, bicho nojento!

De repente, ela se contorceu na cama, agarrou um sapato do chão e o jogou no canto com um movimento brusco do braço, exatamente como Winston a vira atirar o dicionário em Goldstein, naquela manhã durante os Dois Minutos de Ódio.

— O que foi? — perguntou ele, surpreso.

— Um rato. Eu o vi enfiar seu focinho nojento para fora do lambril. Tem um buraco lá embaixo. Eu dei a ele um bom susto, de qualquer maneira.

— Ratos! — murmurou Winston. — Nesse quarto!

— Eles estão por toda parte — disse Julia com indiferença, enquanto se deitava novamente. — Estão até na cozinha do albergue. Algumas partes de Londres estão fervilhando deles. Você sabia que eles atacam crianças? Sim, fazem isso. Em algumas dessas ruas, as mulheres não se atrevem a deixar um bebê sozinho por dois minutos. São os grandes e enormes, daqueles marrons, que fazem isso. O pior é que os brutos sempre...

— Por favor, pare! — disse Winston, com os olhos bem fechados.

— Querido! Você ficou muito pálido. Qual é o problema? Eles fazem você se sentir mal?

— O pior dos horrores que há no mundo!

Ela se apertou contra ele e enrolou seus membros em volta dele, como se para tranquilizá-lo com o calor de seu corpo. Ele não reabriu os olhos imediatamente. Por vários momentos, teve a sensação de estar de volta a um pesadelo que se repetia de vez em quando ao longo de sua vida. Era sempre muito igual. Ele parado em frente a uma parede de escuridão, e do outro lado dela algo insuportável, algo terrível demais para ser enfrentado. No sonho, seu sentimento mais profundo era sempre de autoengano, porque ele de fato sabia o que estava por trás da parede de escuridão. Com um esforço mortal, como arrancar um pedaço de seu próprio cérebro, poderia até mesmo ter arrastado a coisa para fora. Ele sempre acordava sem descobrir o que era: mas de alguma forma estava relacionado com o que Julia tinha dito quando ele a interrompeu.

— Sinto muito, não é nada. Eu não gosto de ratos, só isso.

— Não se preocupe, querido, não vamos ter esses brutos imundos aqui. Vou encher o buraco com um pedaço de pano antes de irmos. E da próxima vez que viermos aqui, vou trazer um pouco de gesso e tapá-lo adequadamente.

Aquele negro instante de pânico já estava meio esquecido. Sentindo-se um pouco envergonhado de si mesmo, Winston se sentou contra a cabeceira da cama. Julia saiu da cama, vestiu o macacão e fez café. O cheiro que saía da panela era tão forte e excitante que eles fecharam a janela para que ninguém do lado de fora percebesse e perguntasse. O que era ainda melhor do que o sabor do café era a textura sedosa que o açúcar lhe conferia, algo que Winston quase esquecera depois de anos sem usar açúcar de verdade. Com uma das mãos no bolso e um pedaço de pão e geleia na outra, Julia vagou pela sala, olhando indiferente para a estante de livros, apontando a melhor forma de consertar a mesa de abas dobráveis, jogando-se na poltrona esfarrapada para ver se era confortável e examinando o absurdo relógio de doze horas com uma espécie de deleite tolerante. Levou o peso de papel de vidro até a cama, para dar uma olhada em uma luz melhor. Winston tirou-o de suas mãos, fascinado, como sempre, pelo aspecto delicado do vidro, com as bolinhas que lembravam gotas de chuva.

O que você acha que é isso? — perguntou Julia.

— Acho que não é nada — quero dizer, eu não acho que tenha sido usado alguma vez. É disso que eu gosto. É um pequeno pedaço de história que eles se esqueceram de alterar. Seria uma mensagem de cem anos atrás, se alguém soubesse lê-la.

— E aquela foto ali — ela disse, acenando com a cabeça para a gravura na parede oposta –, teria uns cem anos?

— Acho que mais. Duzentos, arriscaria dizer. Não dá para saber. É impossível descobrir a idade de qualquer coisa hoje em dia.

Ela foi dar uma olhada.

— Foi aqui que aquele bruto enfiou o nariz — disse ela, chutando o lambril logo abaixo da imagem. — O que é este lugar? Eu já vi isso antes em algum lugar.

— É uma igreja, ou pelo menos era. O nome dela era São Clemente dos Dinamarqueses.

O fragmento de rima que o Sr. Charrington lhe ensinara voltou à sua cabeça, e ele acrescentou, meio nostalgicamente: "Sem caroços nem sementes, dizem os sinos de São Clemente!". Para a sua surpresa, ela continuou:

— "Você deve dinheiro a mim, cantam os sinos da São Martim! Quem é o culpado, afinal?, perguntam os sinos do Tribunal...". Não consigo lembrar o que vem depois disso. Mas, de qualquer forma, eu me lembro que acabava com "Escove os dentes e seja um bom moço, ou o homem do saco vem cortar o seu pescoço".

Era como as duas metades de uma contrassenha. Mas devia haver outra linha após "os sinos do Tribunal". Talvez pudessem desenterrá-la da memória do Sr. Charrington, se perguntassem com jeitinho.

— Quem te ensinou isso? — perguntou Winston.

— Meu avô. Ele costumava cantar para mim quando eu era garotinha. Ele foi vaporizado quando eu tinha oito anos — de qualquer forma, ele desapareceu. Eu me pergunto o que era um caroço — acrescentou, inconsequentemente. — Eu vi sementes. Eles são uma espécie de bolinha que se jogava no solo.

— Lembro-me de caroços — disse Winston. — Eles eram bastante comuns nos anos cinquenta.

— Aposto que está cheio de percevejos atrás desse quadro — disse Julia. — Vou tirar e fazer uma boa limpeza qualquer dia desses. Acho que está quase na hora de partirmos. Devo começar a tirar a maquiagem. Que chato! Vou tirar o batom do seu rosto depois.

Winston não se levantou por mais alguns minutos. A sala estava escurecendo. Ele se virou para a luz e ficou olhando para o peso de papel de vidro. O que era incrivelmente interessante não era o fragmento de coral, mas o interior do próprio vidro. A profundidade era grande e, no entanto, era quase tão transparente quanto o ar. Era como se a superfície do vidro fosse o arco do céu, encerrando um minúsculo mundo com sua atmosfera completa. Winston teve a sensação de que poderia entrar lá, e que de fato tivesse entrado, junto com a cama de mogno, a mesa de abras dobráveis, o relógio, a gravura em aço e o próprio peso de papel. O peso de papel era a sala em que ele estava, e o coral eram a vida de Julia e a dele, fixadas em uma espécie de eternidade no coração do cristal.

5

Syme havia desaparecido. Um certo dia, ele não foi trabalhar: algumas pessoas inconsequentes comentaram sobre sua ausência. No dia seguinte, ninguém o mencionou. No terceiro dia, Winston foi ao vestíbulo do Departamento de Registros para observar o quadro de avisos. Um dos avisos trazia uma lista impressa dos membros do Comitê de Xadrez, dos quais Syme fazia parte. Parecia quase exatamente como antes — nada havia sido riscado –, mas havia um nome a menos. Fora o suficiente. Syme tinha deixado de existir: nunca existira.

O tempo estava quente demais. No labiríntico Ministério, as salas sem janelas e com ar-condicionado mantinham sua temperatura normal, mas fora das calçadas se queimavam os pés, e o fedor do Metrô nas horas de pico era um horror. Os preparativos para a Semana do Ódio estavam em pleno andamento, e as equipes de todos os Ministérios estavam fazendo hora extra. Desfiles, reuniões, desfiles militares, palestras, trabalhos de cera, exibições, mostras de filmes, programas de teletela, todos tinham de ser organizados; estandes tinham de ser erguidos, efígies construídas, slogans cunhados, canções escritas, rumores circulados, fotografias falsificadas. A unidade de Julia no Departamento de Ficção havia sido retirada da produção de romances e estava publicando uma série de panfletos de atrocidades. Winston, além de seu trabalho regular, passava longos períodos todos os dias revisando arquivos do Times e alterando e embelezando itens de notícias que deveriam ser citados em discursos. Tarde da noite, quando multidões de proletários desordeiros vagavam pelas ruas, a cidade tinha um ar curiosamente febril. Os foguetes bombardeavam com mais frequência do que nunca, e às vezes, à distância, ocorriam enormes explosões que ninguém conseguia explicar e sobre as quais havia rumores selvagens.

A nova melodia que seria o tema da Semana do Ódio (a Canção do Ódio, como se chamava) já havia sido composta e estava sendo conectada indefinidamente às teletelas. Tinha um ritmo selvagem e era um latido que não podia ser chamado exatamente de música, mas lembrava o bater de um tambor. Era rugido por centenas de vozes ao som de pés marchando, muito assustador. A música caíra no gosto dos proletários, e na madrugada das ruas competia com "Era uma fantasia e nada mais". Os filhos dos Parsons brincavam todas as horas da noite e do dia, insuportavelmente, com um pente e um pedaço de papel higiênico. As noites de Winston estavam mais ocupadas do que nunca. Esquadrões de voluntários, organizados por Parsons, estavam preparando a rua para a Semana do Ódio, costurando faixas, pintando cartazes, erguendo mastros de bandeira nos telhados e arremessando perigosamente cabos na rua para a recepção de serpentinas. Parsons gabou-se de que só as Mansões Victory exibiam quatrocentos metros de bandeirolas. Ele estava em seu elemento nativo e feliz como uma cotovia. O calor e o trabalho manual davam-lhe até pretexto para retornar o uso dos shorts e da camisa aberta à noite. Estava em toda parte ao mesmo tempo, empurrando, puxando, serrando, martelando, improvisando, sacudindo a todos com exortações de camaradagem e emitindo de cada dobra de seu corpo o que parecia um suprimento inesgotável de suor com cheiro acre.

Um novo pôster apareceu de repente por toda a Londres. Não tinha legenda e representava simplesmente a figura monstruosa de um soldado eurasiano, de três ou quatro metros de altura, avançando com o rosto inexpressivo de mongol e botas enormes, uma submetralhadora apontada para o quadril. De qualquer ângulo que se olhasse para o pôster, o cano da arma, ampliado pelo encurtamento, parecia estar apontado diretamente para você. A coisa tinha sido colada em cada espaço em branco em cada parede, superando até mesmo os retratos do Grande Irmão. Os proletários, normalmente apáticos em relação à guerra, estavam sendo arrastados para um de seus periódicos frenesis de patriotismo. Como que para se harmonizar com o clima geral, os foguetes-bomba estavam matando um número maior de pessoas do que o normal. Um caiu em um cinema lotado em Stepney, enterrando várias centenas de vítimas entre as ruínas. Toda a população da vizinhança compareceu a um funeral longo e lento que durou horas e foi, na verdade, um encontro de indignação. Outra bomba caiu em um terreno baldio que era usado como playground; várias dezenas de crianças foram feitas em pedaços. Houve mais manifestações furiosas, Goldstein queimado como uma efígie, centenas de cópias do pôster do soldado eurasiano arrancadas e adicionadas às chamas e várias lojas saqueadas no tumulto; então, correu o boato de que espiões estavam dirigindo os foguetes-bomba por meio de ondas sem fio, e um casal de idosos, suspeito de ser estrangeiro, teve sua casa incendiada e morreu sufocado.

  Quando conseguiam chegar ao quarto acima da loja do Sr. Charrington, Julia e Winston deitavam lado a lado em uma cama despojada sob a janela aberta, nus por causa do frescor. O rato nunca mais voltara, mas os insetos haviam se multiplicado terrivelmente com o calor. Isso não parecia ter importância. Sujo ou limpo, o quarto era o paraíso. Assim que chegavam, borrifavam tudo com pimenta comprada no mercado negro, arrancavam as roupas e faziam amor com seus corpos suados, depois adormeciam e acordavam para descobrir que os insetos haviam se recuperado e se reunido para o contra-ataque.

Quatro, cinco, seis — sete vezes se encontraram durante o mês de junho. Winston havia abandonado o hábito de beber gim o tempo todo. Parecia ter perdido a necessidade disso. Havia engordado, sua úlcera varicosa havia diminuído, deixando apenas uma mancha marrom na pele acima do tornozelo, seus acessos de tosse de manhã cedo haviam cessado. O processo de vida havia deixado de ser insuportável, ele não tinha mais impulso de fazer caretas para a teletela ou gritar maldições a plenos pulmões. Agora que tinham um esconderijo seguro, quase uma casa, não parecia uma dificuldade que pudessem se encontrar com pouca frequência e por algumas horas de cada vez. O que importava era que o quartinho em cima da loja existisse. Saber que ele estava ali, inviolado, era quase o mesmo que estar dentro dele. O quarto era um mundo, um bolsão do passado onde animais extintos podiam andar. O Sr. Charrington, pensou

Winston, era outro animal extinto. Ele geralmente parava para falar com o Sr. Charrington por alguns minutos no caminho para cima. O velho parecia raramente ou nunca sair de casa e, por outro lado, quase não tinha clientes. Levava uma existência fantasmagórica entre a loja minúscula e escura e uma cozinha ainda mais minúscula, onde preparava suas refeições e que continha, entre outras coisas, um gramofone incrivelmente antigo com uma buzina enorme. Parecia feliz com a oportunidade de conversar. Vagando por entre seu estoque sem valor, com seu nariz comprido e óculos grossos e os ombros curvados na jaqueta de veludo, sempre tinha um ar de ser mais um colecionador do que um comerciante. Com uma espécie de entusiasmo desbotado, pegava esse ou aquele pedaço de lixo — uma rolha de garrafa de porcelana, a tampa pintada de uma caixa de rapé quebrada, um medalhão contendo uma mecha de cabelo de algum bebê morto há muito tempo –, nunca pedindo que Winston comprasse, apenas para que ele os admirasse. Falar com ele era como ouvir o tilintar de uma caixa de música gasta. Ele arrastara dos cantos de sua memória mais alguns fragmentos de rimas esquecidas. Havia um sobre vinte e quatro melros, outro sobre uma vaca com um chifre amassado e outro sobre a morte do pobre Cock Robin.

— Acaba de me ocorrer que você pode estar interessado — ele dizia, com uma risadinha depreciativa sempre que produzia um novo fragmento. Mas ele nunca conseguia se lembrar de mais do que algumas linhas de qualquer rima.

    Os dois sabiam — de certa maneira, estava sempre na cabeça deles — que o que estava acontecendo não iria se manter por muito tempo. Houve momentos em que a iminência da morte parecia tão palpável quanto a cama em que estavam deitados, e eles se agarrariam juntos, com uma espécie de sensualidade desesperadora, como uma alma maldita se agarrando ao seu último momento de prazer quando o relógio está a cinco minutos de despertar. Mas também havia momentos em que tinham a ilusão não apenas de segurança, mas de perenidade. e fosse durar. Enquanto eles estivessem realmente naquele quarto, ambos sentiam que nenhum mal poderia lhes acontecer. Chegar lá era difícil e perigoso, mas o quarto em si era um santuário. Era como quando Winston olhava para o coração do peso de papel, com a sensação de que seria possível entrar naquele mundo vítreo e que, uma vez lá dentro, o tempo poderia parar. Frequentemente se entregavam a devaneios de fuga. A sorte deles duraria indefinidamente, e eles continuariam suas intrigas, exatamente assim, pelo resto de suas vidas naturais. Ou Katharine morreria e, por manobras sutis, Winston e Julia teriam sucesso em se casar. Ou eles se suicidariam juntos. Ou desapareceriam, se alterariam e perderiam o reconhecimento, aprenderiam a falar com sotaque proletário, conseguiriam empregos em uma fábrica e viveriam suas vidas sem serem detectados em uma rua secundária. Era tudo bobagem, como ambos sabiam. Na realidade, não havia como escapar. Mesmo o único plano que era praticável, o suicídio, eles não tinham intenção de executar. Agarrar-se dia a dia e semana após semana, desenrolando um presente que não tinha futuro, parecia um instinto invencível, da mesma forma que os pulmões sempre respirarão na próxima vez que houver ar disponível.

Às vezes, também, falavam em se engajar em uma rebelião ativa contra o Partido, mas sem nenhuma noção de como dar o primeiro passo. Mesmo que a fabulosa Irmandade existisse mesmo, restava a dificuldade de encontrar um caminho até ela. Winston contou a ela sobre a estranha intimidade que existia, ou parecia existir, entre ele e O'Brien, e do impulso que às vezes sentia, simplesmente estando na presença de O'Brien, de anunciar que ele era o inimigo do Partido e exigir sua ajuda. Curiosamente, isso não lhe parecia uma coisa incrivelmente precipitada de se fazer. Ela estava acostumada a julgar as pessoas por seus rostos, e parecia natural para ela que Winston acreditasse que O'Brien fosse confiável com a força de um único lampejo de olhos. Além disso, ela tinha certeza de que todos, ou quase todos, odiavam secretamente o Partido e quebrariam as regras se achassem seguro fazê-lo. Mas se recusava a acreditar que uma oposição ampla e organizada existisse ou pudesse existir. As histórias sobre Goldstein e seu exército clandestino, dizia ela, eram simplesmente um monte de lixo que o Partido inventara para seus próprios fins e em que se tinha de fingir que acreditava. Incontáveis vezes, em comícios do Partido e manifestações espontâneas, ela tinha gritado a plenos pulmões pela execução de pessoas cujos nomes nunca tinha ouvido falar e em cujos supostos crimes não tinha a menor crença. Sempre que havia julgamentos públicos, ela ocupava seu lugar em meio aos destacamentos da Liga da Juventude que cercavam os tribunais de manhã à noite, entoando de quando em quando "Morte aos traidores!". Durante os Dois Minutos de Ódio, sempre superava todos os outros em gritar insultos contra Goldstein. No entanto, tinha apenas uma vaga ideia de quem era Goldstein e que doutrinas ele deveria representar. Crescera durante a vigência da Revolução e era jovem demais para ter alguma recordação dos confrontos ideológicos dos anos cinquenta e sessenta. Um movimento político independente estava fora de sua imaginação, e, de qualquer modo, o Partido era invencível. Sempre existiria e sempre seria o mesmo. Só se poderia se rebelar contra ele por meio de desobediência secreta ou, no máximo, por atos isolados de violência, como matar alguém ou explodir algo.

Em alguns aspectos, ela era muito mais perspicaz do que Winston e muito menos suscetível à propaganda do

Partido. Certa vez, quando por acaso ele mencionou a guerra contra a Eurásia, ela o surpreendeu dizendo casualmente que, em sua opinião, a guerra não estava acontecendo. Os foguetes-bomba que caíam diariamente sobre Londres eram provavelmente disparados pelo próprio governo da Oceania, "apenas para manter as pessoas com medo". Essa era uma ideia que literalmente nunca lhe havia ocorrido. Ela também despertara nele uma espécie de inveja, dizendo-lhe que, durante o Dois Minutos de Ódio, sua grande dificuldade era não cair na gargalhada. Mas ela só questionava os ensinamentos do Partido quando de alguma forma tocavam em sua própria vida. Muitas vezes estava pronta para aceitar a mitologia oficial, simplesmente porque a diferença entre a verdade e a mentira não lhe parecia importante. Ela acreditava, por exemplo, tendo aprendido na escola, que o Partido havia inventado os aviões. (Em seus próprios tempos de escola, Winston lembrou, no final dos anos cinquenta, que apenas o helicóptero o Partido afirmava ter inventado; doze anos depois, quando Julia estava na escola, já estavam reivindicando o avião; mais uma geração, e estariam reivindicando a máquina a vapor.) E quando ele dissera a Julia que os aviões já existiam muito antes de ele nascer, portanto muito antes da Revolução, ela achara esse fato extremamente desinteressante. Afinal de contas, que interesse havia em saber quem tinha inventado o avião? Foi um choque para ele quando descobriu, por algum comentário casual, que ela não se lembrava de que a Oceania, quatro anos antes, estivera em guerra com a Lestásia e em paz com a Eurásia. Era verdade que ela considerava toda a guerra uma farsa: mas aparentemente nem havia notado que o nome do inimigo havia mudado.

— Pensei que sempre estivemos em guerra com a Eurásia — disse ela vagamente.

Isso o assustou um pouco. A invenção dos aviões data muito antes de seu nascimento, mas a transição na guerra acontecera apenas quatro anos antes, bem depois de ela ter crescido. Ele discutiu com ela sobre isso por um quarto de hora, talvez. No final, Winston conseguiu forçar sua memória de volta, até que ela vagamente se lembrasse de que uma vez a Lestásia, e não a Eurásia, fora a inimiga. Mas a questão ainda parecia sem importância.

— Quem se importa? — ela disse, impaciente. — É sempre uma guerra sangrenta após a outra, e todos sabem que as notícias são mentiras de qualquer maneira.

Às vezes, Winston falava com ela sobre o Departamento de Registros e as falsificações atrevidas que cometera lá. Essas coisas não pareciam horrorizá-la. Ela não sentia o abismo se abrindo sob seus pés com o pensamento de mentiras se tornando verdades. Ele contou a ela a história de Jones, Aaronson e Rutherford e o importante pedaço de papel que ele segurava entre os dedos. Isso não a impressionou muito. A princípio, de fato, ela não conseguiu entender o ponto da história.

— Eram amigos seus? — perguntou ela.

— Não, eu nunca os conheci. Eram membros do Partido Interno. Além disso, eram homens muito mais velhos do que eu. Pertenciam aos velhos tempos, antes da Revolução. Eu mal os conhecia de vista.

— Então, com que se preocupar? Pessoas estão sendo mortas o tempo todo, não estão?

Ele tentou fazê-la entender.

— Esse foi um caso excepcional. Não era apenas uma questão de alguém ser morto. Você percebe que o passado, a partir de ontem, foi realmente abolido? Se ele sobrevive em algum lugar, é em alguns objetos sólidos, sem palavras ligadas a eles, como aquele pedaço de vidro ali. Já não sabemos quase nada literalmente sobre a Revolução e os anos anteriores a ela. Cada registro foi destruído ou falsificado, cada livro reescrito, cada imagem repintada, cada estátua e rua e prédio renomeados, cada data alterada. E esse processo continua dia a dia, minuto a minuto. A história parou. Nada existe, exceto um presente infinito em que o Partido tem sempre razão. Eu sei, é claro, que o passado é falsificado, mas nunca seria possível para mim prová-lo, mesmo quando eu mesmo fiz a falsificação. Depois que a coisa é feita, nenhuma evidência permanece. A única evidência está dentro da minha própria mente, e não sei com certeza se algum outro ser humano compartilha minhas memórias. Só naquele caso, em toda a minha vida, eu tinha evidências concretas reais após o evento — anos depois dele.

— E de que adiantou?

— Não adiantou, porque joguei fora alguns minutos depois. Mas, se a mesma coisa acontecer hoje, eu deveria ficar com ele.

— Bem, eu não faria isso! — disse Julia. — Estou pronta para assumir riscos, mas apenas por algo que valha a pena, não por pedaços de jornal velho. O que você poderia ter feito com ele mesmo se o tivesse guardado?

— Não muito, talvez. Mas era uma evidência. Pode ter plantado algumas dúvidas aqui e ali, supondo que eu ousasse mostrá-lo a alguém. Não imagino que possamos alterar nada em nossa própria vida. Mas podem-se imaginar pequenos nós de resistência surgindo aqui e ali — pequenos grupos de pessoas se unindo e crescendo gradualmente, até mesmo deixando para trás alguns registros, para que as próximas gerações possam continuar de onde paramos.

— Não estou interessada na próxima geração, querido. Estou interessado em nós.

— Você é rebelde apenas da cintura para baixo — disse a ele.

Ela achou o comentário brilhantemente espirituoso e lançou os braços ao redor de Winston, deliciada.

Julia não tinha o menor interesse nas ramificações da doutrina partidária. Sempre que Winston começava a falar sobre os princípios do Socing, duplipensar, a mutabilidade do passado e a negação da realidade objetiva e usar palavras em Novilíngua, ela ficava entediada e confusa e dizia que nunca prestava atenção a esse tipo de coisa. Sabia-se que era tudo lixo, então por que se preocupar? Ela sabia quando torcer e quando vaiar, e isso era tudo de que se precisava saber. Se ele insistia em falar sobre tais assuntos, ela tinha o hábito desconcertante de adormecer. Era daquelas pessoas que conseguem dormir a qualquer hora e em qualquer posição. Falando com ela, Winston percebeu como era fácil apresentar uma aparência de ortodoxia sem ter nenhuma compreensão do que significava ortodoxia. De certa forma, a visão de mundo do Partido se impunha com muito sucesso às pessoas incapazes de entendê-la. Eles podiam ser levados a aceitar as violações mais flagrantes da realidade, porque nunca tinham compreendido totalmente a enormidade do que era exigido deles e não estavam suficientemente interessados em eventos públicos para perceber o que estava acontecendo de fato. Permaneciam sãos por não entender. Simplesmente engoliam tudo, e o que engoliam não lhes fazia mal, porque não deixava nenhum resíduo para trás, assim como um grão de milho passa pelo corpo de um pássaro sem ser digerido.

6

Aconteceu, finalmente. A mensagem esperada chegara. Durante toda a sua vida, parecia, ele tinha esperado por esse momento.

Winston caminhava pelo longo corredor do Ministério e estava quase no local onde Julia colocara o bilhete em sua mão quando percebeu que alguém maior do que ele estava andando logo atrás. A pessoa, fosse quem fosse, pigarreou, evidentemente como um prelúdio para falar. Winston parou abruptamente e se virou. Era O'Brien.

Por fim, ficaram cara a cara, e parecia que seu único impulso era fugir. Seu coração batia violentamente. Era incapaz de falar. O'Brien, no entanto, continuou a avançar no mesmo movimento, colocando uma mão amiga por um momento no braço de Winston, de modo que andassem lado a lado. Ele começou a falar com a peculiar cortesia grave que o diferenciava da maioria dos membros do Partido Interno.

— Eu estava esperando uma oportunidade de falar com você — disse ele. — Eu estava lendo um de seus artigos sobre Novilíngua no Times, outro dia. Você tem interesse acadêmico em Novilíngua, certo?

Winston havia recuperado parte de seu autodomínio.

— Nada acadêmico. Sou apenas um amador. Não é a minha área de conhecimento. Eu nunca tive nada a ver com a construção real da linguagem.

— Mas você escreve muito elegantemente — disse O'Brien. — Essa não é apenas minha opinião. Eu estava conversando recentemente com um amigo seu que certamente é especialista. O nome dele escapou da minha memória agora.

Mais uma vez, o coração de Winston se agitou dolorosamente. Era inconcebível que fosse outra coisa senão uma referência a Syme. Mas Syme não estava apenas morto; fora abolido, uma não pessoa. Qualquer referência identificável a ele teria sido mortalmente perigosa. A observação de O'Brien deveria obviamente ser concebida como um sinal, uma palavra-código. Ao compartilhar um pequeno ato de crime de pensamento, ele transformara os dois em cúmplices. Continuavam avançando pelo corredor, mas dessa vez O'Brien parou. Com a singular e apaziguadora cordialidade que sempre conseguia conferir ao gesto, ajeitou os óculos no nariz. Então, continuou:

— O que eu realmente pretendia dizer é que em seu artigo percebi que você usou duas palavras que se tornaram obsoletas. Mas isso só aconteceu recentemente. Você viu a décima edição do Dicionário Novilíngua?

— Não — respondeu Winston. — Não sabia que já tinha saído. Ainda estamos usando a nona edição no Departamento de Registros.

— Acredito que a décima edição só deva ser publicada dentro de alguns meses, mas algumas cópias antecipadas foram distribuídas. Também tenho uma. Talvez você queira dar uma olhada.

— Claro — disse Winston, vendo imediatamente para onde aquela conversa estava indo.

— Alguns dos novos desenvolvimentos são muito engenhosos. A redução no número de verbos — esse é o ponto que acho que você mais vai gostar. Deixe-me ver, devo enviar um mensageiro para você com o dicionário? Mas temo que sempre me esqueça de fazer qualquer coisa desse tipo. Talvez você possa pegá-lo no meu apartamento em algum momento que seja conveniente para você? Espere. Deixe-me dar meu endereço.

Estavam em frente a uma teletela. Um tanto distraidamente, O'Brien apalpou dois de seus bolsos e, em seguida, tirou um pequeno caderno com capa de couro e um lápis de ouro. Imediatamente abaixo da teletela, em uma posição tal que qualquer pessoa que estivesse olhando do outro lado do instrumento pudesse ler o que estava escrevendo, ele rabiscou um endereço, rasgou a página e entregou-a a Winston.

— Normalmente estou em casa à noite. Se não estiver, meu servo lhe dará o dicionário.

Ele se foi, deixando Winston segurando o pedaço de papel, que dessa vez não havia necessidade de ser escondido. Mesmo assim, ele memorizou cuidadosamente o que estava escrito nele e, algumas horas depois, jogou-o no buraco da memória junto com uma massa de outros papéis.

Eles haviam conversado por alguns minutos, no máximo. Havia apenas um significado que o episódio poderia ter. Fora planejado como uma forma de dar a Winston o endereço de O'Brien. Isso era necessário porque, exceto em casos de investigação direta, nunca era possível descobrir onde alguém morava. Não havia diretórios de qualquer tipo. "Se você quiser me ver, é aqui que posso ser encontrado", era basicamente o que O'Brien havia dito a ele. Talvez até houvesse uma mensagem escondida em algum lugar do dicionário. Mas, de qualquer forma, uma coisa era certa: a conspiração com a qual ele sonhava existia, e ele acabara de se aproximar de seus limites externos.

Winston sabia que mais cedo ou mais tarde iria obedecer à convocação de O'Brien. Talvez amanhã, talvez depois de um longo atraso — não tinha certeza. O que estava acontecendo era apenas a elaboração de um processo que havia começado anos atrás. O primeiro passo havia sido um pensamento secreto e involuntário, o segundo fora abrir o diário. Havia passado dos pensamentos às palavras e agora das palavras às ações. A última etapa era algo que aconteceria no Ministério do Amor. Ele tinha aceitado. O fim estava contido no começo. Mas era assustador: ou, mais exatamente, era como um antegozo da morte, como estar um pouco menos vivo. Mesmo enquanto falava com O'Brien, enquanto o significado das palavras era absorvido, uma sensação de frio e estremecimento tomou posse de seu corpo. Teve a sensação de entrar na umidade de um túmulo, e a sensação não melhorou muito porque sempre soubera que o túmulo estava ali e à sua espera.

7

Winston havia acordado com os olhos cheios de lágrimas. Julia rolou sonolenta contra ele, murmurando algo que poderia ser "Qual é o problema?".

— Eu sonhei... — começou ele, parando abruptamente. Era muito complexo para ser posto em palavras. Lá estava o sonho em si, e havia uma memória ligada a ele que surgira em sua mente poucos segundos depois de acordar.

Recostou-se com os olhos fechados, ainda envolto pela atmosfera do sonho. Era um sonho vasto e luminoso em que toda a sua vida parecia se estender diante dele como uma paisagem em uma noite de verão depois da chuva. Tudo havia ocorrido dentro do peso de papel de vidro, mas a superfície deste era a cúpula do céu, e dentro da cúpula tudo estava inundado com uma luz suave e clara em que se podia enxergar a distâncias intermináveis. O sonho também havia sido compreendido, na verdade, em certo sentido consistia em um gesto do braço feito por sua mãe, e feito novamente trinta anos depois pela mulher judia que ele vira no noticiário, tentando proteger o garotinho das balas, antes que o helicóptero os reduzisse a pedaços.

— Você sabia que até momentos atrás eu acreditava que tinha assassinado minha própria mãe?

— Por que você a matou? — perguntou Julia, quase dormindo.

— Eu não a matei. Não fisicamente.

No sonho, ele se recordara da última vez que vira a mãe, e instantes depois de acordar o aglomerado de pequenos acontecimentos que envolvia a coisa toda voltara-lhe à lembrança. Era uma memória que ele devia ter empurrado deliberadamente para fora de sua consciência durante muitos anos. Não tinha certeza da data, mas não podia ter menos de dez anos, possivelmente doze, quando acontecera.

Seu pai havia desaparecido algum tempo antes — quanto ele não conseguia se lembrar. Ele se lembrava melhor das circunstâncias turbulentas e incômodas da época: os pânicos periódicos sobre os ataques aéreos e os abrigos nas estações de metrô, as pilhas de entulho por toda parte, as proclamações ininteligíveis nas esquinas, as gangues de jovens com camisetas da mesma cor, as enormes filas do lado de fora das padarias, os disparos intermitentes de metralhadoras a distância — sobretudo, o fato de nunca haver comida suficiente. Ele se lembrava das longas tardes vividas com outros meninos vasculhando latas de lixo e montes de lixo, recolhendo as costelas de folhas de repolho, cascas de batata, às vezes até restos de crosta de pão velha, de onde cuidadosamente raspavam as cinzas; e também à espera da passagem de caminhões que percorriam determinado caminho e eram conhecidos por transportar ração para gado e que, ao sacudirem nas manchas ruins da estrada, às vezes derramavam alguns fragmentos de bolo de óleo.

Quando seu pai desaparecera, sua mãe não mostrara nenhuma surpresa ou qualquer dor violenta, mas uma mudança repentina ocorrera nela. Parecera ter ficado completamente sem espírito. Era evidente até para Winston que ela estivesse esperando por algo que sabia que deveria acontecer. Ela fazia tudo o que era necessário — cozinhava, lavava, consertava as coisas, fazia a cama, varria o chão, espanava a lareira –, sempre muito devagar e com uma curiosa falta de movimento supérfluo, como uma figura leiga de um artista se movendo por conta própria. Seu grande corpo bem torneado parecia cair naturalmente na imobilidade. Durante horas ficava sentada quase imóvel na cama, amamentando a irmã mais nova de Winston, uma criança pequenina, enferma e muito silenciosa de dois ou três anos, o rosto simiesco pela magreza. Muito ocasionalmente, ela pegava Winston nos braços e o pressionava contra si por um longo tempo, sem dizer nada. Ele estava ciente, apesar de sua juventude e egoísmo, que isso estava de alguma forma conectado com a coisa nunca mencionada que estava para acontecer.

Ele se lembrava do quarto em que moravam, um quarto escuro, que cheirava a ambiente fechado e tinha uma cama com uma colcha branca que ocupava metade do espaço. Atrás do guarda-fogo havia um fogareiro a gás e uma prateleira onde ficavam os mantimentos, e fora, uma pia marrom de argila, usada pelos ocupantes de vários quartos. Lembrava-se do corpo da mãe inclinado sobre o fogareiro, enquanto ela mexia alguma coisa numa panela. Acima de tudo, lembrava-se da fome incessante que sentia e das brigas sórdidas e ferozes na hora das refeições. Ele perguntava irritantemente à mãe, várias vezes, por que não havia mais comida, gritava e berrava com ela (até se lembrava do tom de sua voz, que estava começando a amadurecer prematuramente e às vezes ficava muito estranha), ou ele tentava uma nota chorosa de pathos para obter mais do que sua parte da comida. Sua mãe sempre estava disposta a lhe dar mais comida. Ela tinha como certo que ele, "o menino", deveria ficar com a maior parte, mas, por mais que ela lhe desse, ele invariavelmente exigia mais. A cada refeição, implorava a ele que não fosse egoísta e se lembrasse de que sua irmãzinha estava doente e também precisava de comida, mas não adiantava; ele gritava de raiva quando a mãe parava de servir a concha, tentava arrancar a panela e a colher de suas mãos, pegava pedaços do prato da irmã. Ele sabia que estava deixando os outros dois morrendo de fome, mas não fazia diferença: até sentia que tinha o direito de fazer isso. A fome clamorosa em seu estômago parecia justificar suas atitudes. Entre as refeições, se sua mãe não ficava de guarda, ele constantemente furtava alguma coisa da miserável comida da prateleira.

Um dia, distribuíram ao povo uma provisão de chocolate. Havia semanas ou meses que não aparecia chocolate. Ele se lembrava claramente daquele precioso pedacinho de chocolate. Era uma barrinha de duas onças (ainda falavam em "onças" naquela época) para os três. Era óbvio que a barrinha deveria ser dividida em três partes iguais. De repente, como se estivesse ouvindo outra pessoa, Winston se ouviu exigindo em voz alta e estrondosa que lhe entregassem a peça inteira. Sua mãe disse a ele para não ser ganancioso. Houve uma discussão longa e importuna que girou em torno de gritos, lamentações, lágrimas, protestos, barganhas. Sua irmãzinha, agarrada à mãe com as duas mãos, exatamente como um macaco bebê, estava sentada, olhando para ele por cima do ombro com olhos grandes e tristes. No final, sua mãe partiu três quartos do chocolate e deu a Winston, dando o outro quarto para a irmã. A menina segurou-o e olhou-o estupidamente, talvez sem saber o que era. Winston ficou olhando para ela por um momento. Então, com um salto repentino e rápido, ele arrancou o pedaço de chocolate das mãos da irmã e fugiu em direção à porta.

— Winston, Winston! — sua mãe gritou atrás dele. — Volte aqui! Devolva o chocolate para a sua irmã!

Ele parou, mas não voltou. Os olhos ansiosos de sua mãe estavam fixos no rosto dele. Mesmo naquela hora, ela pensava na coisa que não sabia o que era, mas que estava a ponto de acontecer. Sua irmã, consciente de ter sido roubada de alguma coisa, soltou um gemido fraco. A mãe abraçou a criança e pressionou o rosto dela contra seu peito. Algo no gesto dissera a ele que sua irmã estava morrendo. Ele se virou e desceu correndo as escadas, com o chocolate já pegajoso em sua mão.

Winston nunca mais viu a mãe. Depois de ter devorado o chocolate, sentiu-se um tanto envergonhado de si mesmo e vagou pelas ruas por várias horas, até que a fome o levou para casa. Quando voltou, sua mãe havia desaparecido. Isso já estava se tornando normal naquela época. Nada havia desaparecido da sala, exceto sua mãe e sua irmã. Eles não tinham levado nenhuma roupa, nem mesmo o sobretudo de sua mãe. Até hoje ele não sabia com certeza se sua mãe estava morta. Era perfeitamente possível que simplesmente tivesse sido enviada para um campo de trabalhos forçados. Quanto à sua irmã, ela podia ter sido levada, como o próprio Winston, para uma das colônias para crianças sem-teto (Centros de Recuperação, como eram chamados), que surgiram como resultado da guerra civil, ou podia também ter sido enviada para o campo de trabalho junto com sua mãe, ou simplesmente deixara um lugar ou outro para morrer.

O sonho ainda estava vívido em sua mente, especialmente o gesto envolvente de proteção do braço no qual todo o seu significado parecia estar contido. Sua mente voltou para outro sonho, de dois meses atrás. Da mesma forma como sua mãe costumava sentar-se na cama suja de forro acolchoado branco, com a criança agarrada a ela, sentava-se em um navio afundado, bem abaixo dele, e se afogava mais a cada minuto, mas sem nunca parar de olhar para ele através da água escura.

Winston contou a Julia a história do desaparecimento de sua mãe. Sem abrir os olhos, ela rolou e se acomodou em uma posição mais confortável.

— Imagino que você fosse um porquinho selvagem naquela época — disse ela, indistintamente. — Todas as crianças são.

— Sim. Mas o verdadeiro ponto da história...

Pela respiração dela, era evidente que ia dormir novamente. Ele gostaria de continuar falando sobre sua mãe.

Não supunha, pelo que conseguia se lembrar dela, que ela fosse uma mulher incomum, muito menos inteligente; e ainda assim ela possuía uma espécie de nobreza, uma espécie de pureza, simplesmente porque os padrões a que obedecia eram privados. Seus sentimentos eram próprios dela e não podiam ser alterados por fatores externos. Jamais teria ocorrido à sua mãe que, por ser ineficaz, um ato pudesse perder o sentido. Se você ama alguém, você o ama, e quando você não tem mais nada para dar, ainda lhe dá amor. Quando o último pedaço de chocolate acabara, sua mãe agarrara a criança nos braços. Não adiantara, não mudara nada, não produzira mais chocolate, não evitara a morte do filho nem a dela; mas parecia natural para ela fazer isso. A refugiada no barco também havia coberto o menino com o braço, que não era mais útil contra as balas do que uma folha de papel. A coisa terrível que o Partido fez foi persuadir você de que meros impulsos, meros sentimentos, não importavam, enquanto ao mesmo tempo roubava de você todo o poder sobre o mundo material. Quanto antes se estava nas garras do Partido, o que se sentia ou não se sentia, o que se fazia ou se deixava de fazer, literalmente não fazia diferença. O que quer que tivesse acontecido, você desaparecia e nunca mais se ouvia falar de você nem de suas ações. Você era retirado do fluxo da história. E, no entanto, para o povo de apenas duas gerações atrás, isso não teria parecido tão importante, porque eles não estavam tentando alterar a história. Eles eram governados por lealdades privadas que não questionavam. O que importava eram as relações individuais, e um gesto completamente impotente, um abraço, uma lágrima, uma palavra dita a um moribundo, podiam ter valor em si. De repente lhe ocorreu que os proletários tinham permanecido nessa condição. Eles não eram leais a um partido, a um país ou a uma ideia; eram leais uns aos outros. Pela primeira vez em sua vida, Winston não desprezou os proletários nem os considerou meramente como uma força inerte que um dia voltaria à vida e regeneraria o mundo. Os proletários permaneciam humanos. Eles não haviam se endurecido por dentro. Eles tinham se apegado às emoções primitivas que ele mesmo tivera de reaprender por meio de um esforço consciente. E, ao pensar nisso, lembrou-se, sem relevância aparente, de como, algumas semanas antes, vira uma mão decepada caída na calçada e a chutara para a sarjeta como se fosse um talo de repolho.

— Os proletários são seres humanos — disse ele, em voz alta. — Nós não somos humanos.

— Por que não? — perguntou Julia, que havia acordado novamente.

Ele pensou um pouco.

— Já lhe ocorreu que a melhor coisa a fazer seria simplesmente sair daqui antes que seja tarde demais e nunca mais nos vermos?

— Sim, querido, me ocorreu várias vezes. Mas eu não vou fazer isso, mesmo assim.

— Tivemos sorte, mas não pode durar muito mais tempo. Você é jovem. Você parece normal e inocente. Se ficar longe de pessoas como eu, pode continuar viva por mais cinquenta anos.

— Não. Eu pensei em tudo. O que você fizer eu vou fazer. E não desanime. Eu sou muito boa em me manter viva.

— Podemos ficar juntos por mais seis meses — um ano -, não há como saber. No final, com certeza nos separaremos. Você percebe como estaremos totalmente sozinhos? Quando nos pegarem, não haverá nada, literalmente nada, que qualquer um de nós possa fazer pelo outro. Se eu confessar, eles vão atirar em você, e se eu me recusar a confessar, eles vão atirar em você do mesmo jeito. Nada que eu possa fazer ou dizer, ou me impedir de dizer, adiará sua morte por cinco minutos. Nenhum de nós vai saber se o outro estará vivo ou morto. Estaremos totalmente sem poder de qualquer tipo. A única coisa que importa é que não devemos trair uns aos outros, embora nem isso possa fazer a menor diferença.

— Se você quer dizer confessar, vamos ter que fazer isso, com certeza. Todo mundo sempre confessa. Não tem como evitar. Eles torturam você.

— Não quero dizer confessar. A confissão não é traição. O que você diz ou faz não importa: apenas os sentimentos importam. Se eles pudessem me fazer parar de amar você, isso seria a verdadeira traição.

Ela pensou sobre isso.

— Eles não podem fazer isso — disse, finalmente. — É a única coisa que eles não podem fazer. Eles podem fazer você dizer qualquer coisa — qualquer coisa -, mas não podem fazer você acreditar. Eles não podem entrar em você.

— Não — disse Winston, um pouco mais esperançoso -, não... isso é bem verdade. Eles não podem entrar em você. Se você pode sentir que permanecer humano vale a pena, mesmo quando não pode ter nenhum resultado, você os terá derrotado.

Pensou na teletela com sua orelha que nunca dorme. Eles poderiam espionar você noite e dia, mas, se você mantivesse a cabeça, ainda poderia enganá-los. Com toda a sua inteligência, eles nunca haviam dominado o segredo de descobrir o que outro ser humano estava pensando. Talvez isso fosse menos verdadeiro quando você estava realmente nas mãos deles. Não se sabia o que acontecia dentro do Ministério do Amor, mas dava para adivinhar: torturas, drogas, instrumentos delicados que registravam suas reações nervosas, desgaste gradativo pela insônia e solidão e questionamentos persistentes. Os fatos, de qualquer forma, não podiam ser ocultados. Eles podiam ser rastreados por inquérito, podiam ser arrancados por meio de tortura. Mas se o objetivo não era permanecer vivo, e sim permanecer humano, que diferença isso faria? Não podiam alterar seus sentimentos: quanto a isso, você não poderia alterá-los sozinho, mesmo que quisesse. Eles podiam revelar nos mínimos detalhes tudo o que você fez, disse ou pensou; mas o coração interior, cujo funcionamento era misterioso até para si mesmo, permanecia inexpugnável.

8

Eles haviam reunido coragem, finalmente haviam conseguido!

A sala em que estavam era comprida e levemente iluminada. A teletela fora reduzida a um murmúrio baixo; a riqueza do tapete azul-escuro dava a impressão de estar pisando em veludo. No outro extremo da sala, O'Brien estava sentado a uma mesa sob uma luminária verde, com uma massa de papéis de cada lado. Ele não se deu ao trabalho de levantar os olhos quando o criado conduziu Julia e Winston para dentro.

O coração de Winston batia tão forte que ele duvidava que fosse capaz de falar. Eles haviam tomado coragem, finalmente haviam conseguido, era tudo que ele conseguia pensar. Tinha sido um ato precipitado ir até ali, e pura loucura chegarem juntos, embora fosse verdade que eles haviam vindo por caminhos diferentes e só tinham se encontrado na porta de O'Brien. Mas simplesmente entrar em tal lugar já exigia uma grande coragem. Só em raras ocasiões se viam dentro das moradias do Partido Interno, ou mesmo quando penetravam no bairro da cidade onde viviam. Toda a atmosfera do enorme bloco de apartamentos, a riqueza e a amplitude de tudo, os aromas estranhos de boa comida e bom tabaco, os elevadores silenciosos e incrivelmente rápidos subindo e descendo, os criados de jaleco branco correndo para lá e para cá — tudo era intimidador. Embora tivesse um bom pretexto para estar ali, Winston era assombrado a cada passo pelo medo de que um guarda de uniforme preto aparecesse de repente da esquina, exigisse seus documentos e ordenasse que ele saísse. O servo de O'Brien, no entanto, deixou os dois entrarem sem objeções. Era um homem baixo, de cabelos escuros e jaqueta branca, com um rosto em forma de diamante, completamente inexpressivo, que poderia ser o de um chinês. A passagem pela qual os conduzira era acarpetada e macia, com paredes de papel creme e lambris brancos, tudo perfeitamente limpo — o que também era intimidador. Winston não conseguia se lembrar de jamais ter visto uma passagem cujas paredes não estivessem sujas pelo contato de corpos humanos.

O'Brien tinha um pedaço de papel entre os dedos e parecia estar estudando-o atentamente. Tinha um rosto de feições pesadas e curvado para baixo, de maneira a exibir o contorno do nariz, e parecia a um só tempo amedrontador e inteligente. Por talvez vinte segundos, ficou sentado sem se mexer. Em seguida, puxou o ditógrafo para perto de si e emitiu uma mensagem no jargão híbrido dos Ministérios:

> *Itens um vírgula cinco vírgula sete totalmente aprovados ponto sugestão contida item seis duplomais ridícula beirando crimepensar revogada ponto improsseguir construtivamente anteobter estimativas maisveras custo maquinário ponto fim mensagem.*

Ele se levantou deliberadamente da cadeira e veio na direção deles em passos silenciosos. Um pouco da atmosfera oficial parecia ter se dissipado dele com as palavras em Novilíngua, mas sua expressão era mais sombria do que de costume, como se estivesse aborrecido por ter sido perturbado. O terror que Winston já sentia foi subitamente transpassado por uma onda de vergonha comum. Parecia-lhe bem possível que tivesse simplesmente cometido um erro estúpido. De onde tirara que O'Brien era algum tipo de conspirador político? Nada além de um lampejo de olhos e uma única observação equívoca: além disso, apenas suas próprias imaginações secretas, fundadas em um sonho. Não podia nem mesmo fingir que tinha vindo pegar o dicionário emprestado, porque, nesse caso, seria impossível explicar a presença de Julia. Quando O'Brien passou pela teletela, um pensamento pareceu atingi-lo. Ele parou, virou-se de lado e apertou um botão na parede. Ouviu-se um estalo agudo. A voz parou.

Julia fez um pequeno barulho, uma espécie de grito de surpresa. Mesmo em meio ao pânico, Winston estava surpreso demais conseguir ficar quieto.

— Você pode desligar! — disse ele.

— Sim — disse O'Brien — Podemos. Temos esse privilégio.

Estava em frente a eles agora. Sua forma sólida elevava-se sobre os dois, e a expressão em seu rosto permanecia indecifrável. Estava esperando, com certa severidade, que Winston falasse, mas sobre o quê? Mesmo agora, era perfeitamente concebível que ele fosse simplesmente um homem ocupado se perguntando, irritado, por que havia sido interrompido. Ninguém falou nada. Após a interrupção da teletela, a sala parecia mortalmente silenciosa. Os segundos demoravam para passar. Com dificuldade, Winston continuou a manter os olhos fixos nos de O'Brien. Então, de repente, o rosto sombrio se transformou no que poderia ter sido o início de um sorriso. Com seu gesto característico, O'Brien ajeitou os óculos no nariz.

— Falo eu ou falam vocês? — perguntou.

— Eu falarei — respondeu Winston, prontamente. Essa coisa está realmente desligada?

— Sim, está tudo desligado. Nós estamos sozinhos.

— Viemos aqui porque...

Fez uma pausa, percebendo pela primeira vez a imprecisão de seus próprios motivos. Como ele de fato não sabia que tipo de ajuda esperava de O'Brien, não foi fácil dizer por que havia ido até lá. Ele continuou, consciente de que o que estava dizendo tinha o potencial de soar fraco e pretensioso:

— Acreditamos que haja algum tipo de conspiração, algum tipo de organização secreta trabalhando contra o Partido, e que você esteja envolvido nisso. Queremos nos juntar a ele e trabalhar na causa. Somos inimigos do Partido. Não acreditamos nos princípios do Socing. Somos criminosos mentais. Também somos adúlteros. Digo isso porque queremos nos colocar à sua mercê. Se quiser que nos incriminemos de qualquer outra forma, estamos prontos.

Ele parou e olhou por cima do ombro, com a sensação de que a porta havia se aberto. De fato, o pequeno servo de rosto amarelado entrara sem bater. Winston viu que ele carregava uma bandeja com uma garrafa e copos.

— Martin é um de nós — disse O'Brien, impassível. — Traga as bebidas aqui, Martin. Coloque-as na mesa redonda. Temos cadeiras suficientes? Então podemos nos sentar e conversar confortavelmente. Traga uma cadeira para você, Martin. A questão é séria. Você pode deixar de ser um servo pelos próximos dez minutos.

O homenzinho sentou-se à vontade, mas ainda com ar de servo, de um criado desfrutando de um privilégio. Winston o observou com o canto do olho. Ocorreu-lhe que toda a vida do homem estivera desempenhando um papel e que ele sentia que era perigoso abandonar sua personalidade assumida, mesmo que por um momento. O'Brien pegou a garrafa pelo gargalo e encheu os copos com um líquido vermelho-escuro. Com isso despertou em Winston as lembranças obscuras de algo visto há muito tempo em uma parede ou um entulho — uma vasta garrafa cheia de luzes elétricas que pareciam se mover para cima e para baixo e derramavam seu conteúdo em um copo. Visto de cima, a coisa parecia quase preta, mas na garrafa brilhava como um rubi. Tinha um cheiro agridoce. Ele viu Julia pegar seu copo e cheirá-lo com franca curiosidade.

— Chama-se vinho — disse O'Brien, com um leve sorriso. — Você deve ter lido sobre ele em livros, sem dúvida. Receio que não muito disso chegue ao Partido Externo. — Seu rosto tornou-se solene novamente, e ele ergueu o copo. — Acho que é apropriado que comecemos fazendo um brinde ao nosso líder. A Emmanuel Goldstein.

Winston pegou sua taça com certa ansiedade. Vinho era uma coisa sobre a qual ele já havia lido e sonhado. Como o peso de papel de vidro ou as rimas em parte lembradas do Sr. Charrington, pertencia ao passado romântico desaparecido, aos velhos tempos, como gostava de chamá-lo em seus pensamentos secretos. Por alguma razão, sempre pensara que o vinho tinha um gosto intensamente doce, como o da geleia de amora, e um efeito inebriante imediato. Na verdade, quando começou a engolir, a substância foi claramente decepcionante. A verdade é que depois de anos bebendo gim, ele mal conseguia sentir o gosto. Colocou o copo vazio na mesa.

— Então existe um Goldstein? — perguntou ele.

— Sim, existe tal pessoa e ela está viva. Onde, eu não sei.

— E a conspiração — a organização? É real? Não é simplesmente uma invenção da Polícia do Pensamento?

— Não, é real. Nós a chamamos de A Irmandade. Você nunca aprenderá muito mais sobre ela do que o fato de que ela existe e que você pertence a ela. Voltarei a esse assunto em breve. — Ele olhou para o relógio de pulso. — Não é aconselhável até mesmo para membros do Partido Interno desligar a teletela por mais de meia hora. Vocês não deveriam ter vindo aqui juntos e terão que partir separadamente. Você, camarada — ele curvou a cabeça para Julia –, irá primeiro. Temos cerca de vinte minutos à nossa disposição. Você entenderá que devo começar fazendo algumas perguntas. Em termos gerais, o que estão preparados para fazer?

— Tudo o que for possível — respondeu Winston.

O'Brien havia se virado um pouco na cadeira, para ficar de frente para Winston. Ele quase ignorou Julia, parecendo ter certeza de que Winston poderia falar por ela. Por um momento, as pálpebras caíram sobre seus olhos. Começou a fazer suas perguntas com uma voz baixa e inexpressiva, como se fosse uma rotina, uma espécie de catecismo, cuja maioria das respostas já era conhecida por ele.

— Vocês estão preparados para dar suas vidas?

— Sim.

— Estão preparados para cometer um assassinato?

— Sim.

— Cometer atos de sabotagem que possam causar a morte de centenas de pessoas inocentes?

— Sim.

— Trair seu país para potências estrangeiras?

— Sim.

— Vocês estão preparados para trapacear, forjar, chantagear, corromper as mentes das crianças, distribuir drogas que viciam, encorajar a prostituição, disseminar doenças venéreas — fazer qualquer coisa que possa causar desmoralização e enfraquecer o poder do Partido?

— Sim.

— Se, por exemplo, de alguma forma servir aos nossos interesses jogar ácido sulfúrico no rosto de uma criança — vocês estão preparados para isso?

— Sim.

— Perder sua identidade e viver o resto da vida como garçom ou estivador?

— Sim.

— Cometer suicídio, se e quando ordenarmos que o façam?

— Sim.

— Vocês estão preparados, vocês dois, para se separarem e nunca mais se verem?

— Não! — interrompeu Julia.

Pareceu a Winston que muito tempo se passara antes que ele respondesse. Por um momento, parecia ter sido privado da capacidade de falar. Sua língua trabalhou silenciosamente, formando as primeiras sílabas de uma palavra, depois da outra, uma e outra vez. Até que ele disse isso, não sabia que palavra iria dizer.

— Não — respondeu, finalmente.

— Vocês fizeram bem em me contar — disse O'Brien. — É necessário que saibamos tudo.

Ele se virou para Julia e acrescentou, em uma voz com um pouco mais de expressão:

— Você entende que, mesmo que ele sobreviva, pode ser como uma pessoa diferente? Podemos ser obrigados a dar-lhe uma nova identidade. Seu rosto, seus movimentos, a forma de suas mãos, a cor de seu cabelo — até sua voz seria diferente. E você mesma pode ter se tornado uma pessoa diferente. Nossos cirurgiões podem alterar as pessoas além do reconhecimento. Às vezes é necessário. Às vezes, até amputamos um membro.

Winston não pôde deixar de lançar outro olhar de soslaio para o rosto idiota de Martin. Não havia cicatrizes que ele pudesse ver. Julia ficou um pouco mais pálida, de modo que suas sardas estavam aparecendo, mas ela enfrentou O'Brien com ousadia. Murmurou algo que parecia concordar.

— Boa. Então está resolvido.

Havia uma caixa de cigarros prateada sobre a mesa. Com um ar bastante distraído, O'Brien empurrou-a na direção dos outros, pegou um para si, levantou-se e começou a andar devagar, de um lado para o outro, como se pudesse pensar melhor em pé. Eram cigarros muito bons, muito grossos e bem embalados, com uma sedosidade desconhecida no papel. O'Brien olhou para o relógio de pulso novamente.

— É melhor você voltar para a copa, Martin. Devo ligar em quinze minutos. Dê uma boa olhada nos rostos desses camaradas antes de ir. Você os verá novamente. Eu talvez não.

Exatamente como fizeram na porta da frente, os olhos escuros do homenzinho brilharam em seus rostos. Não havia nenhum traço de cordialidade em suas maneiras. Ele estava memorizando sua aparência, mas não sentia nenhum interesse por eles, ou ao menos parecia não sentir nenhum. Ocorreu a Winston que um rosto sintético talvez fosse incapaz de mudar sua expressão. Sem falar ou dar qualquer tipo de saudação, Martin saiu, fechando a porta silenciosamente atrás de si. O'Brien estava andando para cima e para baixo, uma mão no bolso do macacão preto, a outra segurando o cigarro.

— Você entende — disse ele –, que você estará lutando no escuro? Você sempre estará no escuro. Receberá ordens e obedecerá a elas, sem saber por quê. Posteriormente, enviarei um livro com o qual você aprenderá a verdadeira natureza da sociedade em que vivemos e a estratégia pela qual a destruiremos. Depois de ler o livro, serão membros plenos da Irmandade. Mas, entre os objetivos gerais pelos quais lutamos e as tarefas imediatas do momento, você nunca saberá de nada. Eu digo a você que a Irmandade existe, mas não posso dizer se ela conta com cem membros ou dez milhões. Com base no seu conhecimento pessoal, você nunca poderá dizer que chega a uma dúzia. Você terá três ou quatro contatos, renovados de tempos em tempos à medida que desaparecem. Como esse foi seu primeiro contato, ele será preservado. Quando você receber pedidos, eles virão de mim. Se acharmos necessário nos comunicar com você, será através do Martin. Quando você finalmente for pego, você vai confessar. Isso é inevitável. Mas você terá muito pouco a confessar, a não ser suas próprias ações. Não será capaz de trair mais do que um punhado de pessoas sem importância. Provavelmente você nem vai me trair. A essa altura, posso estar morto ou terei me tornado uma pessoa diferente, com um rosto diferente.

Ele continuou a andar para frente e para trás sobre o tapete macio. Apesar do volume de seu corpo, havia uma graça notável em seus movimentos. Saiu até no gesto com que enfiou a mão no bolso ou manipulou um cigarro. Mais ainda do que força, transmitia uma expressão de confiança e de compreensão tingida de ironia. Por mais sério que pudesse ser, não tinha nada da obstinação que teria um fanático. Quando falou de assassinato, suicídio, doença venérea, membros amputados e rostos alterados, foi com um leve ar de persiflagem. Sua voz parecia dizer "Isto é inevitável. É isso que temos que fazer, sem vacilar. Mas não é isso que faremos quando a vida valer a pena ser vivida novamente". Uma onda de admiração, quase de adoração, fluiu de Winston para O'Brien. Por enquanto ele havia se esquecido da figura sombria de Goldstein. Quando se olhava para os ombros poderosos de O'Brien e seu rosto rombudo, tão feio e, no entanto, tão civilizado, era impossível acreditar que ele poderia ser derrotado. Não havia estratagema ao qual ele não fizesse jus, nenhum perigo que ele não pudesse prever. Até Julia pareceu impressionada. Ela havia soltado o cigarro e ouvia com atenção. O'Brien continuou:

— Você deve ter ouvido rumores sobre a existência da Irmandade. Sem dúvida, você formou sua própria imagem disso. Já imaginou, provavelmente, um enorme submundo de conspiradores, reunindo-se secretamente em porões, rabiscando mensagens nas paredes, reconhecendo-se por palavras-código ou por movimentos especiais da mão. Não existe nada desse tipo. Os membros da Irmandade não têm como se reconhecer, e é impossível para qualquer um dos membros estar ciente da identidade de mais do que alguns outros. O próprio Goldstein, se caísse nas mãos da Polícia do Pensamento, não poderia dar-lhes uma lista completa de membros, nem qualquer informação que os levasse a uma lista completa. Essa lista não existe. A Irmandade não pode ser eliminada porque não é uma organização no sentido comum. Nada a mantém unida, exceto uma ideia que seja indestrutível. Você nunca terá nada para sustentá-la, exceto a ideia. Não terá camaradagem nem incentivo. Quando finalmente for pego, não obterá ajuda. Nunca ajudamos nossos membros. No máximo, quando é absolutamente necessário que alguém seja silenciado, ocasionalmente somos capazes de contrabandear uma lâmina de barbear para a cela de um prisioneiro. Você terá de se acostumar a viver sem resultados e sem esperança. Você trabalhará um pouco, será pego, se confessará e então morrerá. Esses são os únicos resultados que você verá. Não há possibilidade de que qualquer mudança perceptível aconteça em nossa própria vida. Nós somos os mortos. Nossa única vida verdadeira está no futuro. Participaremos dela como punhados de pó e lascas de ossos. Mas quão distante esse futuro pode ser, não há como saber. Pode levar mil anos. No momento, nada é possível, exceto ampliar pouco a pouco a área da sanidade. Não podemos agir coletivamente. Só podemos espalhar nosso conhecimento de indivíduo para indivíduo, geração após geração. Diante da Polícia do Pensamento, não há outra maneira.

Ele parou e olhou pela terceira vez para o relógio de pulso.

— Está quase na hora de você ir embora, camarada — disse ele a Julia. — Espere. A garrafa ainda está pela metade.

O'Brien encheu os copos e ergueu o seu pela haste.

— A quem será o brinde desta vez? - perguntou ele, com o mesmo leve toque de ironia. — À confusão da Polícia do Pensamento? À morte do Grande Irmão? À humanidade? Ao futuro?

— Ao passado — respondeu Winston.

— O passado é mais importante — concordou O'Brien, gravemente.

Esvaziaram os copos, e, um momento depois, Julia se levantou para sair. O'Brien pegou uma pequena caixa de cima de um armário e entregou-lhe um comprimido branco achatado que disse a ela para colocar na língua. Era importante, disse ele, não sair cheirando a vinho: os ascensoristas do prédio eram muito observadores. Assim que a porta se fechou atrás dela, ele pareceu esquecer sua existência. Deu mais um ou dois passos para cima e para baixo, então parou.

— Há detalhes a serem acertados. Presumo que você tenha algum tipo de esconderijo.

Winston explicou sobre o quarto em cima da loja do Sr. Charrington.

— Isso vai servir por enquanto. Mais tarde, providenciaremos outra coisa para você. É importante mudar o seu esconderijo com frequência. Enquanto isso, enviarei a você uma cópia do livro. — Até O'Brien, Winston notou, parecia pronunciar as palavras como se estivessem em itálico. — O livro de Goldstein, você sabe, o mais rápido possível. Pode demorar alguns dias até conseguir encontrar um. Não existem muitos, como pode imaginar. A Polícia do Pensamento os caça e destrói quase tão rápido quanto podemos produzi-los. Faz muito pouca diferença. O livro é indestrutível.

Se a última cópia sumisse, poderíamos reproduzi-la quase palavra por palavra. Você carrega uma pasta com você no trabalho? — acrescentou.

— Normalmente, sim.

— Como ela é?

— Preta, muito velha. Com duas alças.

— Preta, duas alças, muito velha — bom. Um dia, num futuro bastante próximo — não posso dar uma data –, uma das mensagens entre o seu trabalho matinal conterá uma palavra incorreta e você terá de pedir uma repetição. No dia seguinte irá trabalhar sem a pasta. Em algum momento do dia, na rua, um homem vai tocar em você no braço e dizer "Acho que deixou cair sua pasta". A que ele der a você contém uma cópia do livro de Goldstein. Você o devolverá em quatorze dias.

Eles ficaram em silêncio por um momento.

— Daqui a pouco você deverá ir embora, mas ainda dispomos de alguns minutos. — disse O'Brien. — Nós nos encontraremos novamente — se nos encontrarmos novamente.

Winston ergueu os olhos para ele.

— No lugar onde não há escuridão? — perguntou, hesitantemente.

O'Brien acenou com a cabeça, sem parecer surpreso.

— No lugar onde não há escuridão — respondeu, como se tivesse reconhecido a alusão. — Nesse ínterim, há algo que você gostaria de dizer antes de sair? Alguma mensagem? Qualquer pergunta?

Winston pensou. Não parecia haver mais nenhuma pergunta que quisesse fazer: muito menos sentiu qualquer impulso de proferir generalidades pomposas. Em vez de qualquer coisa diretamente conectada com O'Brien ou a Irmandade, veio à sua mente uma espécie de imagem composta do quarto escuro onde sua mãe havia passado seus últimos dias, e o quartinho sobre a loja do Sr. Charrington, o peso de papel de vidro e a gravura de aço em sua moldura de jacarandá. Quase ao acaso, disse:

— Você já ouviu uma velha rima que começa com "Sem caroços nem sementes, dizem os sinos de São Clemente"?

Novamente O'Brien assentiu. Com uma espécie de cortesia grave, completou a estrofe:

Sem caroços nem sementes, dizem os sinos de São Clemente
Você deve dinheiro a mim, cantam os sinos da São Martim!
Quem é o culpado, afinal?, perguntam os sinos do Tribunal
Com certeza é Judite, respondem os sinos de Shoreditch

— Você sabia a última linha! — disse Winston.

— Sim, eu sabia a última linha. E agora receio que seja hora de você ir. Mas espere. É melhor me deixar dar a você um desses comprimidos.

O'Brien estendeu a mão quando Winston se levantou. Seu poderoso aperto esmagou os ossos da palma da mão de Winston. Na porta, Winston olhou para trás, mas O'Brien parecia já estar em processo de colocá-lo fora da mente. Estava esperando com a mão no interruptor que controlava a teletela. Atrás dele, Winston podia ver a escrivaninha com sua lamparina verde, o ditógrafo e as cestas de arame carregadas de papéis. O incidente fora encerrado. Dentro de trinta segundos, pensou, O'Brien retomaria o importante trabalho que, antes de ser interrompido, realizava para o Partido.

9

Winston estava gelatinoso de cansaço. Gelatinoso era a palavra certa. A palavra havia surgido em sua cabeça espontaneamente. Seu corpo parecia não ter apenas a fraqueza de uma gelatina, mas também sua translucidez. Sentiu que, se erguesse a mão, seria capaz de ver a luz através dela. Todo o sangue e linfa haviam sido drenados dele por um enorme excesso de trabalho, deixando apenas uma frágil estrutura de nervos, ossos e pele. Todas as sensações pareciam ser ampliadas. O macacão incomodava seus ombros, a calçada fazia cócegas em seus pés, até mesmo o abrir e fechar de uma mão era um esforço que fazia suas juntas rangerem.

Havia trabalhado mais de noventa horas em cinco dias. O mesmo acontecera com todos os demais no Ministério. Agora estava tudo acabado, e ele literalmente não tinha nada para fazer, nenhum trabalho do Partido de qualquer espécie, até a manhã seguinte. Ele poderia passar seis horas no esconderijo e outras nove em sua própria cama. Lentamente, sob o sol ameno da tarde, caminhou por uma rua suja na direção da loja do Sr. Charrington, mantendo um olho aberto para as patrulhas, mas irracionalmente convencido de que aquela tarde não havia perigo de alguém o surpreender. A pasta pesada que carregava batia em seu joelho a cada passo, causando uma sensação de formigamento para cima e para baixo na pele de sua perna. Dentro dela estava o livro, que ele já tinha em sua posse há seis dias e ainda não tinha aberto, nem mesmo olhado.

No sexto dia da Semana do Ódio, após as procissões, os discursos, os gritos, os cantos, os estandartes, os cartazes, os filmes, as obras de cera, o rolar de tambores e o guincho de trombetas, o bater de pés marchando, o rangido das lagartas dos tanques, o rugido dos aviões em massa, o estrondo dos canhões — depois de seis dias de tudo isso, quando o grande orgasmo estremecia até o clímax e o ódio geral da Eurásia havia fervido em tal delírio que, se a multidão pudesse ter, pusessem as mãos nos dois mil criminosos de guerra eurasianos que seriam enforcados publicamente no último dia do processo, eles sem dúvida os teriam feito em pedaços — nesse exato momento, foi anunciado que a Oceania não estava, afinal, em guerra com Eurásia. A Oceania estava em guerra com a Lestásia. A Eurásia era uma aliada.

Era óbvio que não havia nenhum reconhecimento de que algo mudara. Apenas ficou sabendo, com extrema rapidez e em todos os lugares ao mesmo tempo, que a Lestásia, e não a Eurásia, era o inimigo. Winston estava participando de uma manifestação em uma das praças centrais de Londres quando isso aconteceu. Era noite, e os rostos brancos e os estandartes escarlates estavam assustadoramente iluminados por holofotes. A praça estava lotada com vários milhares de pessoas, incluindo um bloco de cerca de mil crianças em idade escolar com o uniforme dos Espiões. Em uma plataforma coberta de escarlate, um orador do Partido Interno, um homem pequeno e magro com braços desproporcionalmente longos e um grande crânio careca sobre o qual algumas mechas desgrenhadas desordenadas estava arengando à multidão. Uma pequena figura que lembrava Rumpelstiltskin[2] segurava o microfone cheio de ódio com uma das mãos, enquanto a outra, enorme na ponta de um braço ossudo, arranhava o ar ameaçadoramente acima de sua cabeça. Sua voz, metalizada pelos amplificadores, eco-

---

2. Rumplestilskin é o antagonista de um conto de fadas de origem alemã, *O anão saltador*.

ava um catálogo interminável de atrocidades, massacres, deportações, saques, estupros, tortura de prisioneiros, bombardeio de civis, propaganda enganosa, agressões injustas, tratados rompidos. Era quase impossível ouvi-lo sem primeiro ser convencido e depois enlouquecer. A cada poucos momentos, a fúria da multidão fervia, e a voz do orador era abafada por um rugido feroz que subia incontrolavelmente de milhares de gargantas. Os gritos mais violentos de todos vinham dos alunos. O discurso já durava cerca de vinte minutos, quando um mensageiro correu para a plataforma e um pedaço de papel foi colocado nas mãos do orador. Ele o desenrolou e leu sem parar em seu discurso. Nada mudou em sua voz ou maneira, ou no conteúdo do que estava dizendo, mas de repente os nomes mudaram. Sem palavras, uma onda de compreensão percorreu a multidão. A Oceania estava em guerra com a Lestásia! No momento seguinte, houve uma comoção tremenda. As faixas e os cartazes com que a praça fora decorada estavam todos errados! Quase metade deles tinha os rostos errados. Sabotagem! Os agentes de Goldstein estavam trabalhando! Houve um interlúdio tumultuoso, enquanto pôsteres eram arrancados das paredes, faixas rasgadas em pedaços e pisoteadas. Os Espiões realizavam prodígios de atividade escalando os telhados e cortando as fitas que esvoaçavam das chaminés. Mas em dois ou três minutos, tudo acabou. O orador, ainda segurando o pescoço do microfone, com os ombros curvados para a frente, a mão livre agarrando o ar, seguiu em frente com seu discurso. Mais um minuto, e os rugidos ferozes de raiva explodiram novamente na multidão. O Ódio continuou exatamente como antes, só o alvo havia sido alterado.

O que impressionou Winston ao olhar para trás foi que o locutor havia mudado de uma linha para a outra; na verdade, no meio da frase, não apenas sem uma pausa, mas sem mesmo quebrar a sintaxe. Mas, no momento, tinha outras coisas com que se preocupar. Foi durante o momento de desordem, enquanto os cartazes eram rasgados, que um homem cujo rosto ele não vira deu um tapinha em seu ombro e disse: "Desculpe-me, acho que você deixou cair sua pasta". Winston pegara a pasta distraído, sem falar nada. Ele sabia que demoraria dias até ter a oportunidade de olhar o que havia dentro dela. No instante em que a manifestação acabou, foi direto para o Ministério da Verdade, embora já fossem quase vinte e três horas. Todo o pessoal do Ministério fez o mesmo. As ordens já emitidas da teletela, chamando-os de volta aos seus postos, quase não eram necessárias.

A Oceania estava em guerra com a Lestásia: a Oceania sempre estivera em guerra com a Lestásia. Grande parte da literatura política de cinco anos estava agora completamente obsoleta. Relatórios e registros de todos os tipos, jornais, livros, panfletos, filmes, trilhas sonoras, fotografias — todos teriam de ser retificados na velocidade da luz. Embora nenhuma diretiva jamais tivesse sido emitida, sabia-se que os chefes do Departamento pretendiam que, em uma semana, nenhuma referência à guerra com a Eurásia, ou à aliança com a Lestásia, permanecesse em qualquer lugar. O trabalho seria opressor, tanto que os processos que envolvia não podiam ser chamados pelos seus verdadeiros nomes. Todos no Departamento de Registros trabalhariam dezoito horas nas vinte e quatro horas, com dois intervalos de três horas de sono. Colchões foram trazidos dos porões e armados por todos os corredores: as refeições consistiam em sanduíches e Café Victory rodado em carrinhos por atendentes da cantina. Cada vez que Winston parava, para um de seus períodos de sono, tentava deixar sua mesa livre do trabalho, e cada vez que rastejava para trás, com os olhos pegajosos e doloridos, descobria que outra chuva de cilindros de papel havia coberto a mesa como um monte de neve, quase enterrando o ditógrafo e transbordando para o chão, de modo que a primeira tarefa sempre era empilhá-los o suficiente para ter espaço para trabalhar. O pior de tudo é que o trabalho não era puramente mecânico. Frequentemente bastava substituir um nome por outro, mas qualquer relato detalhado de eventos exigia cuidado e imaginação. Até mesmo o conhecimento geográfico necessário para transferir a guerra de uma parte do mundo para outra era considerável.

No terceiro dia, seus olhos doíam insuportavelmente, e seus óculos precisavam ser limpos a cada poucos minutos. Era como lutar contra alguma tarefa física esmagadora, algo que a pessoa teria o direito de recusar-se a fazer e que mesmo assim, neuroticamente, queria realizar. Na medida em que teve tempo de se lembrar, não se incomodou com o fato de que cada palavra que murmurava no ditógrafo, cada traço de seu lápis de tinta, era uma mentira deliberada. Estava tão ansioso quanto qualquer outra pessoa do Departamento para que a falsificação fosse perfeita. Na manhã do sexto dia, o fluxo dos cilindros abrandou. Por cerca de meia hora, nada saiu do tubo; depois mais um cilindro, depois nada. Em todos os lugares, quase ao mesmo tempo, o trabalho estava diminuindo. Um suspiro profundo e, por assim dizer, secreto percorreu o Departamento. Um feito poderoso, que nunca poderia ser mencionado, fora realizado. Agora, era impossível para qualquer ser humano provar por evidências documentais que a guerra com a Eurásia havia acontecido. À meia-noite, foi anunciado inesperadamente que todos os trabalhadores do Ministério estariam livres até a manhã seguinte. Winston, ainda carregando a pasta contendo o livro, que tinha ficado entre seus pés enquanto ele trabalhava e sob seu corpo enquanto ele dormia, foi para casa, fez a barba e quase adormeceu durante o banho, embora a água estivesse pouco mais do que morna.

Com uma espécie de rangido voluptuoso nas juntas, subiu a escada acima da loja do Sr. Charrington. Estava cansado, mas não sentia mais sono. Abriu a janela, acendeu o pequeno forno a óleo sujo e colocou água para o café. Julia chegaria em breve: enquanto isso, tinha o livro. Sentou-se na poltrona desmazelada e desfez as alças da pasta.

Era um pesado volume preto, encadernado de forma amadora, sem título nem autor na capa. A impressão também parecia um tanto irregular. As páginas estavam gastas nas bordas e soltavam-se facilmente, como se o livro já tivesse passado por muitas mãos. No frontispício, lia-se:

TEORIA E PRÁTICA DO
COLETIVISMO OLIGÁRQUICO
de
Emmanuel Goldstein

Winston começou a ler:

Capítulo I
Ignorância é Força

Ao longo de todo o tempo registrado e provavelmente desde o fim do Neolítico, existem três tipos de pessoas no mundo: as Altas, as Médias e as Baixas. Elas foram subdivididas de muitas maneiras, receberam inúmeros nomes diferentes e seus totais relativos, bem como sua atitude em relação ao outro, variaram de uma época para outra: mas a estrutura essencial da sociedade nunca mudou. Mesmo após enormes reviravoltas e mudanças aparentemente irrevogáveis, o mesmo padrão sempre se reafirmava, assim como um giroscópio sempre retorna ao equilíbrio, por mais que seja empurrado para um lado ou para o outro.

Os objetivos desses grupos são totalmente irreconciliáveis...

Winston parou de ler, principalmente para valorizar o fato de estar lendo com conforto e segurança. Estava sozinho: nenhuma teletela, nenhuma orelha na fechadura, nenhum impulso nervoso de olhar por cima do ombro ou cobrir a página com a mão. Sentia nas bochechas o doce ar do verão. De algum lugar distante flutuavam os gritos fracos de crianças: na própria sala não havia nenhum som, exceto a voz de inseto do relógio. Ele se acomodou um pouco mais na poltrona e colocou os pés no guarda-fogo. Aquele era um estado de graça, uma eternidade. De repente, como às vezes acontece com um livro do qual sabemos que, no final, leremos e releremos cada palavra, Winston o abriu em um lugar diferente e se viu no Capítulo III. Ele continuou lendo:

Capítulo III
Guerra é Paz

A divisão do mundo em três grandes superestados foi um evento que poderia ser — e de fato foi — previsto antes da metade do século XX. Com a absorção da Europa pela Rússia e do Império Britânico pelos Estados Unidos, duas das três potências existentes, a Eurásia e a Oceania, já existiam efetivamente. A terceira, a Lestásia, só emergiu como unidade distinta depois de mais uma década de confusos combates. As fronteiras entre os três superestados são em alguns lugares arbitrárias e em outros flutuam de acordo com as fortunas da guerra, mas em geral seguem linhas geográficas. A Eurásia compreende toda a parte norte da massa terrestre europeia e asiática, de Portugal ao estreito de Bering. A Oceania compreende as Américas, as ilhas do Atlântico, incluindo as Ilhas Britânicas, a Australásia e a parte sul da África. A Lestásia, menor que as outras e com uma fronteira ocidental menos definida, compreende a China e os países ao sul dela, as ilhas japonesas e uma grande porção flutuante da Manchúria, Mongólia e Tibet.

Em uma combinação ou outra, esses três superestados estão permanentemente em guerra, e assim estiveram nos últimos vinte e cinco anos. A guerra, porém, não é mais a luta desesperada e aniquiladora que era nas primeiras décadas do século XX. É uma guerra de objetivos limitados entre combatentes que são incapazes de se destruir, não têm causa material para lutar e não estão divididos por nenhuma diferença *ideológica genuína. Isso não quer dizer que a condução da guerra, ou a atitude prevalecente em relação a ela, tenha se tornado menos sanguinária ou mais cavalheiresca. Pelo contrário, a histeria da guerra é contínua e universal em todos os países, e atos como estupros, saques, massacres de crianças, redução de populações inteiras à escravidão e represálias contra prisioneiros que se estendem até mesmo a ferver e enterrar vivos são considerados normais e, quando cometidos por seu próprio lado e não pelo inimigo, meritórios. Mas, no sentido físico, a guerra envolve um número muito baixo de pessoas, a maioria especialistas altamente treinados, e causa comparativamente poucas baixas. A luta, quando existe, ocorre nas vagas fronteiras cujo paradeiro o homem comum só pode adivinhar, ou em torno das Fortalezas Flutuantes que guardam pontos estratégicos nas rotas marítimas. Nos centros da civilização, a guerra não significa mais do que uma contínua escassez de bens de consumo e a queda ocasional de uma bomba-foguete que pode causar algumas dezenas de mortes. Na verdade, as características da guerra mudaram. Mais exatamente, as razões pelas quais a guerra é travada mudaram em ordem de importância. Motivos que já estavam presentes em certa medida nas grandes guerras do início do século XX tornaram-se dominantes e são conscientemente reconhecidos e postos em prática.*

Para compreender a natureza da guerra atual — pois, apesar do reagrupamento que ocorre a cada poucos anos, é sempre a mesma guerra –, é preciso compreender em primeiro lugar que é impossível que ela seja decisiva. Nenhum dos três superestados poderia ser definitivamente conquistado, mesmo pelos outros dois em combinação. Eles são muito pareados, e suas defesas naturais são muito formidáveis. A Eurásia é protegida por seus vastos espaços terrestres, a Oceania pela largura do Atlântico e do Pacífico, a Lestásia pela fecundidade e laboriosidade de seus habitantes. Em segundo lugar, não há mais, no sentido material, nada pelo que lutar. Com o estabelecimento de economias autossuficientes, em que a produção e o consumo se articulam, a disputa por mercados, principal causa das guerras anteriores, chegou ao fim, enquanto a competição por matérias-primas não é mais uma questão de vida e morte. Em qualquer caso, cada um dos três superestados é tão vasto que pode obter quase todos os materiais de que necessita dentro de seus próprios limites. Na medida em que a guerra tem um propósito econômico direto, é uma guerra por força de trabalho. Entre as fronteiras dos superestados, e não permanentemente na posse de nenhum deles, existe um quadrilátero áspero com seus cantos em Tânger, Brazzaville, Darwin e Hong Kong, contendo em si cerca de um quinto da população da Terra. É pela posse dessas regiões densamente povoadas e da calota polar do Norte que as três potências lutam constantemente. Na prática, nenhum poder jamais controla toda a área disputada. Partes dele estão constantemente mudando de mãos, e é a chance de agarrar este ou aquele fragmento por um golpe repentino de traição que dita as mudanças infinitas de alinhamento.

Todos os territórios disputados contêm minerais valiosos, e alguns deles rendem produtos vegetais importantes, como a borracha, que em climas mais frios é necessário sintetizar por métodos comparativamente caros. Mas, acima de tudo, eles contêm uma reserva sem fundo de mão de obra barata. Qualquer que seja a potência que controle a África Equatorial, ou os países do Oriente Médio, ou o sul da Índia, ou o arquipélago indonésio, também dispõe dos corpos de dezenas ou centenas de milhões de trabalhadores braçais mal pagos. Os habitantes dessas áreas, reduzidos mais ou menos abertamente à condição de escravos, passam continuamente de conquistadores a conquistadores, e são gastos como carvão ou óleo na corrida para produzir mais armamentos, para capturar mais território, para controlar mais força de trabalho, para produzir mais armamentos, para capturar mais território e assim por diante, indefinidamente. Deve-se notar que a luta nunca realmente ultrapassa os limites das áreas disputadas. As fronteiras da Eurásia vão e vêm entre a bacia do Congo e a costa norte do Mediterrâneo; as ilhas do Oceano Índico e do Pacífico são constantemente capturadas e recapturadas pela Oceania ou pela Lestásia; na Mongólia, a linha divisória entre a Eurásia e a Lestásia nunca é estável; em torno do Polo, todas as três potências reivindicam enormes territórios que, na verdade, são em grande parte desabitados e inexplorados: mas o equilíbrio de poder permanece quase uniforme, e o território que forma o coração de cada superestado permanece inviolado. Além disso, o trabalho dos povos explorados ao redor do Equador não é realmente necessário para a economia mundial. Eles nada acrescentam à riqueza do mundo, uma vez que tudo o que produzem é usado para fins de guerra, e o objetivo de travar uma guerra é sempre estar em melhor posição para travar outra. Com seu trabalho, as populações escravas permitem que o ritmo da guerra contínua seja acelerado. Mas, se eles não existissem, a estrutura da sociedade mundial e o processo pelo qual ela se mantém não seriam essencialmente diferentes.

O objetivo principal da guerra moderna (de acordo com os princípios do **duplipensar***, esse objetivo é simultaneamente reconhecido e não reconhecido pelos cérebros dirigentes do Partido Interno) é usar os produtos da máquina sem elevar o padrão geral de vida. Desde o final do século XIX, o problema do que fazer com o excedente dos bens de consumo esteve latente na sociedade industrial. Atualmente, quando poucos seres humanos têm o suficiente para comer, esse problema obviamente não é urgente, e poderia não ter se tornado assim, mesmo que nenhum processo artificial de destruição estivesse em ação. O mundo de hoje é um lugar vazio, faminto e dilapi-*

dado em comparação com o mundo que existia antes de 1914, ainda mais se comparado ao futuro imaginário para o qual as pessoas daquela época pensavam que estavam caminhando. No início do século XX, a visão de uma sociedade futura incrivelmente rica, ociosa, ordeira e eficiente — um mundo antisséptico cintilante de vidro, aço e concreto branco como a neve — fazia parte da consciência de quase todas as pessoas letradas. A ciência e a tecnologia estavam se desenvolvendo a uma velocidade prodigiosa, e parecia natural supor que continuariam se desenvolvendo. Isso não aconteceu, em parte por causa do empobrecimento causado por uma longa série de guerras e revoluções, em parte porque o progresso científico e técnico dependia do hábito empírico de pensamento, que não poderia sobreviver em uma sociedade estritamente regulamentada. Como um todo, o mundo é mais primitivo hoje do que há cinquenta anos. Certas áreas atrasadas avançaram, e vários dispositivos, sempre de alguma forma ligados à guerra e à espionagem policial, foram desenvolvidos, mas a experiência e a invenção cessaram em grande parte, e as devastações da guerra atômica dos anos 1950 nunca foram totalmente reparadas. No entanto, os perigos inerentes à máquina ainda estão lá. Desde o momento em que a máquina apareceu pela primeira vez, ficou claro para todas as pessoas pensantes que a necessidade do trabalho penoso humano e, portanto, em grande parte da desigualdade humana, havia desaparecido.

Se a máquina fosse usada deliberadamente para esse fim, a fome, o excesso de trabalho, a sujeira, o analfabetismo e as doenças poderiam ser eliminados em algumas gerações. E, de fato, sem ser usada para tal propósito, mas por uma espécie de processo automático — ao produzir riqueza que às vezes era impossível não distribuir –, a máquina elevou muito os padrões de vida do ser humano médio durante um período de cerca de cinquenta anos no fim do século XIX e início do século XX.

*Mas também estava claro que um aumento geral da riqueza ameaçava a destruição — na verdade, em certo sentido era a destruição — de uma sociedade hierárquica. Em um mundo em que todos trabalhavam poucas horas, tinham o que comer, viviam em uma casa com banheiro e geladeira e possuíam carro ou mesmo avião, a forma mais óbvia e talvez a mais importante de desigualdade desapareceria. Se uma vez se tornasse regra, a riqueza não conferiria distinção. Era possível, sem dúvida, imaginar uma sociedade em que a **riqueza**, no sentido de bens pessoais e luxos, deveria ser distribuída uniformemente, enquanto o **poder** permanecesse nas mãos de uma pequena casta privilegiada, mas, na prática, tal sociedade não poderia permanecer estável por muito tempo. Se o lazer e a segurança fossem desfrutados por todos da mesma forma, a grande massa de seres humanos que normalmente fica entorpecida pela pobreza se tornaria* *alfabetizada e aprenderia a pensar por si mesma, e, uma vez que assim fosse, mais cedo ou mais tarde perceberia que a minoria privilegiada não tinha função e a varreria. Em longo prazo, uma sociedade hierárquica só era possível com base na pobreza e na ignorância. Voltar ao passado agrícola, como sonhavam alguns pensadores do início do século XX, não era uma solução viável. Ela entrava em conflito com a tendência à mecanização que se tornara quase instintiva em quase todo o mundo, e, além disso, qualquer país que permanecesse industrialmente atrasado estava indefeso no sentido militar e fadado a ser dominado, direta ou indiretamente, por seus rivais mais avançados.*

Tampouco era uma solução satisfatória manter as massas na pobreza restringindo a produção de bens. Isso acontecera em grande medida durante a fase final do capitalismo, aproximadamente entre 1920 e 1940. A economia de muitos países estagnou, a terra deixou de ser cultivada, o equipamento de capital não foi adicionado, e grandes parcelas da população, impedidas de trabalhar, foram mantidas em uma situação de quase inanição pelos serviços de beneficência do Estado. Mas isso também provocava vulnerabilidade militar, e, visto que as privações infligidas eram obviamente desnecessárias, a oposição se tornava inevitável. O problema era como manter as rodas da indústria girando sem aumentar a riqueza real do mundo. Os bens deveriam ser produzidos, mas não deveriam ser distribuídos. E, na prática, a única maneira de conseguir isso era a guerra contínua.

O ato essencial da guerra é a destruição, não necessariamente de vidas humanas, mas dos produtos do trabalho humano. A guerra é uma forma de quebrar em pedaços, ou derramar na estratosfera, ou afundar nas profundezas do mar, materiais que poderiam ser usados para tornar as massas muito confortáveis e, portanto, em longo prazo, muito inteligentes. Mesmo quando as armas de guerra não são realmente destruídas, sua fabricação ainda é uma maneira conveniente de gastar a força de trabalho sem produzir nada que possa ser consumido. Uma Fortaleza Flutuante, por exemplo, encerrou nela o trabalho que construiria várias centenas de navios de carga. Em última análise, é descartado como obsoleto, nunca tendo trazido qualquer benefício material a ninguém, e com mais trabalho outra Fortaleza Flutuante é construída. Em princípio, o esforço de guerra é sempre planejado de forma a consumir qualquer excedente que possa existir depois de atender às necessidades básicas da população. Na prática, essas necessidades são sempre subestimadas, resultando na carência crônica da metade das necessidades de vida; mas isso é visto como vantagem. É política deliberada manter até mesmo os grupos favorecidos em algum lugar próximo à privação, porque um estado geral de escassez aumenta a importância de pequenos privilégios e, portanto, amplia a distinção entre um grupo e outro. Pelos padrões do início do século XX, até mesmo um membro do Partido Interno leva uma vida austera e laboriosa. No entanto, os poucos luxos de que desfruta seu apartamento grande e bem equipado, a melhor textura de suas roupas, a melhor qualidade de sua comida e bebida e fumo, seus dois ou três empregados, seu carro particular ou helicóptero — colocavam-no em um mundo diferente de um membro do Partido Externo, e os membros do Partido Externo têm uma vantagem semelhante em comparação com as massas submersas que chamamos de "os proletários". O ambiente social é o de uma cidade sitiada, onde a posse de um pedaço de cavalo faz a diferença entre a riqueza e a pobreza. E, ao mesmo tempo, a consciência de estar em guerra e, portanto, em perigo, faz com que a entrega de todo o poder a uma pequena casta pareça a condição natural e inevitável de sobrevivência.

A guerra, como se verá, realiza a destruição necessária, mas o faz de uma maneira psicologicamente aceitável. Em princípio, seria muito simples desperdiçar o excedente de trabalho do mundo construindo templos e pirâmides, cavando buracos e enchendo-os novamente, ou mesmo produzindo grandes quantidades de mercadorias e depois ateando fogo a elas. Mas isso forneceria apenas a base econômica e não emocional para uma sociedade hierárquica. O que está em causa, aqui, não é o moral das massas, cuja atitude não é importante enquanto elas forem mantidas firmemente no trabalho, mas o moral do próprio Partido. Espera-se que mesmo o membro mais humilde do Partido seja competente, trabalhador e até inteligente dentro de limites estreitos, mas também é necessário que seja um fanático crédulo e ignorante cujos estados de espírito predominantes sejam medo, ódio, adulação e triunfo orgiástico. Em outras palavras, é necessário que ele tenha a mentalidade adequada a um estado de guerra. Não importa se a guerra está realmente acontecendo e, visto que nenhuma vitória decisiva é possível, não importa se a guerra está indo bem ou mal. Tudo o que é necessário é que exista um estado de guerra. A divisão da inteligência que o Partido exige de seus membros, e que é mais facilmente alcançada em um clima de guerra, é agora quase universal, mas quanto mais alto se sobe na hierarquia mais marcado se torna. É precisamente no Partido Interno que a histeria da guerra e o ódio ao inimigo são mais fortes. Na sua qualidade de administrador, muitas vezes é necessário que um membro do Partido Interno saiba que esta ou aquela notícia de guerra é falsa, e muitas vezes ele pode estar ciente de que toda a guerra é espúria e não está acontecendo ou está sendo travada para fins diferentes dos declarados: mas tal conhecimento é facilmente neutralizado pela técnica do **duplipensar***. Enquanto isso, nenhum membro do Partido Interno vacila por um instante em sua crença mística de que a guerra* é real, e que está fadada a terminar vitoriosamente, com a Oceania como senhor supremo de todo o mundo.

Todos os membros do Partido Interno acreditam nessa conquista que se aproxima como um artigo de fé. Deve ser alcançada adquirindo gradualmente mais e mais territórios e, assim, acumulando uma preponderância avassaladora de poder, ou pela descoberta de alguma arma nova e irrespondível. A busca por novas armas continua incessantemente e é uma das poucas atividades restantes em que a mente inventiva ou especulativa pode encontrar alguma saída. Na Oceania, hoje, a Ciência, no sentido antigo, quase deixou de existir. Em Novilíngua não existe uma palavra para "Ciência". O método empírico de pensamento, no qual todas as conquistas científicas do passado foram fundadas, se opõe aos princípios mais fundamentais do Socing. E mesmo o progresso tecnológico só acontece quando seus produtos podem de alguma forma ser usados para diminuir a liberdade humana. Em todas as artes úteis, o mundo está parado ou retrocedendo. Os campos são cultivados com arados puxados por cavalos, enquanto os livros são escritos por máquinas. Mas em questões de vital importância — ou seja, na verdade, guerra e espionagem policial — a abordagem empírica ainda é encorajada, ou pelo menos tolerada. Os dois objetivos do Partido são conquistar toda a superfície da Terra e extinguir de uma vez por todas a possibilidade do pensamento independente. Existem, por-

tanto, dois grandes problemas que o Partido se preocupa em resolver. Um é como descobrir, contra a sua vontade, o que outro ser humano está pensando, e o outro é como matar várias centenas de milhões de pessoas em poucos segundos sem avisar com antecedência. Na medida em que a pesquisa científica continua, este é o seu assunto. O cientista de hoje é uma mistura de psicólogo e inquisidor, estudando com real minúcia comum o significado das expressões faciais, gestos e tons de voz e testando os efeitos produtores de verdade das drogas, terapia de choque, hipnose e tortura física; ou ele é químico, físico ou biólogo preocupado apenas com os ramos de seu assunto especial que são relevantes para tirar uma vida. Nos vastos laboratórios do Ministério da Paz e nas estações experimentais escondidas nas florestas brasileiras, ou no deserto australiano, ou nas ilhas perdidas da Antártica, as equipes de especialistas trabalham incansavelmente. Alguns estão preocupados simplesmente em planejar a logística de guerras futuras; outros inventam bombas de foguetes cada vez maiores, explosivos cada vez mais poderosos e blindagens cada vez mais impenetráveis; outros procuram gases novos e mais mortais, ou venenos solúveis capazes de serem produzidos em quantidades que destruam a vegetação de continentes inteiros, ou raças de germes de doenças imunizados contra todos os anticorpos possíveis; outros se esforçam em produzir um veículo que perfure o solo como um submarino perfura a água, ou um avião tão independente de sua base quanto um navio à vela; outros exploram possibilidades ainda mais remotas, como focalizar os raios do sol através de lentes suspensas a milhares de quilômetros de distância no espaço, ou produzir terremotos artificiais e maremotos ao canalizar o calor no centro da Terra.

Mas nenhum desses projetos chega perto da realização, e nenhum dos três superestados ganha uma vantagem significativa sobre os outros. O que é mais notável é que todos os três poderes já possuem, na bomba atômica, uma arma muito mais poderosa do que quaisquer de suas pesquisas atuais possam descobrir. Embora o Partido, de acordo com o seu hábito, reivindique a invenção para si mesmo, as bombas atômicas surgiram pela primeira vez na década de 1940 e foram usadas pela primeira vez em grande escala cerca de dez anos depois. Naquela época, algumas centenas de bombas foram lançadas sobre centros industriais, principalmente na Rússia Europeia, Europa Ocidental e América do Norte. O efeito foi convencer os grupos governantes de todos os países de que mais algumas bombas atômicas significariam o fim da sociedade organizada e, portanto, de seu próprio poder. Depois disso, embora nenhum acordo formal tivesse sido feito ou sugerido, nenhuma outra bomba foi lançada. Todos os três poderes simplesmente continuam a produzir bombas atômicas e armazená-las contra a oportunidade decisiva que todos eles acreditam que virá, mais cedo ou mais tarde. Enquanto isso, a arte da guerra permaneceu quase inerte por trinta ou quarenta anos. Os helicópteros são mais usados do que antes, os aviões de bombardeio foram em grande parte substituídos por projéteis autopropelidos, e o frágil navio de guerra móvel deu lugar à Fortaleza Flutuante quase inafundável; fora isso, houve pouco desenvolvimento. O tanque, o submarino, o torpedo, a metralhadora e até o rifle e a granada de mão ainda estão em uso. E, apesar dos massacres intermináveis relatados na imprensa e nas teletelas, as batalhas desesperadas das guerras anteriores, nas quais centenas de milhares ou mesmo milhões de homens foram mortos com frequência em poucas semanas, nunca se repetiram.

Nenhum dos três superestados jamais tenta qualquer manobra que envolva o risco de uma derrota séria. Quando qualquer operação grande é realizada, geralmente é um ataque surpresa contra um aliado. A estratégia que todos os três poderes estão seguindo, ou fingem para si mesmos que estão seguindo, é a mesma. O plano é, por uma combinação de luta, barganha e golpes oportunos de traição, adquirir um anel de bases que circunda completamente um ou outro dos estados rivais, e então assinar um pacto de amizade com aquele rival e permanecer termos pacíficos por tantos anos a ponto de acalmar as suspeitas para dormir. Durante esse tempo, foguetes carregados com bombas atômicas podem ser mon-

tados em todos os pontos estratégicos; finalmente, todos serão disparados simultaneamente, com efeitos tão devastadores que impossibilitarão a retaliação. Então será hora de assinar um pacto de amizade com a potência mundial restante, em preparação para outro ataque. Esse esquema, nem é necessário dizer, é um mero devaneio, impossível de realizar. Além disso, nenhuma luta ocorre, exceto nas áreas disputadas ao redor do Equador e do Polo: nenhuma invasão de território inimigo é jamais empreendida. Isso explica o fato de que em alguns lugares as fronteiras entre os superestados são arbitrárias. A Eurásia, por exemplo, poderia facilmente conquistar as Ilhas Britânicas, que geograficamente fazem parte da Europa, ou, por outro lado, seria possível à Oceania empurrar suas fronteiras para o Reno ou mesmo para o Vístula. Mas isso violaria o princípio, seguido por todos os lados, embora nunca formulado, de integridade cultural. Se a Oceania conquistasse as áreas que antes eram conhecidas como França e Alemanha, seria necessário exterminar os habitantes, uma tarefa de grande dificuldade física, ou para assimilar uma população de cerca de cem milhões de pessoas, que, no tocante ao desenvolvimento técnico, estão aproximadamente no nível oceânico. O problema é o mesmo para os três superestados. É absolutamente necessário para a sua estrutura que não haja contato com estrangeiros, exceto, até certo ponto, com prisioneiros de guerra e escravos de cor. Mesmo o aliado oficial do momento é sempre visto com a mais sombria suspeita. À parte os prisioneiros de guerra, o cidadão médio da Oceania nunca põe os olhos em um cidadão da Eurásia ou da Lestásia e está proibido de conhecer línguas estrangeiras. Se lhe fosse permitido o contato com estrangeiros, descobriria que são criaturas semelhantes a ele e que a maior parte do que ouviram sobre eles são mentiras. O mundo selado em que ele vive seria destruído, e o medo, o ódio e a justiça própria dos quais seu moral depende poderiam evaporar. Portanto, percebe-se por todos os lados que, por mais que a Pérsia, ou Egito, ou Java, ou Ceilão, mudem de mãos, as principais fronteiras nunca devem ser cruzadas por nada, exceto bombas.

Sob isso está um fato nunca mencionado em voz alta, mas tacitamente entendido e posto em prática: a saber, que as condições de vida em todos os três superestados são praticamente as mesmas. Na Oceania, a filosofia predominante é chamada de Socing, na Eurásia é chamada de neobolchevismo e na Lestásia é chamada por um nome chinês geralmente traduzido como Adoração à Morte, mas talvez mais bem traduzido como Obliteração de Si Mesmo. O cidadão da Oceania não tem permissão para saber nada dos princípios das outras duas filosofias, mas é ensinado a execrá-las como ultrajes bárbaros à moralidade e ao bom senso. Na verdade, as três filosofias mal são distinguíveis, e os sistemas sociais que sustentam não são absolutamente distinguíveis. Em toda *parte há a mesma estrutura piramidal, o mesmo culto ao líder semidivino, a mesma economia existente por e para a guerra contínua. Segue-se que os três superestados não apenas não podem conquistar um ao outro, como não ganhariam nenhuma vantagem com isso. Ao contrário, enquanto permanecem em conflito, sustentam-se mutuamente, como três feixes de milho. E, como sempre, os grupos governantes de todos os três poderes estão simultaneamente cientes e inconscientes do que estão fazendo. Suas vidas são dedicadas à conquista do mundo, mas também sabem que é necessário que a guerra continue para sempre e sem vitória. Enquanto isso, o fato de que não **há** perigo de conquista torna possível a negação da realidade, característica especial do Socing e seus sistemas rivais de pensamento. Quanto a esse ponto, convém repetir o que já dissemos, ou seja: pelo fato de tornar-se contínua, a guerra mudou fundamentalmente de caráter.*

Em épocas anteriores, uma guerra, quase por definição, era algo que mais cedo ou mais tarde terminava, geralmente em uma vitória ou derrota inconfundível. No passado, também, a guerra foi um dos principais instrumentos pelos quais as sociedades humanas foram mantidas em contato com a realidade física. Todos os governantes, em todas as épocas, tentaram impor uma falsa visão do mundo a seus seguidores, mas não podiam se dar ao luxo de encorajar qualquer ilusão que tendesse a prejudicar a eficiência militar. Enquanto a derrota significasse perda de independência ou algum outro resultado geralmente considerado indesejável, as precauções contra a derrota deveriam ser sérias. Os fatos físicos não podiam ser ignorados. Em filosofia, religião, ética ou política, dois mais dois podem dar cinco, mas quando um estava projetando uma arma ou um avião, eles tinham que fazer quatro. Nações ineficientes sempre eram conquistadas, mais cedo ou mais tarde, e a luta pela eficiência era inimiga das ilusões. Além disso, para ser eficiente, era necessário saber aprender com o passado, o que significava ter uma ideia bastante precisa do que havia acontecido no passado. Jornais e livros de história, é claro, sempre foram coloridos e tendenciosos, mas a falsificação do tipo que é praticado hoje teria sido impossível. A guerra era uma garantia segura de sanidade e, no que dizia respeito às classes dominantes, provavelmente a mais importante de todas as salvaguardas. Embora as guerras possam ser vencidas ou perdidas, nenhuma classe dominante pode ser completamente irresponsável.

Mas, quando a guerra se torna literalmente contínua, também deixa de ser perigosa. Quando a guerra é contínua, não existe necessidade militar. O progresso técnico pode cessar, e os fatos mais palpáveis podem ser negados ou desconsiderados. Como vimos, pesquisas que poderiam ser chamadas de científicas ainda são realizadas para fins de guerra, mas são essencialmente uma espécie de devaneio, e o fato de não apresentarem resultados não é importante. A eficiência, mesmo a militar, não é mais necessária. Nada é eficiente na Oceania, exceto a Polícia do Pensamento. Visto que cada um dos três superestados é invencível, cada um é, na verdade, um universo separado dentro do qual quase qualquer perversão do pensamento pode ser praticada com segurança. A realidade só exerce sua pressão por meio das necessidades da vida cotidiana — a necessidade de comer e beber, de obter abrigo e roupas, de evitar engolir veneno ou pular das janelas do andar superior e assim por diante. Entre a vida e a morte, e entre o prazer físico e a dor física, ainda há uma distinção, mas isso é tudo. Desligado do contato com o mundo exterior e com o passado, o cidadão da Oceania é como um homem no espaço interestelar, que não tem como saber qual direção é para cima e qual é para baixo. Os governantes de tal estado são absolutos, o que os faraós ou os césares não poderiam ser. São obrigados a evitar que seus seguidores morram de fome em números grandes o suficiente para serem inconvenientes, e são obrigados a permanecer no mesmo nível baixo de técnica militar que seus rivais; no entanto, uma vez que esse mínimo é alcançado, eles podem torcer a realidade em qualquer forma que escolherem.

A guerra, portanto, se a julgarmos pelos padrões das guerras anteriores, é apenas uma impostura. É como as batalhas entre certos animais ruminantes, cujos chifres são coloca-

dos em um ângulo tal que são incapazes de ferir uns aos outros. Mas, embora seja irreal, não é sem sentido. Ela consome o excedente de bens de consumo e ajuda a preservar a atmosfera mental especial de que uma sociedade hierárquica precisa. A guerra, como se verá, agora é um assunto puramente interno. No passado, os grupos governantes de todos os países, embora pudessem reconhecer seu interesse comum e, portanto, limitar a destrutividade da guerra, lutavam uns contra os outros, e o vencedor sempre saqueava os vencidos. Em nossos dias, não estão lutando um contra o outro. A guerra é travada por cada grupo dominante contra seus próprios súditos, e o objetivo da guerra não é fazer ou impedir conquistas de território, e sim manter a estrutura da sociedade intacta. A própria palavra "guerra", portanto, tornou-se enganosa. Provavelmente seria correto dizer que, ao se tornar contínua, a guerra deixou de existir. A pressão peculiar que exerceu sobre os seres humanos entre o Neolítico e o início do século XX desapareceu e foi substituída por algo bastante diferente. O efeito seria o mesmo se os três superestados, em vez de lutarem entre si, concordassem em viver em paz perpétua, cada um inviolado dentro de seus próprios limites. Pois, nesse caso, cada um ainda seria um universo autocontido, livre para sempre da influência séria do perigo externo. Uma paz verdadeiramente permanente seria o mesmo que uma guerra permanente. Esse — embora a grande maioria dos membros do Partido a entendesse apenas em um sentido mais superficial — é o significado interno do slogan do Partido: **guerra é paz**.

Winston parou de ler por um momento. Em algum lugar distante, uma bomba-foguete trovejou. A feliz sensação de estar sozinho com o livro proibido, em uma sala sem teletela, não havia passado. Solidão e segurança eram sensações físicas, misturadas de alguma forma com o cansaço de seu corpo, a maciez da cadeira, o toque da leve brisa da janela que tocava em sua bochecha. O livro o fascinava, ou mais exatamente o tranquilizava. Em certo sentido, não lhe dizia nada de novo, mas era parte da atração. Dizia o que ele teria dito, se lhe tivesse sido possível colocar seus pensamentos dispersos em ordem. Era o produto de uma mente semelhante à sua, mas enormemente mais poderosa, mais sistemática, menos dominada pelo medo. Os melhores livros, percebeu, são aqueles que contam o que você já sabe. Ele tinha acabado de voltar ao Capítulo I quando ouviu os passos de Julia na escada e saiu da cadeira para encontrá-la. Ela jogou a bolsa de ferramentas marrom no chão e se jogou nos braços dele. Fazia mais de uma semana que não se viam.

— Eu estou com o livro — disse ele, enquanto se desemaranhavam.

— É mesmo? Que bom — disse ela sem muito interesse, e quase imediatamente se ajoelhou ao lado do fogão a óleo para fazer o café.

Só voltaram ao assunto depois de passarem meia hora na cama. A noite estava fria o suficiente para valer a pena usar a colcha. De baixo vieram o som familiar de canto e o arrastar de botas nas lajes. A mulher musculosa de braços vermelhos que Winston vira em sua primeira visita era quase um acessório fixo no quintal. Parecia não haver nenhuma hora de luz do dia em que ela não estivesse marchando de um lado para o outro entre a banheira e a linha, alternadamente se amordaçando com prendedores de roupa e rompendo em uma música vigorosa. Julia se acomodou de lado e parecia já a ponto de adormecer. Winston estendeu a mão para o livro, que estava no chão, e sentou-se contra a cabeceira da cama.

— Precisamos ler — disse ele. — Você também. Todos os membros da Irmandade têm de lê-lo.

— Leia, então — disse ela, com os olhos fechados. — Leia em voz alta. Essa é a melhor maneira. Então você pode me explicar enquanto prossegue.

Os ponteiros do relógio marcavam seis, ou seja, dezoito. Eles tinham três ou quatro horas pela frente. Winston apoiou o livro nos joelhos e começou a ler:

Capítulo I
Ignorância é Força

Ao longo de todo o tempo registrado e provavelmente desde o fim do Neolítico, existem três tipos de pessoas no mundo: as Altas, as Médias e as Baixas. Elas foram subdivididas de muitas maneiras, receberam inúmeros nomes diferentes e seus totais relativos, bem como sua atitude em relação ao outro, variaram de uma época para outra: mas a estrutura essencial da sociedade nunca mudou. Mesmo após enormes reviravoltas e mudanças aparentemente irrevogáveis, o mesmo padrão sempre se reafirmava, assim como um giroscópio sempre retorna ao equilíbrio, por mais que seja empurrado para um lado ou para o outro.

— Julia, você está acordada? — perguntou Winston.

— Sim, meu amor, estou ouvindo. Continue. É maravilhoso.

Ele continuou lendo:

Os objetivos desses três grupos são totalmente inconciliáveis. O objetivo dos Altos é permanecerem onde estão. O objetivo dos Médios é trocarem de lugar com os Altos. O objetivo dos Baixos, quando têm um objetivo — pois é uma característica permanente dos Baixos serem muito oprimidos pelo trabalho penoso para estarem mais do que intermitentemente conscientes de qualquer coisa fora de sua vida diária — é abolir todas as distinções e criar um sociedade na qual todos os homens sejam iguais. Assim, ao longo da história, uma luta que é a mesma em seus contornos principais se repete continuamente. Por longos períodos, os Altos parecem estar seguramente no poder, mas, cedo ou tarde, sempre chega um momento em que eles perdem a fé em si mesmos ou a capacidade de governar com eficiência, ou ambos. Eles são, então, derrubados pelos Médios, que alistam os Baixos do seu lado, fingindo que estão lutando pela liberdade e pela justiça. Assim que alcançaram seu objetivo, os Médios empurram os Baixos de volta à sua antiga posição de servidão, e eles próprios se tornam os Altos. Logo um novo grupo dos Médios se separa de um dos outros grupos, ou de ambos, e a luta recomeça. Dos três grupos, apenas os Baixos nunca são, mesmo temporariamente, bem-sucedidos em alcançar seus objetivos. Seria um exagero dizer que ao longo da história não houve nenhum progresso de tipo material. Mesmo hoje, em um período de declínio, o ser humano médio está fisicamente melhor do que há alguns séculos. Mas nenhum avanço na riqueza, nenhum abrandamento das maneiras, nenhuma reforma ou revolução jamais trouxeram a igualdade humana um milímetro mais perto. Do ponto de vista dos Baixos, nenhuma mudança histórica significou muito mais do que uma mudança no nome de seus mestres.

No final do século XIX, a recorrência desse padrão tornou-se óbvia para muitos observadores. Surgiram então es-

colas de pensadores que interpretavam a história como um processo cíclico e afirmavam mostrar que a desigualdade era a lei inalterável da vida humana. Essa doutrina, é claro, sempre teve seus adeptos, mas na maneira como agora era apresentada houve uma mudança significativa. No passado, a necessidade de uma forma hierárquica de sociedade era a doutrina especificamente dos Altos. Tinha sido pregada por reis e aristocratas e por padres, advogados e semelhantes que eram parasitas deles, e geralmente tinha sido suavizada por promessas de compensação em um mundo imaginário além do túmulo. Os Médios, enquanto lutavam pelo poder, sempre faziam uso de termos como liberdade, justiça e fraternidade. Agora, no entanto, o conceito de fraternidade humana começou a ser atacado por pessoas que ainda não estavam em posições de comando, apenas esperavam estar assim em pouco tempo. No passado, os Médios haviam feito revoluções sob a bandeira da igualdade, e então estabeleceram uma nova tirania assim que a antiga foi derrubada. Os novos grupos médios com efeito proclamavam sua tirania de antemão. O socialismo, uma teoria que surgiu no início do século XIX e foi o último elo de uma corrente de pensamento que remonta às rebeliões de escravos da antiguidade, ainda estava profundamente infectado pelo utopismo de épocas anteriores. Mas, em cada variante do socialismo que apareceu por volta de 1900 em diante, o objetivo de estabelecer a liberdade e a igualdade foi abandonado cada vez mais abertamente. Os novos movimentos que surgiram em meados do século, Socing na Oceania, neobolchevismo na Eurásia, Adoração à Morte, como é comumente chamado na Lestásia, tinham o objetivo consciente de perpetuar a falta de liberdade e a desigualdade. Esses novos movimentos, é claro, surgiram a partir dos antigos e tendiam a manter seus nomes e defender sua ideologia da boca para fora. Mas o propósito de todos eles era deter o progresso e congelar a história em um momento escolhido. O familiar balanço do pêndulo aconteceria mais uma vez e então pararia. Como de costume, os Altos seriam eliminados pelos Médios, que então se tornariam os Altos; mas dessa vez, por estratégia consciente, os Altos seriam capazes de manter sua posição permanentemente.

As novas doutrinas surgiram em parte por causa do acúmulo de conhecimento histórico e do crescimento do sentido histórico, que mal existia antes do século XIX. O movimento cíclico da história era agora inteligível, ou parecia ser; e, se fosse inteligível, então era alterável. Mas a principal causa subjacente foi que, já no início do século XX, a igualdade humana se tornou tecnicamente possível. Ainda era verdade que os homens não eram iguais em seus talentos nativos e que as funções tinham de ser especializadas de maneira a favorecer alguns indivíduos em relação a outros; mas não havia mais nenhuma necessidade real de distinções de classe ou grandes diferenças de riqueza. Em épocas anteriores, as distinções de classe eram não apenas inevitáveis, como desejáveis. A desigualdade era o preço da civilização. Com o desenvolvimento da produção de máquinas, porém, o caso foi alterado. Mesmo que ainda fosse necessário que os seres humanos fizessem diferentes tipos de trabalho, não era mais preciso que vivessem em níveis sociais ou econômicos diferentes. Portanto, do ponto de vista dos novos grupos que estavam a ponto de tomar o poder, a igualdade humana não era mais um ideal a ser perseguido, mas um perigo a ser evitado. Em épocas mais primitivas, quando uma sociedade justa e pacífica não era de fato possível, era bastante fácil acreditar nisso. A ideia de um paraíso terrestre no qual os homens deveriam viver juntos em estado de fraternidade, sem leis e sem trabalho bruto, havia assombrado a imaginação humana por milhares de anos. E essa visão teve um certo domínio até mesmo sobre os grupos que realmente lucraram com cada mudança histórica. Os herdeiros das revoluções francesa, inglesa e americana acreditaram parcialmente em suas próprias frases sobre os direitos do homem, liberdade de expressão, igualdade perante a lei e semelhantes, e até permitiram que sua conduta fosse influenciada por eles a alguma extensão. Mas, na quarta década do século XX, todas as principais correntes do pensamento político eram autoritárias. O paraíso terrestre foi desacreditado exatamente quando se tornou realizável. Cada nova teoria polí-

tica, por qualquer nome que se chamasse, conduzia de volta à hierarquia e à arregimentação. E no endurecimento geral da perspectiva que se estabeleceu por volta de 1930, práticas que haviam sido abandonadas por muito tempo, em alguns casos por centenas de anos — prisão sem julgamento, uso de prisioneiros de guerra como escravos, execuções públicas, tortura para extrair confissões, o uso de reféns e a deportação de populações inteiras –, não só voltaram a ser comuns, como foram toleradas e até defendidas por quem se considerava esclarecido e progressista.

Foi apenas depois de uma década de guerras nacionais, guerras civis, revoluções e contrarrevoluções em todas as partes do mundo que o Socing e seus rivais emergiram como teorias políticas totalmente elaboradas. Mas eles foram prenunciados pelos vários sistemas, geralmente chamados de totalitários, que surgiram no início do século, e os principais contornos do mundo que emergiriam do caos predominante há muito eram óbvios. Que tipo de pessoa controlaria este mundo era igualmente óbvio. A nova aristocracia era composta em sua maioria por burocratas, cientistas, técnicos, sindicalistas, publicitários, sociólogos, professores, jornalistas e políticos profissionais. Essas pessoas, cujas origens estavam na classe média assalariada e nas classes superiores da classe trabalhadora, eram moldadas e reunidas pelo mundo árido da indústria monopolista e do governo centralizado. Em comparação com seus números opostos em épocas anteriores, eram menos avarentos, menos tentados pelo luxo, mais famintos por puro poder e, acima de tudo, mais conscientes do que estavam fazendo e mais dispostos a esmagar a oposição. Esta última diferença era fundamental. Em comparação com o que existe hoje, todas as tiranias do passado eram indiferentes e ineficientes. Os grupos governantes sempre eram infectados até certo ponto por ideias liberais e se contentavam em deixar pontas soltas em todos os lugares, em considerar apenas o ato aberto e não se interessar pelo que seus súditos estavam pensando. Até a Igreja Católica da Idade Média era tolerante para os padrões modernos. Parte da razão para isso era que, no passado, nenhum governo tinha o poder de manter seus cidadãos sob vigilância constante. A invenção da imprensa, entretanto, tornou mais fácil manipular a opinião pública, e o filme e o rádio levaram o processo adiante. Com o desenvolvimento da televisão e o avanço técnico que permitia receber e transmitir simultaneamente no mesmo instrumento, a vida privada chegou ao fim. Todo cidadão, ou pelo menos todo cidadão importante o suficiente para valer a pena ser assistido, podia ser mantido 24 horas por dia sob os olhos da polícia e ao som da propaganda oficial, com todos os demais canais de comunicação fechados. A possibilidade de impor não apenas a obediência completa à vontade do Estado, e sim a uniformidade completa de opinião sobre todos os assuntos, agora existia pela primeira vez.

Após o período revolucionário das décadas de 1950 e 1960, a sociedade se reagrupou, como sempre, em Alta, Média e Baixa. Mas o novo grupo Alto, ao contrário de todos os seus precursores, não agia por instinto, sabia o que era necessário para salvaguardar sua posição. Há muito se percebeu que a única base segura para a oligarquia é o coletivismo. Riqueza e privilégio são mais facilmente defendidos quando são possuídos em conjunto. A chamada "abolição da propriedade privada" que ocorreu em meados do século significou, com efeito, a concentração da propriedade em muito menos mãos do que antes: mas, com essa diferença, os novos proprietários eram um grupo em vez de uma massa de indivíduos. Individualmente, nenhum membro do Partido possui nada, exceto pertences pessoais insignificantes. Coletivamente, o Partido é dono de tudo na Oceania, porque controla tudo e dispõe dos produtos como achar melhor. Nos anos que se seguiram à Revolução, conseguiu assumir essa posição de comando quase sem oposição, porque todo o processo foi representado como um ato de coletivização. Sempre se presumiu que, se a classe capitalista fosse expropriada, o socialismo deveria segui-lo: e inquestionavelmente os capitalistas teriam sido expropriados. Fábricas, minas, terras, casas, transporte — tudo foi tirado deles: e como essas coisas não eram mais propriedade privada, seguiu-se que deveriam ser propriedade pública. O Socing, que surgiu do movimento socialista anterior e herdou sua fra-

seologia, de fato executou o item principal do programa socialista; com o resultado, previsto e pretendido de antemão, a desigualdade econômica se tornou permanente.

Mas os problemas de perpetuar uma sociedade hierárquica são mais profundos do que isso. Existem apenas quatro maneiras pelas quais um grupo dominante pode cair do poder. Ou é conquistado de fora, ou governa tão ineficientemente que as massas são levadas à revolta, ou permite que um grupo do meio forte e descontente surja, ou perde a sua própria autoconfiança e vontade de governar. Essas causas não atuam isoladamente e, via de regra, todas as quatro estão presentes em algum grau. Uma classe dominante que pudesse se proteger contra todos eles permaneceria no poder permanentemente. Em última análise, o fator determinante é a atitude mental da própria classe dominante.

Depois de meados do século atual, o primeiro perigo na realidade havia desaparecido. Cada um dos três poderes que agora dividem o mundo é de fato invencível e só poderia se tornar conquistável por meio de lentas mudanças demográficas que um governo com amplos poderes pode facilmente evitar. O segundo perigo, também, é apenas teórico. As massas nunca se revoltam por conta própria e nunca se revoltam simplesmente porque são oprimidas. Na verdade, enquanto não lhes é permitido ter padrões de comparação, elas nunca se dão conta de que são oprimidas. As recorrentes crises econômicas de outros tempos eram totalmente desnecessárias e agora não podem acontecer, mas outros deslocamentos igualmente grandes podem acontecer e acontecem sem ter resultados políticos, porque não há como o descontentamento se articular. Quanto ao problema da superprodução, que tem estado latente em nossa sociedade desde o desenvolvimento da técnica da máquina, ele é resolvido pelo dispositivo da guerra contínua (ver Capítulo III), que também é útil para elevar o moral público ao necessário arremesso. Do ponto de vista de nossos governantes atuais, portanto, os únicos perigos genuínos são a divisão de um novo grupo de pessoas capazes, subempregadas e famintas de poder, e o crescimento do liberalismo e do ceticismo em suas próprias fileiras. O problema, quer dizer, é educacional. É um problema de moldar continuamente a consciência tanto do grupo diretor quanto do grupo executivo mais amplo que está imediatamente abaixo dele. A consciência das massas precisa apenas ser influenciada de forma negativa.

Diante desse contexto, pode-se inferir, caso ainda não se conheça, a estrutura geral da sociedade oceânica. No topo da pirâmide está o Grande Irmão. O Grande Irmão é infalível e todo-poderoso. Todo sucesso, toda conquista, toda vitória, toda descoberta científica, todo conhecimento, toda sabedoria, toda felicidade, toda virtude, são considerados resultado direto de sua liderança e inspiração. Ninguém nunca viu o Grande Irmão. Ele é um rosto em painéis, uma voz na te-

letela. *Podemos estar razoavelmente seguros de que ele nunca morrerá, e não temos muita informação de sobre quando ele nasceu. O Grande Irmão é o disfarce com que o Partido opta por se exibir para o mundo. Sua função é atuar como um ponto focal para o amor, o medo e a reverência, emoções mais facilmente sentidas por um indivíduo do que por uma organização. Abaixo do Grande Irmão vem o Partido Interno. Seus números são limitados a seis milhões, ou algo menos que 2% da população da Oceania. Abaixo do Partido Interno vem o Partido Externo, que, se o Partido Interno é descrito como o cérebro do Estado, pode ser justamente comparado às mãos. Abaixo vêm as massas estúpidas a quem habitualmente nos referimos como "os proletários", numerando talvez 85% da população. Nos termos de nossa classificação anterior, os proletários são os Baixos: para a população escrava das terras equatoriais, que passam constantemente de conquistador a conquistador, não são uma parte permanente ou necessária da estrutura.*

Em princípio, a participação nesses três grupos não é hereditária. Um filho de pais do Partido Interno em teoria não nasceu no Partido Interno. A admissão em qualquer um dos ramos do Partido é feita por meio de um exame que é realizado aos dezesseis anos de idade. Também não há discriminação racial ou dominação marcada de uma província por outra. Judeus, negros, sul-americanos de puro sangue in-

*dígena encontram-se nos escalões mais altos do Partido, e os administradores de qualquer área são sempre escolhidos entre os habitantes dessa área. Em nenhuma parte da Oceania os habitantes têm a sensação de que são uma população colonial governada por uma capital distante. A Oceania não tem capital, e seu chefe titular é uma pessoa cujo paradeiro ninguém sabe. Exceto que o inglês é a sua principal **língua franca** e a Novilíngua a sua língua oficial, não é centralizada de forma alguma. Seus governantes não são mantidos unidos por laços de sangue, mas pela adesão a uma doutrina comum. É verdade que nossa sociedade é estratificada, e muito rigidamente estratificada, no que à primeira vista parecem ser linhas hereditárias. Há muito menos movimento de vaivém entre os diferentes grupos do que aconteceu sob o capitalismo ou mesmo na era pré-industrial. Entre os dois ramos do Partido, há um certo intercâmbio, mas apenas o suficiente para garantir que os fracos sejam excluídos do Partido Interno e que os membros ambiciosos do Partido Externo sejam tornados inofensivos, permitindo-lhes subir. Os proletários, na prática, não podem se graduar no Partido. Os mais talentosos entre eles, que possivelmente se tornariam núcleos de descontentamento, são simplesmente marcados pela Polícia do Pensamento e eliminados. Mas esse estado de coisas não é necessariamente permanente, nem é uma questão de princípio. O Partido não é uma classe no antigo sentido* *da palavra. Não visa transmitir poder aos próprios filhos, como tais; e, se não houvesse outra maneira de manter as pessoas mais capazes no topo, estaria perfeitamente preparada para recrutar uma nova geração inteira das fileiras do proletariado. Nos anos cruciais, o fato de o Partido não ser um órgão hereditário ajudou muito a neutralizar a oposição. O tipo mais antigo de socialista, que foi treinado para lutar contra algo chamado "privilégio de classe", assumiu que o que não é hereditário não pode ser permanente. Ele não viu que a continuidade de uma oligarquia não precisava ser física, nem parou para refletir que as aristocracias hereditárias sempre tiveram vida curta, ao passo que organizações adotivas, como a Igreja Católica, às vezes duram centenas ou milhares de anos. A essência do governo oligárquico não é a herança de pai para filho, mas a persistência de certa visão de mundo e certo modo de vida, impostos pelos mortos aos vivos. Um grupo governante é um grupo governante desde que possa nomear seus sucessores. O Partido não se preocupa em perpetuar seu sangue, mas em perpetuar-se.* **Quem** *exerce o poder não é importante, desde que a estrutura hierárquica permaneça sempre a mesma.*

Todas as crenças, hábitos, gostos, emoções, atitudes mentais que caracterizam nosso tempo são realmente planejados para sustentar a aura mística do Partido e impedir que a verdadeira natureza da sociedade atual seja percebida. A rebelião física, ou qualquer movimento preliminar em direção à rebelião, não é atualmente possível. Nada deve ser temido que venha dos proletários. Abandonados, eles continuarão de geração em geração e de século em século, trabalhando, criando e morrendo, não apenas sem qualquer impulso de rebelião, mas sem o poder de compreender que o mundo poderia ser diferente do que é. Eles só poderiam se tornar perigosos se o avanço da técnica industrial tornasse necessário educá-los mais altamente; porém, uma vez que a rivalidade militar e comercial não é mais importante, o nível de educação popular está realmente diminuindo. As opiniões que as massas têm, ou não, são vistas com indiferença. Elas podem receber liberdade intelectual porque não têm intelecto. Para um membro do Partido, por outro lado, nem mesmo o menor desvio de opinião sobre o assunto menos importante pode ser tolerado.

Um membro do Partido vive do nascimento à morte sob o olhar da Polícia do Pensamento. Mesmo quando está sozinho, ele nunca pode ter certeza de que está sozinho. Onde quer que esteja, dormindo ou acordado, trabalhando ou descansando, no banho ou na cama, pode ser inspecionado sem avisar e sem saber que está sendo inspecionado. Nada do que ele faz é indiferente. Suas amizades, seus relaxamentos, seu comportamento em relação à esposa e aos filhos, a expressão de seu rosto quando está sozinho, as palavras que ele murmura durante o sono, até mesmo os movimentos característicos de seu cor-

*po, são todos examinados com ciúme. Não apenas qualquer contravenção real, mas qualquer excentricidade, por menor que seja, qualquer mudança de hábitos, qualquer maneirismo nervoso que poderia ser o sintoma de uma luta interior, certamente será detectada. Ele não tem liberdade de escolha em qualquer direção. Por outro lado, suas ações não são reguladas por lei ou por qualquer código de comportamento claramente formulado. Na Oceania não existe lei. Pensamentos e ações que, quando detectados, significam morte certa não são formalmente proibidos, e os infinitos expurgos, prisões, torturas, prisões e vaporizações não são infligidos como punição por crimes que realmente foram cometidos, são apenas a extinção de pessoas que talvez possam cometer um crime em algum momento no futuro. Um membro do partido deve ter não só as opiniões certas, como também os instintos certos. Muitas das crenças e atitudes exigidas dele nunca são claramente declaradas e não poderiam ser declaradas sem revelar as contradições inerentes ao Socing. Se ele é uma pessoa naturalmente ortodoxa (em Novilíngua, **benepensante**), saberá em todas as circunstâncias, sem pensar, qual é a verdadeira crença ou a emoção desejável. Mas, em qualquer caso, um elaborado treinamento mental que acontece na infância e se agrupa em torno das palavras em Novilíngua **criminterrupção**, **negribranco** e **duplipensamento** o torna indisposto e incapaz de pensar muito profundamente sobre qualquer assunto.*

*Espera-se que um membro do Partido não tenha emoções particulares e não evite o entusiasmo. Ele deve viver num frenesi contínuo de ódio aos inimigos estrangeiros e traidores internos, em triunfo sobre as vitórias e humilhação perante o poder e a sabedoria do Partido. Os descontentamentos produzidos por sua vida vazia e insatisfatória são deliberadamente voltados para o exterior e dissipados por artifícios como os Dois Minutos de Ódio, e as especulações que possivelmente induziriam uma atitude cética ou rebelde são eliminadas antecipadamente por sua disciplina interior adquirida desde cedo. A primeira e mais simples etapa da disciplina, que pode ser ministrada até mesmo para crianças pequenas, é chamada, em Novilíngua, **criminterrupção**. **Criminterrupção** significa a faculdade de parar, como que por instinto, antes de começar qualquer pensamento perigoso. Inclui o poder de não compreender analogias, de deixar de perceber erros lógicos, de interpretar mal os argumentos mais simples se forem hostis ao Socing e de ficar entediado ou repudiar qualquer linha de pensamento capaz de conduzir a uma direção herética. Em resumo, **criminterrupção** significa uma estupidez protetora. Mas a estupidez não é suficiente. Pelo contrário, a ortodoxia em sentido pleno exige um controle sobre os próprios processos mentais tão completo quanto o de um contorcionista sobre o seu corpo. A sociedade oceânica repousa, em última análise, na crença de que o Grande Irmão seja onipotente e que o Partido é infalível. Mas como, na realidade, o Grande Irmão* não é onipotente e o partido não é infalível, há necessidade de uma flexibilidade incansável, momento a momento, no tratamento dos fatos. A palavra-chave aqui é **negribranco**. Como tantas palavras em Novilíngua, essa palavra tem dois significados mutuamente contraditórios. Aplicado a um oponente, significa o hábito de afirmar imprudentemente que preto é branco, em contradição com os fatos simples. Aplicado a um membro do Partido, significa uma disposição leal de dizer que preto é branco quando a disciplina do Partido exige isso. Mas significa também a capacidade de **acreditar** que o preto é branco e, mais, de **saber** que o preto é branco e de esquecer que alguma vez se acreditou no contrário. Isso exige uma alteração contínua do passado, possibilitada pelo sistema de pensamento que realmente abrange todo o resto, e que é conhecido em Novilíngua como **duplipensar**.

A alteração do passado é necessária por duas razões, uma das quais secundária e, por assim dizer, de precaução. A razão secundária é que o membro do Partido, como o proletário, tolera as condições atuais em parte porque não tem padrões de comparação. Ele deve ser isolado do passado, assim como deve ser isolado dos países estrangeiros, porque é necessário que ele acredite que está em melhor situação do que seus ancestrais e que o nível médio de conforto material está constantemente aumentando. Mas claramente a razão mais importante para o reajuste do passado é a necessidade de salvaguardar a infalibilidade do Partido. Não se trata apenas de *que discursos, estatísticas e registros de todo tipo devam ser constantemente atualizados, a fim de mostrar que as previsões do Partido estavam corretas em todos os casos. Também que nenhuma mudança na doutrina ou no alinhamento político pode ser admitida, pois mudar de ideia, ou mesmo de política, seria confessar fraqueza. Se, por exemplo, a Eurásia ou a Lestásia (qualquer uma das duas) é o inimigo hoje, então esse país sempre deve ter sido o inimigo. E, se os fatos dizem o contrário, os fatos devem ser alterados. Assim, a história é continuamente reescrita. Essa falsificação quotidiana do passado, efetuada pelo Ministério da Verdade, é tão necessária à estabilidade do regime como o trabalho de repressão e espionagem realizado pelo Ministério do Amor.*

*A mutabilidade do passado é o princípio central do Socing. Os eventos passados, argumenta-se, não têm existência objetiva, mas sobrevivem apenas em registros escritos e nas memórias humanas. O passado é tudo o que os registros e as memórias concordam. E, uma vez que o Partido tem controle total de todos os registros e igualmente controle total das mentes de seus membros, o resultado é que o passado é tudo o que o Partido decidir torná-lo. O resultado é também que, embora o passado seja alterável, nunca foi alterado em qualquer instância específica, pois, quando recriado em qualquer forma que seja necessária no momento, então essa nova versão **é** o passado, e nenhum passado diferente pode ter existido. Isso é válido mesmo quando, como costuma acontecer, o mesmo evento pre-*

cisa ser alterado, sem reconhecimento, várias vezes no decorrer de um ano. Em todos os momentos, o Partido tem posse da verdade absoluta, e, obviamente, o absoluto nunca pode ter sido diferente do que é agora. Será perceptível que o controle do passado dependa sobretudo do treinamento da memória. Certificar-se de que todos os registros escritos concordem com a ortodoxia do momento é apenas um ato mecânico, mas também é necessário **lembrar** *que os eventos aconteceram da maneira desejada. E se for necessário reorganizar as memórias ou adulterar os registros escritos, então é necessário* **esquecer** *que o fez. O truque para fazer isso pode ser aprendido como qualquer outra técnica mental. É aprendido pela maioria dos membros do Partido e, certamente, por todos os que são inteligentes e ortodoxos. Em Velhafala, é chamado de "controle de realidade". Em Novilíngua, é chamado* **duplipensar***, embora* **duplipensar** *abranja muitos outros significados.*

Duplipensar *significa o poder de manter duas crenças contraditórias na mente de alguém simultaneamente e aceitar ambas. O intelectual do Partido sabe em que direção suas memórias devem ser alteradas; ele, portanto, sabe que está brincando com a realidade, mas pelo exercício do* **duplipensar** *ele também se satisfaz de que a realidade não é violada. O processo deve ser consciente, ou não seria realizado com precisão suficiente, mas também deve ser inconsciente, ou traria consigo um sentimento de falsidade e, portanto, de culpa. O* **dupli-**

pensar *está no cerne do Socing, uma vez que o ato essencial do Partido é usar o engano consciente enquanto mantém a firmeza de propósito que acompanha a honestidade completa. Dizer mentiras deliberadas acreditando genuinamente nelas, esquecer qualquer fato que se tornou inconveniente e, então, quando for necessário novamente, retirá-lo do esquecimento pelo tempo que for preciso, negar a existência da realidade objetiva e, ao mesmo tempo, levar em conta a realidade que se nega — tudo isso é indispensavelmente necessário. Mesmo ao usar a palavra* **duplipensar***, é necessário exercitar o* **duplipensar***, pois, ao usar a palavra, admite-se que está adulterando a realidade. Por um novo ato de* **duplipensar***, apaga-se esse conhecimento e assim por diante indefinidamente, com a mentira sempre um salto à frente da verdade. Em última análise, é por meio do* **duplipensar** *que o Partido conseguiu — e consegue, pelo que sabemos, continuar no poder por milhares de anos — deter o curso da história.*

Todas as oligarquias do passado caíram do poder porque ficaram obsoletas ou porque amoleceram. Ou elas se tornaram estúpidas e arrogantes, não conseguiram se ajustar às novas circunstâncias e foram derrubadas, ou tornaram-se liberais e covardes, fizeram concessões quando deveriam ter usado a força e mais uma vez foram derrubadas. Elas caíram, pela consciência ou pela inconsciência. É uma conquista do Partido ter produzido um sistema de pensamento no qual ambas as condições podem existir simultaneamente e em nenhuma outra base intelectual o domínio do Partido poderia se tornar permanente. Se alguém deve governar e continuar governando, deve ser capaz de deslocar o senso de realidade. Porque o segredo do governo é combinar a crença na própria infalibilidade com o Poder de aprender com os erros do passado.

Nem é preciso dizer que os praticantes mais sutis do **duplipensar** *são aqueles que inventaram o* **duplipensar** *e sabem que se trata de um vasto sistema de trapaça mental. Em nossa sociedade, aqueles que têm o melhor conhecimento do que está acontecendo também são os que estão mais longe de ver o mundo como ele é. Em geral, quanto maior a compreensão, maior a ilusão; quanto maior a inteligência, menor a saúde mental. Uma ilustração clara disso é o fato de que a histeria da guerra aumenta de intensidade à medida que se sobe na escala social. Aqueles cuja atitude em relação à guerra é quase racional são os povos subjugados dos territórios disputados. Para essas pessoas, a guerra é simplesmente uma calamidade contínua que se espalha de um lado para o outro sobre seus corpos como um maremoto. Qual lado está ganhando é uma questão de completa indiferença para eles. Eles estão cientes de que uma mudança de soberania significa simplesmente que farão o mesmo trabalho de antes para os novos mestres que os tratam da mesma maneira que os antigos. Os trabalhadores um pouco mais favorecidos, que cha-*

mamos de "proletários", têm consciência da guerra apenas de forma intermitente. Quando necessário, podem ser impelidos ao frenesi de medo e ódio, mas quando deixados a si mesmos são capazes de esquecer por longos períodos que a guerra está acontecendo. É nas fileiras do Partido, e sobretudo no Partido Interno, que se encontra o verdadeiro entusiasmo da guerra. A conquista do mundo é acreditada com mais firmeza por aqueles que sabem que isso é impossível. Essa ligação peculiar de opostos — conhecimento com ignorância, cinismo com fanatismo — é uma das principais marcas distintivas da sociedade oceânica. A ideologia oficial está repleta de contradições, mesmo quando não há razão prática para elas. Assim, o Partido rejeita e difama todos os princípios originalmente defendidos pelo partido socialista e escolhe fazê-lo em nome do socialismo. Prega um desprezo pela classe trabalhadora sem precedentes nos séculos passados e veste seus membros com um uniforme que foi outrora peculiar aos trabalhadores manuais e adotado por esse motivo. Mina sistematicamente a solidariedade da família e chama seu líder por um nome que é um apelo direto ao sentimento de lealdade familiar. Mesmo os nomes dos quatro ministérios pelos quais somos governados exibem uma espécie de atrevimento em sua deliberada inversão dos fatos. O Ministério da Paz se preocupa com a guerra, o Ministério da Verdade com as mentiras, o Ministério do Amor com a tortura e o Ministério da

Abundância com a fome. Essas contradições não são acidentais, nem resultam de hipocrisia; são exercícios deliberados de **duplipensar**. *Porque é apenas reconciliando as contradições que o poder pode ser retido indefinidamente. De nenhuma outra forma o antigo ciclo poderia ser quebrado. Se a igualdade humana deve ser evitada para sempre — se quisermos que os Altos, como os chamamos, mantenham seus lugares permanentemente –, então a condição mental prevalecente deve ser a insanidade controlada.*

Mas há uma questão que até agora quase ignoramos: **por que** *a igualdade humana deve ser evitada? Supondo que a mecânica do processo tenha sido corretamente descrita, qual é o motivo desse enorme esforço planejado com precisão para congelar a história em um determinado momento do tempo?*

Aqui chegamos ao segredo central. Como nós vimos, a mística do Partido, e acima de tudo do Partido Interno, depende do **duplipensar**. *Mas mais profundamente do que isso está o motivo original, o instinto nunca questionado que primeiro levou à tomada do poder e trouxe o* **duplipensar**, *a Polícia do Pensamento, a guerra contínua e toda a outra parafernália necessária depois disso. Este motivo realmente consiste...*

Winston tornou-se consciente do silêncio, à medida que se percebia um novo som. Pareceu-lhe que Julia já estava muito quieta há algum tempo. Ela estava deitada de lado, nua da cintura para cima, com o rosto apoiado na mão e uma mecha escura caindo sobre os olhos. Seu seio subia e descia lenta e regularmente.

— Júlia.

Sem resposta.

— Julia, você está acordada?

Sem resposta. Ela estava dormindo. Ele fechou o livro, colocou-o cuidadosamente no chão, deitou-se e puxou a colcha sobre os dois.

Winston ainda não tinha aprendido o segredo final, refletiu. Ele entendia como, mas não entendia por quê. O Capítulo I, como o Capítulo III, na verdade não tinham lhe dito nada que ele não soubesse, apenas tinham sistematizado o conhecimento que ele já possuía. Mas, depois de lê-lo, ele sabia melhor do que antes que não estava louco. O fato de ser uma minoria, mesmo minoria de um, não significava que estivesse louco. Havia verdade e inverdade, e se se apegasse à verdade mesmo contra o mundo inteiro, não se estava louco. Um raio amarelo do sol poente entrou inclinado pela janela e caiu sobre o travesseiro. Winston fechou os olhos. O sol em seu rosto e o corpo liso da garota tocando o seu deram-lhe uma sensação forte, sonolenta e confiante. Ele estava seguro, tudo estava bem. Ele adormeceu murmurando "Sanidade não é estatística", com a sensação de que essa observação continha uma sabedoria profunda.

10

Ao acordar, Winston teve a sensação de ter dormido muito tempo, porém ao olhar para o relógio velho percebeu que eram apenas oito e meia da noite.

Era um capricho e nada mais,
Como um dia de abril passou
Mas um olhar, e uma palavra e os sonhos
Minha paz para sempre roubou

A música estimulante parecia ter mantido sua popularidade. Ainda era ouvida em todo lugar. Tinha sobrevivido

à "Canção do ódio". Julia acordou com o som, espreguiçou-
-se deleitosamente e saiu da cama.
— Estou com fome. Disse ela. — Vamos fazer mais
café. Droga! O fogão apagou e a água está fria. — Ela pegou
o fogão e sacudiu-o. — Não há óleo nele.
-Talvez possamos conseguir um pouco com o Sr.
Charrington.
— O engraçado é que me certifiquei de que estava
cheio. Vou colocar minhas roupas. — Acrescentou ela. —
Parece que ficou mais frio.
Winston também se levantou e se vestiu. A infatigável
voz cantava:

Dizem que o tempo tudo cura
E que no fim sempre se esquece,
Mas risos e choros — a vida passa
E eles perduram, é o que parece

Enquanto fechava o cinto do macacão, Winston foi até
a janela. O sol devia ter se posto atrás das casas e não brilhava mais no quintal. As lajes estavam molhadas como se tivessem acabado de ser lavadas, e ele tinha a sensação de que
o céu também tinha sido lavado, tão fresco e pálido era o
azul entre as chaminés. Incansavelmente, a mulher marchava de um lado para o outro, arrancando e desarrolhando-se,

cantando e ficando em silêncio, tirando infinitas fraldas. Ele se perguntou se ela ganhava a vida como lavadeira ou era apenas escrava de vinte ou trinta netos. Julia se uniu a ele e, juntos, eles olharam com uma espécie de fascínio para a figura robusta abaixo. Ao observá-la em sua pose característica, braços grossos erguidos para alcançar o varal, nádegas protuberantes lembrando as ancas de uma égua, Winston se deu conta, pela primeira vez, de que a mulher era bonita. Nunca lhe ocorrera que o corpo de uma mulher de cinquenta anos, de dimensões assustadoras devido à maternidade, um corpo grosseiro e rijo de tanto trabalhar e que acabara adquirindo a textura vulgar de um nabo maduro demais, pudesse ser bonito. Mas assim era, e afinal de contas, refletiu ele, por que não haveria de ser? Aquele corpo sólido e sem contornos, que lembrava um bloco de granito, a pele vermelha e áspera, estavam para o corpo da garota como as bagas das roseiras bravas estavam para as rosas. Mas por que a fruta devia ser considerada inferior à flor?

— Ela é linda — murmurou ele.

— Ela tem um metro de largura nos quadris, facilmente — disse Julia.

— É o estilo de beleza dela — disse Winston.

Ele segurou a cintura flexível de Julia facilmente envolvida por seu braço. Do quadril ao joelho, o flanco dela estava contra o dele. Nenhuma criança sairia de seus corpos. Essa era a única coisa que eles nunca poderiam fazer. Apenas de boca em boca, de mente para mente, poderiam transmitir o segredo. A mulher lá embaixo não tinha mente, tinha apenas braços fortes, um coração quente e uma barriga fértil. Ele se perguntou quantos filhos ela teria dado à luz. Poderiam ter sido facilmente quinze. Ela tivera seu florescimento momentâneo, um ano, talvez, de beleza de rosa silvestre, e então de repente inchara como uma fruta fertilizada e ficara dura, vermelha e áspera, e então sua vida tinha se tornado lavar, esfregar, cerzir, cozinhar, varrer, polir, consertar, esfregar, lavar, primeiro para os filhos, depois para os netos, mais de trinta anos ininterruptos. No final, ainda estava cantando. A reverência mística que ele sentia por ela estava de alguma forma misturada com o aspecto do céu claro e sem nuvens, estendendo-se atrás das chaminés em uma distância interminável. Era curioso pensar que o céu era o mesmo para todos, na Eurásia e na Lestásia, assim como ali. E as pessoas sob o céu também eram muito parecidas — em todos os lugares, em todo o mundo, centenas de milhares de milhões de pessoas assim, ignorantes da existência umas das outras, mantidas separadas por paredes de ódio e mentiras, e ainda quase exatamente o mesmo — pessoas que nunca tinham aprendido a pensar, mas que estavam armazenando em seus corações, barrigas e músculos o poder que um dia destruiria o mundo. Se havia esperança, estava nos proletários! Sem ter lido o final do livro, Winston sabia que essa deveria ser a mensagem final de Goldstein. O futuro pertencia aos proletários. E ele poderia ter certeza de que, quando chegasse a hora deles, o mundo que eles construíram não seria tão estranho para ele, Winston Smith, quanto o mundo do Partido? Sim, porque pelo menos seria um mundo de sanidade. Onde há igualdade, pode haver sanidade. Mais cedo ou mais tarde isso aconteceria, a força se transformaria em consciência. Os proletários eram imortais, não dava para duvidar ao olhar para aquela valente figura no quintal. No final, seu despertar viria. E, até que isso acontecesse, embora pudesse demorar mil anos, permaneceriam vivos contra todas as probabilidades, como pássaros, passando de corpo a corpo a vitalidade que o Partido não compartilhava e não podia matar.

— Você se lembra — disse ele — do tordo que cantou para nós, naquele primeiro dia, na orla da floresta?

— Ele não estava cantando para nós — disse Julia. — Ele estava cantando para agradar a si mesmo. Nem mesmo isso. Ele estava apenas cantando.

Os pássaros cantavam, os proletários cantavam. O Partido não cantava. Em todo o mundo, em Londres e Nova York, na África e no Brasil, e nas misteriosas terras proibidas além das fronteiras, nas ruas de Paris e Berlim, nas aldeias da interminável planície russa, nos bazares da China e do Japão — em toda parte estava a mesma figura sólida e invencível, tornada monstruosa pelo trabalho e pela gravidez, labutando do nascimento até a morte e ainda cantando. Desses lombos poderosos, uma raça de seres conscientes devia um dia surgir. Você estava morto, o futuro deles estava morto. Mas você poderia compartilhar esse futuro se mantivesse viva a mente como eles mantinham vivo o corpo, e transmitisse a doutrina secreta de que dois mais dois são quatro.

— Nós somos os mortos — disse ele.

— Nós somos os mortos — Repetiu Julia, obediente.

— Vocês são os mortos — disse uma voz de ferro atrás deles.

Eles se separaram. As entranhas de Winston pareciam ter se transformado em gelo. Podia ver o branco em toda a íris dos olhos de Julia. Seu rosto ficou amarelo-leitoso. A mancha de ruge que ainda estava em cada maçã do rosto destacou-se nitidamente, quase como se não tivesse relação com a pele abaixo.

— Vocês são os mortos — repetiu a voz de ferro.

— Estava atrás do quadro — suspirou Julia.

— Estava atrás do quadro — disse a voz. — Permaneçam exatamente onde estão. Não façam nenhum movimento até receberem ordens.

Estava começando, estava começando finalmente!

Eles não podiam fazer nada, exceto ficar olhando nos olhos do outro. Correr pelo resto da vida, sair de casa antes que fosse tarde demais — tal pensamento não lhes ocorrera. Impensável desobedecer à voz de ferro da parede. Houve um estalo, como se uma trava tivesse sido virada e um estalo de vidro quebrando. A imagem havia caído no chão, descobrindo a teletela atrás dela.

— Agora eles podem nos ver — disse Julia.

— Agora podemos vê-los — confirmou a voz. — Vão para o meio do quarto. Fiquem de costas um para o outro. Ponham as mãos atrás da cabeça. Não se toquem.

Eles não estavam se tocando, mas parecia que ele podia sentir o corpo de Julia tremendo. Ou talvez fosse apenas o próprio tremor. Ele podia apenas evitar que seus dentes rangessem, mas seus joelhos estavam fora de controle. Houve um som de botas pisoteando abaixo, dentro e fora da casa. O pátio parecia estar cheio de homens. Algo estava sendo arrastado pelas pedras. O canto da mulher parou abruptamente. Ouviu-se um estrondo metálico, como se a banheira tivesse sido atirada para o outro lado do quintal, e depois uma confusão de gritos furiosos que terminou em gritos de dor.

— A casa está cercada — disse Winston.

— A casa está cercada — repetiu a voz.

Ele ouviu Julia apertar os dentes.

— Acho que devemos dizer adeus — disse ela.

— Vocês devem dizer adeus — disse a voz.

E então outra voz bem diferente, uma voz fina e culta que Winston teve a impressão de ter ouvido antes, se manifestou.

— E, a propósito, já que estamos no assunto: escove os dentes e seja um bom moço, ou o homem do saco vem cortar o seu pescoço!

Algo despencou ruidosamente sobre a cama, atrás de Winston. A ponta de uma escada fora enfiada pela janela e arrebentara o caixilho. Alguém estava entrando pela janela. Um tropel de botas subia a escada. O quarto ficou repleto de homens robustos, usando uniformes pretos, botas nos pés e cassetetes nas mãos.

Winston não tremia mais. Não movia nem mesmo os olhos mais. Só uma coisa importava: ficar quieto, ficar quieto e não dar uma desculpa baterem nele. Um sujeito com uma mandíbula lisa de lutador e uma boca que não passava de um traço parou na frente dele, balançando o cassetete entre o polegar e o indicador, pensativo. Winston encontrou seus olhos. A sensação de nudez, com as mãos atrás da cabeça e o rosto e o corpo expostos, era quase insuportável. O homem projetou a ponta de uma língua branca, lambeu o lugar onde seus lábios deveriam estar e então passou adiante. Houve outro estrondo. Alguém pegou o peso de papel de vidro da mesa e o quebrou em pedaços na pedra da lareira.

O fragmento de coral, uma minúscula ruga rosada como um botão de rosa de açúcar de um bolo, rolou pela esteira. Quão pequeno, pensou Winston, quão pequeno sempre fora! Houve um suspiro e um baque atrás dele, que recebeu um chute violento no tornozelo que quase o desequilibrou. Um dos homens bateu com o punho no plexo solar de Julia, dobrando-a como uma régua de bolso. Ela estava se debatendo no chão, lutando para recobrar o fôlego. Winston não ousava virar a cabeça sequer um milímetro, mas às vezes seu rosto lívido e ofegante aparecia no ângulo de sua visão. Winston sabia como era aquilo: a dor medonha, atroz, que estava lá o tempo todo, mas que ainda não podia ser plenamente sentida porque antes de tudo era preciso voltar a respirar. Em seguida, dois dos homens içaram Julia pelos joelhos e ombros e a carregaram para fora da sala como um saco. Winston teve um vislumbre do rosto dela, de cabeça para baixo, amarelo e contorcido, com os olhos fechados e ainda com uma mancha de ruge em cada bochecha; essa foi a última vez que a viu.

Ficou imóvel. Ninguém o havia atingido ainda. Pensamentos que surgiam espontaneamente, mas pareciam totalmente desinteressantes, começaram a surgir em sua mente. Ele se perguntou se estavam com o Sr. Charrington. Ele se perguntou o que eles teriam feito com a mulher no quintal. Percebeu que tinha muita vontade de urinar e sentiu uma leve surpresa, porque o fizera apenas duas ou três horas antes. Percebeu, ainda, que o relógio sobre a lareira marcava nove, ou seja, vinte e uma horas. Mas a luz parecia muito forte. A luz não deveria estar diminuindo às 21 horas em uma noite de agosto? Ele se perguntou se, afinal, ele e Julia haviam se enganado sobre a hora — tinham dormido o tempo todo e pensado que eram vinte e trinta quando na verdade eram oito e meia da manhã seguinte. Mas não prosseguiu com o pensamento. Não era interessante.

Houve outro passo mais leve na passagem. O Sr. Charrington entrou na sala. O comportamento dos homens de uniforme preto de repente tornou-se mais moderado. Algo também mudou na aparência do Sr. Charrington. Seus olhos pousaram nos fragmentos do peso de papel de vidro.

— Pegue esses pedaços — disse ele bruscamente.

Um homem se abaixou para obedecer. O sotaque londrino havia desaparecido; Winston de repente percebeu de quem era a voz que ele tinha ouvido alguns momentos atrás na teletela. O Sr. Charrington ainda estava usando sua velha jaqueta de veludo, mas seu cabelo, que era quase branco, tinha ficado preto. Além disso, não estava usando seus óculos. Ele dirigiu a Winston um único olhar penetrante, como se estivesse verificando sua identidade, e então não prestou mais atenção nele.

Ainda era reconhecível, mas não era mais a mesma pessoa. Seu corpo se endireitara e parecia ter ficado maior.

Seu rosto havia sofrido apenas pequenas mudanças que, no entanto, tinham operado uma transformação completa.

As sobrancelhas pretas estavam menos espessas, as rugas haviam sumido, todas as linhas do rosto pareciam ter se alterado — até o nariz parecia mais curto. Era o rosto alerta e frio de um homem de cerca de trinta e cinco anos. Ocorreu a Winston que pela primeira vez em sua vida ele estava olhando, com conhecimento, para um membro da Polícia do Pensamento.

PARTE 3

1

Ele não sabia onde estava. Provavelmente, no Ministério do Amor, mas não havia como ter certeza. Estava em uma cela de teto alto e sem janelas, cujas paredes eram revestidas de azulejos brancos e brilhantes. Lâmpadas ocultas inundavam a cela com uma luz fria, e havia um zumbido baixo e constante que ele supunha ter algo a ver com o condicionador de ar. Um banco, ou prateleira, cuja largura era suficiente apenas para sentar, corria em volta da parede, interrompidas apenas pela porta de um lado e, na parede oposta à porta, um vaso sanitário sem assento de madeira. Havia quatro teletelas, uma em cada parede.

Sentia uma dor surda na barriga. Sentia isso desde que o tinham colocado no furgão fechado e levado embora. Mas ele também estava com fome, um tipo de fome corrosiva e que o atormentava. Já fazia vinte e quatro horas que não comia, quem sabe trinta e seis. Ele ainda não sabia, e provavelmente nunca saberia, se havia sido preso de manhã ou à noite. Desde então, não fora alimentado.

Sentou-se o mais quieto que pôde no banco estreito, com as mãos cruzadas sobre os joelhos. Já havia aprendido a ficar quieto. Se fizesse movimentos inesperados, eles gritavam pela teletela. Mas a necessidade de comer crescia dentro de si. O que mais desejava era um pedaço de pão. Achava que havia algumas migalhas de pão no bolso do macacão. Era até possível — tinha essa sensação porque de vez em quando algo parecia fazer cócegas em sua perna — que pudesse haver um pedaço considerável de casca ali. Por fim, a tentação de descobrir foi mais forte que o medo, e ele enfiou a mão no bolso.

— Smith! — gritou uma voz na teletela. — 6079 Smith W.! Tire a mão do bolso!

Winston ficou imóvel novamente, com as mãos cruzadas sobre os joelhos. Antes de ser levado para lá, fora levado para outro lugar, que devia ser uma prisão comum ou uma prisão temporária usada pelas patrulhas. Não sabia há quanto tempo estava ali; algumas horas, de qualquer maneira; sem relógio e sem luz do dia, era difícil calcular o tempo. Era um lugar barulhento e malcheiroso.

    Havia sido levado para uma cela semelhante àquela em que estava agora, mas muito suja e sempre lotada por dez ou quinze pessoas. A maioria delas eram criminosos comuns, mas também havia prisioneiros políticos. Sentara-se em silêncio com as costas apoiadas na parede, empurrado por corpos sujos, preocupado demais com o medo e a dor na barriga para se interessar pelo que acontecia ao redor, mas ainda assim notava a surpreendente diferença de comportamento entre os prisioneiros do Partido e os outros. Os prisioneiros do Partido estavam sempre calados e aterrorizados, enquanto os criminosos comuns pareciam não se importar com ninguém. Insultavam os guardas, lutavam ferozmente quando seus pertences eram apreendidos, escreviam palavras obscenas no chão, comiam alimentos que tiravam de esconderijos misteriosos em suas roupas e até gritavam mais alto que a teletela quando ela tentava restaurar a ordem. Por outro lado, alguns pareciam ter um bom relacionamento com os guardas, chamavam-nos por apelidos e tentavam suborná-los passando cigarros pelo visor da porta. Os guardas também tratavam os criminosos comuns com certa indulgência, mesmo quando eram obrigados a tratá-los com brutalidade. Muito se falava sobre os campos de trabalho forçado para os quais a maioria dos prisioneiros esperava ser enviada. Ele concluiu que os campos não deviam ser tão ruins, desde que se tivessem bons contatos e se conhecesse o caminho das pedras. Havia suborno, favoritismo e extorsão de todo tipo, homossexualidade e prostituição, até álcool ilícito destilado de batatas. Os cargos de confiança eram atribuídos apenas aos criminosos comuns, especialmente aos gangsteres e assassinos, que formavam uma espécie de aristocracia. Todo o trabalho sujo era feito pelos presos políticos.

Havia um constante vaivém de prisioneiros de todos os tipos: traficantes de drogas, ladrões, bandidos, contrabandistas, bêbados, prostitutas. Alguns dos bêbados eram tão violentos que os outros tinham de se unir para dominá-los. Uma mulher enorme e nervosa, de cerca de sessenta anos, com seios grandes e caídos e cachos de cabelo branco que se desfaziam enquanto ela lutava, entrou esperneando e gritando, carregada por quatro guardas que a seguravam pelos braços e pernas. Os guardas arrancaram as botas com as quais ela tentava chutá-los e a atiraram no colo de Winston, quase quebrando seu fêmur. A mulher levantou-se e os seguiu até a porta gritando "filhos da puta!". Depois, percebendo que estava sentada sobre algo irregular, escorregou dos joelhos de Winston para o banco.

— Desculpe, querido — disse ela. — Não queria sentar em cima de você, foram os babacas que me colocaram aí. Eles não sabem como tratar uma dama, não é mesmo? — Ela fez uma pausa, deu uns tapinhas no peito e arrotou. — Desculpe, — estou um pouco abalada.

Ela se inclinou para a frente e vomitou copiosamente no chão.

— Já me sinto melhor — disse, recostando-se com os olhos fechados. — Nunca segure, é o que sempre digo. Bote para fora enquanto ainda está fresco na barriga.

Ela se recuperou, deu outra olhada em Winston e pareceu gostar dele imediatamente. Passou o braço enorme em volta do ombro dele e puxou-o em sua direção, bafejando cerveja e vômito no rosto dele.

— Qual é o seu nome, querido? — perguntou.

— Smith — disse Winston.

— Smith? — repetiu a mulher. — Engraçado. Meu nome também é Smith. Caramba, eu posso ser sua mãe! — adicionou, com um tom sentimental.

Ela podia mesmo ser sua mãe, pensou Winston. Tinha a idade e a compleição dela, e era provável que as pessoas mudassem um pouco depois de passar vinte anos em um campo de trabalho forçado.

Ninguém mais lhe dirigiu a palavra. De forma surpreendente, os criminosos comuns ignoravam os prisioneiros do Partido. Chamavam-nos de "os políticos", com misto de desprezo e desinteresse. Os prisioneiros do Partido pareciam ter medo de falar com quem quer que fosse, sobretudo de falar uns com os outros. Apenas uma vez, quando duas mulheres do Partido estavam sentadas juntas no banco, ele ouviu em meio ao barulho de vozes algumas palavras sussurradas apressadamente; e, em particular, uma referência a algo chamado "quarto um-zero-um", que ele não entendeu.

Talvez tivessem se passado duas ou três horas desde que fora levado para lá. A dor surda em sua barriga não passava, mas às vezes melhorava e às vezes piorava, e seus pensamentos se expandiam ou contraíam de acordo com ela. Quando a dor piorava, ele pensava apenas na própria dor e na vontade de comer. Quando melhorava, o pânico tomava conta dele. Havia momentos em que previa as coisas que lhe aconteceriam com tal realidade que seu coração disparava e sua respiração falhava. Sentia as pancadas de cassetetes em seus cotovelos e as botas com calços de ferro em suas canelas. Via-se rastejando no chão, implorando por misericórdia por entre os dentes quebrados. Mal pensava em Julia. Não conseguia fixar os pensamentos nela. Ele a amava e não a trairia; mas isso era apenas um fato, que ele conhecia assim como conhecia as regras da aritmética. Não sentia amor por ela nem mesmo se perguntava o que estaria acontecendo com ela. Pensava com mais frequência em O'Brien, com uma centelha de esperança.

O'Brien poderia saber que ele estava preso. A Irmandade, ele dissera, nunca tentava salvar seus membros. Mas havia a lâmina de barbear. Enviariam a lâmina de barbear, se pudessem. Haveria talvez cinco segundos antes que o guarda pudesse entrar correndo na cela. A lâmina o cortaria com uma espécie de frieza ardente, até mesmo os dedos que a seguravam seriam cortados até os ossos. Tudo aquilo voltava ao seu corpo doente, que se encolhia, trêmulo, diante da possibilidade do menor sofrimento. Ele não tinha certeza de que conseguiria usar a lâmina de barbear, mesmo se tivesse a oportunidade. Era mais natural existir de momento em momento e aceitar mais dez minutos de vida, mesmo com a certeza de que haveria tortura no final de tudo.

Às vezes, tentava calcular o número de azulejos das paredes da cela. Devia ser fácil, mas ele sempre perdia a conta em algum momento. Com mais frequência se perguntava onde estaria e que horas seriam. A certa altura, teve a certeza de que era dia claro e, no momento seguinte, a mesma certeza de que lá fora reinava a mais completa escuridão. Sabia instintivamente que, naquele lugar, as luzes nunca se apagavam. Era o lugar em que não havia escuridão, e ele agora entendia por que O'Brien parecia reconhecer a alusão. No Ministério do Amor não havia janelas. Sua cela podia estar no centro do edifício ou junto à parede externa; podia estar dez andares abaixo do solo ou trinta acima dele. Ele se movia mentalmente de um lugar para outro e tentava determinar, pela sensação de seu corpo, se estava empoleirado no ar ou profundamente enterrado.

Ouviu-se o ruído de botas marchando do lado de fora. A porta de aço se abriu com um estrondo. Um jovem oficial, uma figura esguia trajando um uniforme preto que parecia brilhar por toda a parte com o seu couro polido e cujo rosto pálido de feições retilíneas parecia uma máscara de cera, passou rapidamente pela porta. Ele gesticulou para os guardas do lado de fora, ordenando que trouxessem o prisioneiro que estavam conduzindo. O poeta Ampleforth entrou cambaleando na cela. A porta se fechou novamente com um estrondo.

Ampleforth fez um ou dois movimentos incertos de um lado para o outro, como se tivesse a ideia de que havia outra porta pela qual sair, e então começou a vagar pela cela de lá para cá. Ainda não havia notado a presença de Winston. Seus olhos preocupados olhavam para a parede cerca de um metro acima do nível da cabeça de Winston. Estava descalço, e os dedos grandes e sujos se esgueiravam pelos buracos das meias. Também não se barbeava há vários dias. Uma barba rala cobria seu rosto até as maçãs do rosto, dando-lhe um ar de rufianismo que não combinava com seu grande corpo fraco e seus movimentos nervosos.

Winston despertou um pouco de sua letargia. Precisava falar com Ampleforth e correr o risco de ouvir o grito da teletela. Era até possível que Ampleforth fosse o portador da lâmina de barbear.

— Ampleforth — disse ele.

Não houve gritos da teletela. Ampleforth parou, ligeiramente perplexo. Lentamente, seus olhos foram ao encontro dos de Winston.

— Ah, Smith! — disse ele. — Você também!

— Por que está aqui?

— Para falar a verdade... — começou ele, sentando-se desajeitadamente no banco em frente a Winston. — Existe apenas uma ofensa, não é?

— E você a cometeu?

— Aparentemente, sim — disse, colocando a mão na testa e pressionando as têmporas por um momento, como se tentasse se lembrar de algo. — Essas coisas acontecem — começou vagamente. — Consegui me lembrar de uma ocasião, uma única ocasião possível. Foi uma indiscrição, sem dúvida. Estávamos preparando uma edição definitiva dos poemas de Kipling. Deixei a palavra "Deus" no final de um verso. Não pude evitar! — acrescentou, quase indignado, erguendo o rosto para olhar para Winston. — Era impossível mudar o verso. O problema era a rima. Você sabia que existem apenas doze rimas para essa palavra em toda a língua? Atormentei minha mente durante dias. Não havia outra rima.

A expressão de seu rosto mudou. O aborrecimento passou e, por um momento, ele parecia quase satisfeito.

Uma espécie de calor intelectual, a alegria do pedante que descobriu algum fato inútil, brilhava em meio à sujeira e aos cabelos desgrenhados.

— Já ocorreu a você — disse ele — que toda a história da poesia inglesa foi determinada pelo fato de que a língua inglesa carece de rimas?

Não, esse pensamento específico nunca ocorrera a Winston. Naquelas circunstâncias, isso não lhe parecia muito importante nem interessante.

— Você sabe que horas são? — perguntou ele.

Ampleforth pareceu surpreso novamente. — Eu nem tinha pensado nisso. Eles me prenderam... acho que há dois dias, talvez três. — Seus olhos percorreram as paredes, como se esperasse encontrar uma janela em algum lugar. — Não há diferença entre noite e dia neste lugar. Não vejo como se pode calcular o tempo.

Eles conversaram desordenadamente por alguns minutos, e depois, sem um motivo aparente, um grito da teletela pediu que ficassem em silêncio. Winston sentou-se quieto, com as mãos cruzadas. Ampleforth, grande demais para sentar-se confortavelmente no banco estreito, mexia-se inquieto de um lado para o outro, cruzando as mãos magras ora em torno de um joelho, ora no outro. A teletela berrou para ele ficar quieto. Algum tempo se passou. Vinte minutos, uma hora — era difícil dizer. Mais uma vez, ouviu-se o som de botas do lado de fora. As entranhas de Winston se contraíram. Logo, muito em breve, talvez em cinco minutos, talvez agora mesmo, o ruído das botas significaria que sua vez havia chegado.

A porta se abriu. O jovem oficial de rosto frio entrou na cela. Com um breve movimento da mão, apontou Ampleforth.

— Quarto 101 — disse ele.

Ampleforth saiu desajeitado, escoltado pelos guardas. Seu rosto expressava uma vaga perturbação, mas sem compreender o que estava acontecendo.

Transcorreu o que parecia ser um longo período. A dor na barriga de Winston voltara. Sua mente girava no mesmo lugar, como uma bola caindo repetidamente nos mesmos buracos. Ele tinha apenas seis pensamentos: a dor em sua barriga; um pedaço de pão; o sangue e os gritos; O'Brien; Julia; a lâmina de barbear. Sentiu outro espasmo em suas entranhas, as botas pesadas se aproximavam. Quando a porta se abriu, a onda de ar que ela criou trouxe um cheiro forte de suor frio. Parsons entrou na cela. Usava uma bermuda cáqui e uma camisa esporte.

Dessa vez, Winston foi surpreso a ponto de esquecer-se de si mesmo.

— Você aqui! — disse ele.

Parsons lançou um olhar para Winston em que não havia interesse nem surpresa, apenas tristeza. Começou a andar para lá e para cá, claramente incapaz de ficar parado. Cada vez que ele endireitava os joelhos rechonchudos, era possível perceber que eles tremiam. Seus olhos estavam arregalados e fixos, como se ele não pudesse evitar olhar para algo a meia distância.

— Por que está aqui? — perguntou Winston.

— Crime de pensamento! — respondeu Parsons, quase chorando. Ao mesmo tempo, seu tom de voz indicava uma admissão completa de culpa e uma espécie de horror incrédulo com o fato de que tal expressão pudesse ser aplicada a ele. Parou diante de Winston e começou a fazer apelos ansiosos: — Você não acha que vão me fuzilar, não é, meu velho? Não fuzilam você se você não fez nada, se teve apenas pensamentos que não conseguiu controlar? Sei que eles lhe dão uma audiência justa. Ah, eu confio neles! Eles conhecem meu histórico, não é? Você sabe que tipo de sujeito eu era. Um bom sujeito, à minha maneira. Não sou muito inteligente, claro, mas perspicaz. Tentei fazer o meu melhor pelo Partido, não tentei? Vou sair daqui a cinco anos, não acha? Ou quem sabe dez anos? Um sujeito como eu poderia ser muito útil em um campo de trabalho forçado. Eles não iriam me fuzilar por ter saído dos trilhos apenas uma vez?

— Você é culpado? — perguntou Winston.

— Claro que sou culpado! — exclamou Parsons, com um olhar servil para a teletela. — Você não acha que o Partido iria prender um homem inocente, não é? — Seu rosto de sapo ficou mais calmo e até mesmo assumiu uma expressão ligeiramente hipócrita. — O crime de pensamento é uma coisa terrível, velho — disse ele, de maneira sentenciosa. — É insidioso. Pode se apoderar de você sem que você saiba. Sabe como isso se apoderou de mim? No meu sono! Sim, é fato. Lá estava eu, trabalhando, tentando fazer minha parte, e nunca imaginei que houvesse alguma coisa ruim em minha mente. E aí comecei a falar dormindo. Você sabe o que eles me ouviram dizer?

Ele abaixou a voz, como se estivesse sendo obrigado por razões médicas a proferir uma obscenidade.

— "Abaixo o Grande Irmão!" Sim, eu disse isso! Disse isso e repeti, ao que parece. Cá entre nós, meu velho, estou feliz por ter sido pego antes que a coisa fosse mais longe. Sabe o que vou dizer a eles quando for ao tribunal? "Obrigado". Vou dizer, "obrigado por me salvarem antes que fosse tarde demais".

— Quem denunciou você? — perguntou Winston.

— Minha filha — respondeu Parsons, com uma espécie de orgulho triste. — Ela ouviu pelo buraco da fechadura. Ouviu o que eu estava dizendo e contou para as patrulhas no dia seguinte. Muito inteligente para uma garotinha de sete anos, hein? Não guardo nenhum rancor por ela ter feito isso. Na verdade, estou orgulhoso dela. Isso mostra que dei a ela uma boa educação!

Ele fez mais alguns movimentos bruscos para cima e para baixo, várias vezes, lançando um olhar ansioso para o vaso sanitário. De repente, baixou a bermuda.

— Com licença, velho — disse. — Não estou aguentando mais. É essa espera.

Encaixou o enorme traseiro no vaso sanitário. Winston cobriu o rosto com as mãos.

— Smith! — gritou a voz da teletela. — 6079 Smith W.! Tire as mãos do rosto. Não é permitido esconder o rosto nas celas.

Winston tirou as mãos do rosto. Parsons usava o banheiro em alto e bom som. Descobriu-se em seguida que a válvula estava com defeito e um fedor abominável tomou conta da cela por horas.

Parsons foi levado. Mais prisioneiros entravam e saíam, misteriosamente. Um deles, uma mulher, foi enviada para o "Quarto 101". Winston notou que ela pareceu encolher e mudar de cor diferente ao ouvir as palavras. Chegou um momento em que, se ele tivesse sido levado para lá de manhã, seria de tarde; ou se tivesse sido levado à tarde, seria meia-noite. Havia seis prisioneiros na cela, homens e mulheres. Todos sentados e imóveis. Em frente a Winston estava sentado um homem sem queixo e dentuço, que se parecia com um roedor grande e inofensivo. Suas bochechas gordas e manchadas eram tão protuberantes na parte inferior que era difícil acreditar que não tivesse pequenos estoques de comida guardados ali. Seus olhos cinza-claros voavam timidamente de um rosto para outro e se desviavam depressa quando despertavam a atenção de alguém.

A porta se abriu, e outro prisioneiro foi trazido. Seu aparecimento causou um arrepio momentâneo em Winston. Era um homem de aparência comum e agressiva, que poderia ser um engenheiro ou técnico de algum tipo. Mas o que surpreendia era a magreza de seu rosto. Parecia uma caveira. Por causa da magreza, a boca e os olhos pareciam desproporcionalmente grandes, e os olhos pareciam cheios de um ódio assassino e insuportável de alguém ou algo.

O homem sentou-se no banco a uma pequena distância de Winston. Winston não olhou para ele de novo, mas o rosto atormentado e semelhante a uma caveira estava tão vívido em sua mente como se estivesse bem diante de seus olhos. De repente, ele percebeu o que estava acontecendo. O homem estava morrendo de fome. O mesmo pensamento parecia ocorrer quase simultaneamente a todos na cela. Houve uma agitação muito tênue em todo o banco. Os olhos do homem sem queixo voltavam-se com frequência para o homem com cara de caveira, depois se afastavam cheios de culpa e novamente eram arrastados de volta por uma atração irresistível. Logo ele começou a se remexer em seu assento. Por fim, levantou-se, caminhou desajeitadamente pela cela, enfiou a mão no bolso do macacão e, com ar envergonhado, estendeu um pedaço de pão encardido para o homem com cara de caveira.

Houve um rugido furioso e ensurdecedor na teletela. O homem sem queixo recuou com um salto. O homem com cara de caveira rapidamente colocou as mãos atrás das costas, como se quisesse demonstrar a todo o mundo que recusava o presente.

— Bumstead! — rugiu a voz. — 2713 Bumstead J.! Largue esse pedaço de pão!

O homem sem queixo deixou cair o pedaço de pão no chão.

— Fique onde está — disse a voz. — De frente para a porta. Não faça nenhum movimento.

O homem sem queixo obedeceu. Suas grandes bochechas carnudas tremiam incontrolavelmente. A porta se abriu com estrondo. Quando o jovem oficial entrou e deu um passo para o lado, surgiu atrás dele um guarda baixo e atarracado com braços e ombros enormes. Ele se posicionou em frente ao homem sem queixo e então, a um sinal do oficial, desferiu-lhe um golpe terrível, com todo o peso de seu corpo por trás, bem na boca do homem sem queixo. A força do soco levantou o homem do chão. Seu corpo foi arremessado para o outro lado da cela e caiu junto à base do vaso sanitário. Por um momento ficou deitado como se estivesse atordoado, com um sangue escuro escorrendo da boca e do nariz. Ouviu-se um gemido ou guincho muito fraco, que parecia inconsciente. Então ele rolou e se apoiou vacilante nas mãos e nos joelhos. Em meio ao sangue e à saliva que jorravam, as duas metades de uma dentadura caíram de sua boca.

Os prisioneiros sentaram-se muito quietos, com as mãos cruzadas sobre os joelhos. O homem sem queixo voltou para o seu lugar. Em um lado do rosto, a carne começava a escurecer. Sua boca inchara em uma massa informe cor de cereja com um buraco negro no meio.

De vez em quando, um pouco de sangue pingava no peito do macacão. Seus olhos cinzentos ainda passavam rapidamente de um rosto para outro, mais culpados do que nunca, como ele se estivesse tentando descobrir o quanto os outros o desprezavam por sua humilhação.

A porta se abriu. Com um gesto quase imperceptível, o oficial indicou o homem com cara de caveira.

— Quarto 101 — disse ele.

Houve um suspiro e uma agitação ao lado de Winston. O homem se jogou de joelhos no chão, com as mãos entrelaçadas.

— Camarada! Oficial! — implorou. — Você não precisa me levar para aquele lugar! Eu já não lhe disse tudo? O que mais você quer saber? Confesso tudo o que você quiser.

Tudo! Só me diga o que quer saber e eu confesso imediatamente. Escreva, que eu assino, qualquer coisa! Mas o quarto 101, não!

— Quarto 101 — disse o oficial.

O rosto do homem, já muito pálido, ficou de uma cor que Winston não teria acreditado que fosse possível. Era, definitivamente, inconfundivelmente, um tom de verde.

— Faça o que quiser comigo! — ele gritava. — Você está me deixando com fome há semanas. Acabe com isso de uma vez e me deixe morrer. Atire em mim. Enforque-me. Condene-me a vinte e cinco anos de prisão. Há mais alguém que você quer que eu entregue? Basta dizer quem é, e eu direi o que quiser saber. Não me interessa quem é ou o que você vai fazer com ele. Tenho esposa e três filhos. O maior ainda não completou seis anos. Você pode pegar todos eles e cortar suas gargantas na frente dos meus olhos, que eu ficarei parado e olhando. Mas não me leve para o quarto 101!

— Quarto 101 — repetiu o oficial.

O homem olhou freneticamente em volta para os demais prisioneiros, como se pensasse que poderia colocar outra vítima em seu próprio lugar. Seus olhos pousaram no rosto esmagado do homem sem queixo. Ele estendeu um braço magro.

— Esse é o homem que você deveria levar, não eu! — gritou. — Você não ouviu o que ele disse depois que bateram nele. Dê-me uma chance e eu contarei cada palavra. É ele quem está contra o Partido, não eu!

Os guardas deram um passo à frente. A voz do homem aumentou para um grito. — Você não ouviu o que ele disse! — repetiu. — Houve algum problema com a teletela. **É ele** que vocês querem. Levem-no, e não eu!

Os dois guardas fortes se abaixaram para pegá-lo pelos braços. Mas, nesse exato momento, ele se atirou pelo chão da cela e agarrou uma das pernas de ferro que sustentavam o banco. Começara a uivar sem palavras, como um animal. Os guardas o agarraram para obrigá-lo a soltar o banco, mas ele se agarrou com uma força surpreendente. Os guardas passaram quase vinte segundos tentando puxá-lo. Os prisioneiros continuavam sentados em silêncio, as mãos cruzadas sobre os joelhos, olhando diretamente para frente. Os uivos cessaram; o homem não tinha fôlego para mais nada, exceto para se segurar. E então, veio um tipo diferente de grito. Com um chute da bota, um dos guardas quebrou os dedos de uma de suas mãos. Eles o puseram de pé.

— Quarto 101 — disse o oficial.

O homem foi conduzido para fora, vacilante, com a cabeça afundada nos ombros, acariciando a mão esmagada, esgotado e sem forças para resistir.

Muito tempo se passou. Se fosse meia-noite quando o homem com cara de caveira foi levado, agora era de manhã;

se fosse de manhã, agora era de tarde. Winston estava sozinho, e estava sozinho há horas. A dor de se sentar no banco estreito era tanta que muitas vezes ele se levantava e andava, sem ser repreendido pela teletela. O pedaço de pão ainda estava onde o homem sem queixo o deixara cair. No início, foi necessário um grande esforço para não olhar para ele, mas logo a fome deu lugar à sede. Sua boca estava pegajosa e tinha um gosto ruim. O zumbido constante e a luz branca invariável induziram uma espécie de tontura, uma sensação de vazio dentro de sua cabeça. Ele se levantava quando a dor nos ossos ficava insuportável e se sentava de novo quase imediatamente porque estava tonto demais para ter certeza de que conseguiria ficar de pé. Sempre que suas sensações físicas ficavam mais controladas, o terror voltava. Às vezes, com uma esperança esmaecida, ele pensava em O'Brien e na lâmina de barbear. Era possível que a lâmina de barbear chegasse escondida em sua comida, se algum dia ele fosse alimentado. Mais vagamente, pensava em Julia. Em algum lugar, ela estava sofrendo, talvez muito mais do que ele. Talvez estivesse gritando de dor no momento. Ele pensou: "Se eu pudesse salvar Julia duplicando minha própria dor, eu o faria? Sim, faria". Mas aquela era apenas uma decisão intelectual, tomada porque sabia que deveria tomá-la. Porém, não era o que Winston sentia. Naquele lugar era impossível sentir qualquer coisa, a não ser a dor e a presciência da dor.

Além disso, seria possível, quando se está sofrendo, desejar por qualquer motivo que sua própria dor aumente? Mas ainda não era possível responder a essa pergunta.

As botas se aproximaram novamente. A porta se abriu. O'Brien entrou.

Winston ergueu-se de sobressalto. O choque da visão eliminou dele toda a cautela. Pela primeira vez em muitos anos, esqueceu-se da existência da teletela.

— Pegaram você também! — exclamou.

— Pegaram-me há muito tempo — disse O'Brien com uma ironia suave, quase pesarosa. Deu um passo para o lado. Atrás dele surgiu um guarda de peito largo com um cassetete preto comprido na mão.

— Você sabia disso, Winston — disse O'Brien. — Não se engane. Você sabia. Você sempre soube.

Sim, ele percebia agora, sempre soubera disso. Mas não havia tempo para pensar nisso. Só tinha olhos para o cassetete na mão do guarda. Poderia acertá-lo em qualquer lugar: na cabeça, na ponta da orelha, no antebraço, no cotovelo...

O cotovelo! Ele caiu de joelhos, quase paralisado, segurando o cotovelo ferido com a outra mão. Tudo explodiu em uma luz amarela. Inconcebível, inconcebível que um golpe pudesse causar tanta dor! A luz ficou mais clara, e ele pôde ver os dois olhando para ele. O guarda ria de suas contorções. De qualquer forma, uma pergunta estava respondida. Nunca, por nenhuma razão na Terra, seria possível desejar um aumento da dor. Da dor, só era possível desejar uma coisa: que ela cessasse. Nada no mundo era tão ruim quanto a dor física. Diante da dor, não há heróis, não há heróis, ele pensava sem parar, enquanto se contorcia no chão, agarrando inutilmente o braço esquerdo incapacitado.

2

Winston estava deitado sobre algo que lembrava uma cama de acampamento, exceto que era mais alta e que ele estava preso de forma a não poder se mover. Uma luz que parecia mais forte do que o normal incidia sobre seu rosto. O'Brien estava ao seu lado e o observava atentamente. Do outro lado, um homem de jaleco branco segurava uma seringa hipodérmica.

Mesmo depois de abrir completamente os olhos, só aos poucos começou a avaliar o local em que se encontrava. Tinha a impressão de ter chegado àquela sala vindo de um mundo bem diferente, uma espécie de mundo subaquático muito abaixo dali. Não fazia ideia de quanto tempo permanecera lá. Desde o momento em que o tinham prendido, não tinha visto o escuro da noite nem a luz do dia. Além disso, suas memórias não eram contínuas. Houve momentos em que a consciência, até mesmo o tipo de consciência que se tem durante o sono, o deixou para só retornar após intervalos de completo vazio. Mas, se esses intervalos eram de dias, semanas ou apenas segundos, não havia como saber.

Com aquele primeiro golpe no cotovelo, o pesadelo começou. Mais tarde, perceberia que tudo aquilo fora apenas uma preliminar, um interrogatório de rotina ao qual quase todos os prisioneiros eram submetidos. Havia uma grande variedade de crimes — espionagem, sabotagem e outros — que todos eram obrigados a confessar. A confissão era uma formalidade, embora a tortura fosse real. Ele não conseguia lembrar quantas vezes tinha sido espancado e por quanto tempo. Sempre havia cinco ou seis homens em uniformes pretos batendo nele ao mesmo tempo. Às vezes eram punhos, às vezes cassetetes, às vezes barras de aço, às vezes botas. Havia momentos em que rolava pelo chão como um animal, contorcendo-se de um lado para outro em um esforço sem fim e desesperado de se esquivar dos chutes, o que só levava a mais e mais chutes nas costelas, na barriga, nos cotovelos, nas canelas, na virilha, nos testículos, no osso da base da coluna. Havia momentos em que a tortura se prolongava tanto que o que parecia mais cruel, perverso e imperdoável não era que os guardas continuassem a espancá-lo, mas que ele não conseguisse se forçar a perder a consciência. Havia momentos em que a coragem o abandonava de tal maneira que ele começava a gritar por misericórdia antes mesmo que o espancamento começasse. Momentos em que a simples visão de um punho se preparando para desferir um golpe era suficiente para fazê-lo confessar crimes reais e imaginários. Havia outros momentos em que começava decidido a não confessar nada, quando cada palavra precisava ser arrancada dele entre suspiros de dor, e havia ocasiões em que debilmente tentava uma conciliação, quando dizia a si mesmo: "Vou confessar, mas não agora. Devo resistir até que a dor se torne insuportável. Mais três chutes, mais dois chutes, e então direi o que eles querem". Às vezes, era espancado até não poder ficar em pé. Depois o jogavam como a um saco de batatas no chão de pedra de uma cela e o deixavam ali para se recuperar por algumas horas, para depois ser espancado novamente. Também havia períodos mais longos de recuperação. Lembrava-se deles vagamente, porque os passava principalmente dormindo ou paralisado. Lembrava-se de uma cela com uma cama de tábuas, uma espécie de prateleira presa à parede, uma pia de latão, e de refeições compostas de sopa quente, pão e às vezes café. Lembrava-se de um barbeiro mal-humorado que vinha fazer sua barba e cortar seu cabelo, e também de homens sérios e antipáticos que usavam jalecos brancos que vinham examinar seu pulso e seus reflexos, levantavam suas pálpebras, passavam os dedos ásperos sobre ele em busca de ossos quebrados e espetavam agulhas em seu braço para fazê-lo dormir.

As surras tornaram-se menos frequentes e passaram a ser principalmente uma ameaça, um horror ao qual ele poderia retornar a qualquer momento, caso suas respostas fossem insatisfatórias. Seus interrogadores agora não eram rufiões em uniformes pretos, mas intelectuais do Partido, homenzinhos rechonchudos com movimentos rápidos e óculos brilhantes, que se revezavam para interrogá-lo durante períodos que duravam — assim pensava, mas não tinha certeza — de dez a doze horas. Esses outros interrogadores cuidavam para que ele sentisse uma dor leve e constante, mas a dor não era o principal recurso que usavam; esbofeteavam seu rosto, torciam suas orelhas, puxavam seus cabelos, obrigavam-no a ficar de pé sobre uma perna só, não o deixavam urinar, iluminavam seu rosto com luzes fortes até seus olhos lacrimejarem; mas o objetivo daquilo tudo era unicamente humilhá-lo e destruir sua capacidade de argumentar e raciocinar. A verdadeira arma deles era o interrogatório, implacável e interminável, que se estendia por horas, induzindo-o ao erro, criando armadilhas, distorcendo tudo o que ele dizia, incriminando-o a cada passo com mentiras e contradições, até que ele começava a chorar, por vergonha e por exaustão nervosa. Às vezes, chorava meia dúzia de vezes em uma única sessão. Na maioria das vezes, proferiam insultos contra ele e ameaçavam, a cada momento de hesitação, entregá-lo aos guardas novamente; mas às vezes mudavam repentinamente de tom, chamavam-no de camarada, faziam apelos em nome do Socing e do Grande Irmão e perguntavam com tristeza se, mesmo depois de tudo o que havia passado, não tinha um mínimo de lealdade para com o Partido que o fizesse desejar desfazer o mal que havia causado. Quando seus nervos estavam em frangalhos após horas de interrogatório, até mesmo esse apelo era capaz de reduzi-lo a lágrimas copiosas. No final, aquelas vozes irritantes o maltratavam mais do que as botas e os punhos dos guardas. Tornara-se simplesmente uma boca que repetia palavras, uma mão que assinava tudo o que exigissem. Sua única preocupação era descobrir o que queriam que ele confessasse e confessar rápido, antes que o tormento recomeçasse. Confessou o assassinato de membros eminentes do partido, a distribuição de panfletos sediciosos, desvio de fundos públicos, venda de segredos militares, sabotagem de todo tipo. Confessou ser um espião pago pelo governo da Lestásia desde 1968. Confessou ser um crente religioso, um admirador do capitalismo e um pervertido sexual. Confessou ter assassinado sua esposa, embora soubesse, e também deviam saber seus interrogadores, que sua esposa ainda estava viva. Confessou que durante anos estivera em contato pessoal com Goldstein e fora membro de uma organização secreta da qual participavam quase todos os seres humanos que ele conhecera. Era mais fácil confessar tudo e envolver a todos. Além disso, em certo sentido, era tudo verdade. Era verdade que ele tinha sido um inimigo do Partido, e aos olhos do Partido não havia distinção entre pensamento e ação.

Winston também guardava memórias de outro tipo. Elas se destacavam em sua mente de forma desconexa, como imagens cercadas por áreas escuras.

Estava em uma cela que poderia ser escura ou clara, porque não conseguia ver nada além de um par de olhos. Perto dele, algum tipo de instrumento tiquetaqueava lenta e regularmente. Os olhos ficavam maiores e mais luminosos. De repente, ele flutuava para fora da cadeira, mergulhava em direção aos olhos e era engolido por eles.

Estava amarrado a uma cadeira rodeada por mostradores, sob luzes ofuscantes. Um homem de jaleco branco lia os mostradores. Havia um ruído de botas pesadas do lado de fora. A porta se abria com um estrondo. O oficial de rosto de cera entrava, acompanhado por dois guardas.

— Quarto 101 — dizia o oficial.

O homem de jaleco branco não se virava. Tampouco olhava para Winston. Olhava apenas para os mostradores.

Ele deslizava por um corredor enorme, com um quilômetro de largura, inundado por uma gloriosa luz dourada; gargalhava e gritava confissões a plenos pulmões. Confessava tudo, até as coisas que conseguira calar em meio à tortura. Estava contando toda a história de sua vida para um público que já a conhecia. Com ele estavam os guardas, os outros inquisidores, os homens de jaleco branco, O'Brien, Julia, o Sr. Charrington, todos deslizando juntos pelo corredor e gargalhando. Alguma coisa terrível que jazia no futuro, de alguma forma, fora ignorada e não se concretizara. Tudo estava bem, não havia mais dor, o último detalhe de sua vida fora revelado, compreendido e perdoado.

Winston estava se levantando da cama de tábuas com a certeza de ter ouvido a voz de O'Brien. Durante todo o interrogatório, embora não o tivesse visto em nenhum momento, tinha a sensação de que O'Brien estava ao seu lado, fora de seu campo de visão. Era O'Brien quem dirigia tudo. Era ele quem ordenava que os guardas torturassem Winston e também os impedia de matá-lo. Era ele quem decidia quando Winston deveria gritar de dor, quando deveria ter um descanso, quando deveria ser alimentado, quando deveria dormir, quando as drogas deveriam ser injetadas em seu braço. Era ele quem fazia as perguntas e sugeria as respostas. Era ele o algoz, era ele o protetor, era ele o inquisidor, era ele o amigo. E uma vez — Winston não conseguia recordar se estava drogado, se era um período de sono natural, ou mesmo em um momento de vigília — uma voz murmurou em seu ouvido: "Não se preocupe, Winston; você está sob minha guarda. Por sete anos, cuidei de você. Agora chegou o momento decisivo. Vou salvá-lo, vou torná-lo perfeito". Ele não tinha certeza se a voz era de O'Brien, mas era a mesma voz que havia dito a ele, "Ainda nos encontraremos num lugar onde não há escuridão", naquele outro sonho, sete anos atrás.

Ele não se lembrava de haver um final para o interrogatório. Houve um período de escuridão, e depois a cela, ou quarto, em que ele agora estava, foi se materializando aos poucos ao seu redor. Estava deitado de costas e não podia se mover. Seu corpo estava amarrado em todos os pontos essenciais. Até a nuca estava presa. O'Brien olhava para ele com seriedade e bastante tristeza. Seu rosto, visto de baixo, parecia rude e abatido, com bolsas sob os olhos e rugas cansadas que iam do nariz ao queixo. Era mais velho do que Winston imaginava; devia ter uns quarenta e oito ou cinquenta anos. Sob sua mão havia um mostrador com uma alavanca no topo e números ao redor do mostrador.

— Eu disse a você que, se nos encontrássemos novamente, seria aqui — disse O'Brien.

— Sim — concordou Winston.

Sem qualquer aviso, exceto por um leve movimento da mão de O'Brien, uma onda de dor invadiu seu corpo.

Era uma dor assustadora, porque Winston não conseguia ver o que estava acontecendo e tinha a sensação de que recebia algum tipo de ferimento mortal. Não sabia dizer se aquilo estava realmente acontecendo ou se o efeito era produzido eletricamente; mas sentia o corpo se contorcer, as juntas sendo separadas lentamente. Embora a dor deixasse sua testa cheia de suor, o pior de tudo era o medo de que sua coluna estivesse prestes a se partir. Ele cerrou os dentes e respirou fundo pelo nariz, tentando ficar em silêncio pelo maior tempo possível.

— Você está com medo — disse O'Brien, observando seu rosto — de que logo algo se quebre. Em especial, receia que seja sua coluna. Você imagina claramente suas vértebras se partindo e o fluido espinhal escorrendo delas. É nisso que você está pensando, não é, Winston?

Winston não respondeu. O'Brien puxou a alavanca do mostrador. A onda de dor desapareceu quase tão depressa quanto havia surgido.

— Agora quarenta — disse O'Brien. — Você pode ver que os números do mostrador vão até cem. Ao longo de nossa conversa, lembre-se de que tenho o poder de infligir dor a você a qualquer momento e em qualquer nível. Se mentir para mim ou tentar tergiversar de alguma forma, ou mesmo se seu nível usual de inteligência diminuir, você vai gritar de dor imediatamente. Você entendeu?

— Sim — disse Winston.

Os modos de O'Brien tornaram-se menos severos. Ajeitou os óculos pensativamente e deu um ou dois passos para um lado e para o outro. Quando falou novamente, sua voz tinha um tom gentil e paciente. Lembrava um médico, um professor, até mesmo um padre, ansioso para explicar e persuadir ao invés de punir.

— Estou tendo esse trabalho com você, Winston — disse ele –, porque é um caso que vale a pena. Você sabe perfeitamente o que está acontecendo com você. Sabe disso há anos, embora tente negar. Você está mentalmente perturbado. Tem problemas de memória. Você é incapaz de se lembrar de eventos reais e se convence de que se lembra de outras coisas que nunca aconteceram. Felizmente, isso tem cura. Se até agora não se curou disso, foi porque você não quis. Era preciso fazer um pequeno esforço de vontade, mas você não estava pronto para fazer. Mesmo agora, estou bem ciente de que você se apega à sua doença porque acha que ela é uma virtude. Vou dar um exemplo. Neste momento, com qual potência a Oceania está em guerra?

— Quando fui preso, a Oceania estava em guerra com a Lestásia.

— Com a Lestásia. Muito bem. E a Oceania sempre esteve em guerra com a Lestásia, não é?

Winston prendeu a respiração. Abriu a boca para falar, mas permaneceu mudo. Não conseguia tirar os olhos do mostrador.

— A verdade, Winston, por favor. A sua verdade. Diga-me o que você acha que lembra.

— Eu me lembro que, até uma semana antes de ser preso, não estávamos em guerra com a Lestásia. Éramos aliados deles. A guerra era contra a Eurásia. Isso durou quatro anos. Antes disso...

O'Brien o interrompeu com um movimento da mão.

— Outro exemplo — disse ele. — Há alguns anos, você teve uma alucinação muito séria. Você acreditava que três homens, três ex-membros do Partido chamados Jones, Aaronson e Rutherford — homens que foram executados por traição e sabotagem depois de fazerem a confissão mais completa possível — não eram culpados dos crimes dos quais eram acusados. Imaginou ter visto evidências documentais inconfundíveis que provavam que aquelas confissões eram falsas. Havia uma certa fotografia sobre a qual você teve uma alucinação. Você realmente acreditava que a tinha segurado em suas mãos. Era uma fotografia mais ou menos como esta.

Um recorte de jornal retangular surgiu entre os dedos de O'Brien. Por talvez cinco segundos, ela ficou dentro do ângulo de visão de Winston. Era uma fotografia, e não havia dúvida sobre sua identidade. Era aquela fotografia. Uma cópia da fotografia de Jones, Aaronson e Rutherford na festa cerimônia do Partido em Nova York, a foto que encontrara por acaso onze anos antes e que destruíra prontamente. Por apenas um instante, ela esteve diante de seus olhos, depois desapareceu novamente. Mas ele a tinha visto, sem dúvida tinha visto! Winston fez um esforço desesperado e agonizante para libertar a metade superior de seu corpo. Era impossível movimentar-se um centímetro em qualquer direção. Naquele momento, esqueceu-se até do mostrador. Tudo o que queria era segurar a fotografia nas mãos novamente, ou pelo menos olhar de novo para ela.

— Ela existe! — gritou.

— Não — disse O'Brien.

O'Brien foi até o outro lado da sala. Havia um buraco da memória na parede oposta. O'Brien ergueu a grade. Sem que ninguém o visse, o frágil pedaço de papel agora rodopiava na corrente de ar quente e desaparecia em meio às chamas. O'Brien se afastou da parede.

— Cinzas — disse ele. — Nem mesmo cinzas identificáveis. Pó. A foto não existe. Nunca existiu.

— Mas existia! Ainda existe! Existe na memória. Eu me lembro. Você se lembra.

— Não me lembro disso — disse O'Brien.

O coração de Winston ficou apertado. Aquilo era duplipensar. Winston sentiu-se dominado por uma impotência mortal. Se pudesse ter certeza de que O'Brien estava mentindo, não teria feito diferença. Mas era perfeitamente possível que O'Brien realmente tivesse esquecido a fotografia. E, se assim fosse, já teria se esquecido de que negara se lembrar dela, e teria se esquecido até mesmo do ato de esquecer. Como alguém poderia ter certeza de que aquilo era apenas uma trapaça? Talvez aquele desequilíbrio lunático da mente pudesse realmente acontecer: fora esse o pensamento que o derrotara.

O'Brien olhava para ele com uma expressão especulativa. Mais do que nunca, tinha o ar de um professor que lidava com uma criança rebelde, mas promissora.

— Existe um slogan do partido que fala do controle do passado — disse ele. — Repita-o, por favor.

— Quem controla o passado controla o futuro; quem controla o presente controla o passado — repetiu Winston, obedientemente.

— Quem controla o presente controla o passado — disse O'Brien, balançando a cabeça lentamente, em sinal de aprovação. — Você acha, Winston, que o passado tem existência real?

Mais uma vez, o sentimento de impotência tomou conta de Winston. Seus olhos se voltaram para o mostrador. Ele não apenas não sabia se a resposta que o salvaria da dor era "sim" ou "não", como também não sabia qual resposta ele mesmo acreditava ser a verdadeira. O'Brien sorriu.

— Você não é bom em metafísica, Winston — disse ele. — Até este momento, você nunca tinha pensado sobre o que as pessoas entendem por existência. Vou perguntar de uma forma mais clara. O passado existe concretamente, no espaço? Existe um lugar, um mundo de objetos sólidos, onde o passado ainda esteja acontecendo?

— Não.

— Então, onde existe o passado, se é que existe?

— Em documentos. Em registros.

— Em registros. E...

— Na mente. Na memória humana.

— Na memória. Muito bem, então. Nós, o Partido, controlamos todos os documentos e todas as memórias. Então controlamos o passado, não é mesmo?

— Mas como você pode impedir que as pessoas se lembrem das coisas? — gritou Winston novamente, esquecendo-se momentaneamente do mostrador. — É involuntário. Não podemos controlar. Como você pode controlar a memória? Vocês não controlaram a minha!

O'Brien voltou a demonstrar uma atitude severa. Colocou a mão no mostrador.

— Pelo contrário — disse ele –, foi você que não a controlou. Por isso foi trazido para cá. Você está aqui porque não teve humildade e autodisciplina. Não se curvou ao ato de submissão, que é o preço da sanidade. Preferiu ser um lunático, uma minoria de um. Só a mente disciplinada pode enxergar a realidade, Winston. Você acredita que a realidade é algo objetivo, externo, algo que existe por si só. Também acredita que a natureza da realidade é evidente. Quando se ilude pensando que vê algo, você presume que todos os outros veem o mesmo que você. Mas digo a você, Winston, que a realidade não é externa. A realidade existe na mente humana, e em nenhum outro lugar. Não na mente individual, que pode cometer erros e, em todo caso, logo perece. A realidade existe apenas na mente do Partido, que é coletiva e imortal. O que quer que o Partido considere ser a verdade, é a verdade. É impossível ver a realidade, a não ser pelos olhos do Partido. Esse é o fato que você precisa reaprender, Winston. É necessário um ato de autodestruição, um esforço de vontade. Você precisa se humilhar antes de atingir o equilíbrio mental.

O'Brien fez uma pequena pausa, como para permitir que o que estava dizendo fosse absorvido.

— Você se lembra — continuou ele — de ter escrito em seu diário: "Liberdade é a liberdade de dizer que dois mais dois são quatro"?

— Sim — disse Winston.

O'Brien ergueu a mão esquerda com o polegar escondido e os outros quatro dedos estendidos.

— Quantos dedos tem aqui, Winston?

— Quatro.

— E se o Partido disser que não são quatro, mas cinco? Quantos serão?

— Quatro.

A palavra terminou em um suspiro de dor. O ponteiro do mostrador saltou para cinquenta e cinco. O suor escorria por todo o corpo de Winston. O ar invadia seus pulmões e saía novamente em gemidos tão profundos que, mesmo cerrando os dentes, Winston não conseguia sufocar. O'Brien o observava com os quatro dedos ainda estendidos. Puxou a alavanca. Dessa vez, a dor diminuiu apenas um pouco.

— Quantos dedos, Winston?

— Quatro.

O ponteiro subiu para sessenta.

— Quantos dedos, Winston?

— Quatro! Quatro! O que mais eu posso dizer? Quatro!

O ponteiro deve ter subido novamente, mas Winston não olhou para o mostrador. O rosto pesado e severo e os quatro dedos tomavam toda a sua visão. Os dedos se ergueram diante de seus olhos como pilares, enormes, borrados e parecendo vibrar, mas eram inconfundivelmente quatro.

— Quantos dedos, Winston?

— Quatro! Pare, pare! Como pode continuar? Quatro! Quatro!

— Quantos dedos, Winston?

— Cinco! Cinco! Cinco!

— Não, Winston, isso não adianta. Você está mentindo. Você ainda acha que são quatro. Quantos dedos, por favor?

— Quatro! Cinco! Quatro! Quantos você quiser que sejam. Mas pare com isso, pare a dor!

De repente, Winston estava sentado na cama com o braço de O'Brien em volta dos ombros. Talvez tivesse perdido a consciência por alguns segundos. As amarras que seguravam seu corpo tinham sido afrouxadas. Sentia muito frio, tremia incontrolavelmente, os dentes batiam, as lágrimas rolavam por seu rosto. Por um momento, permaneceu agarrado a O'Brien como um bebê, curiosamente confortado pelo braço pesado em volta de seus ombros. Tinha a sensação de que O'Brien era seu protetor, que a dor era algo que vinha de fora, de alguma outra fonte, e que seria O'Brien quem o salvaria dela.

— Você aprende devagar, Winston — disse O'Brien gentilmente.

— Como posso evitar? — soluçou. — Como posso deixar de ver o que está diante dos meus olhos? Dois e dois são quatro.

— Às vezes, Winston. Às vezes, são cinco. Às vezes três. Às vezes, tudo isso ao mesmo tempo. Você precisa se esforçar mais. Não é fácil adquirir equilíbrio mental.

O'Brien deitou Winston na cama. Seus membros foram amarrados novamente, mas a dor diminuíra e o tremor desaparecera, deixando-o apenas fraco e com frio. O'Brien acenou com a cabeça para o homem de jaleco branco, que permanecera imóvel durante todo o processo. O homem inclinou-se e examinou os olhos de Winston, sentiu seu pulso, encostou a orelha em seu peito, bateu aqui e ali e acenou com a cabeça para O'Brien.

— De novo — disse O'Brien.

A dor se espalhou pelo corpo de Winston. O ponteiro devia estar apontando para setenta, setenta e cinco. Dessa vez, ele fechou os olhos. Sabia que os dedos ainda estavam ali, e ainda eram quatro. Tudo o que importava era encontrar uma forma de permanecer vivo até o espasmo passar. Já não sabia se estava gritando ou não. A dor diminuiu novamente. Winston abriu os olhos. O'Brien desligou a alavanca.

— Quantos dedos, Winston?

— Quatro. Suponho que sejam quatro. Eu veria cinco, se pudesse. Estou tentando ver cinco.

— O que você quer? Convencer-me de que vê cinco ou realmente vê-los?

— Vê-los.

— De novo — disse O'Brien.

Talvez o ponteiro estivesse em oitenta, talvez noventa. Winston só às vezes se lembrava do motivo pelo qual sentia a dor. Atrás das pálpebras fechadas, uma floresta de dedos parecia se mover em uma espécie de dança, entrelaçando-se e desentrelaçando-se, desaparecendo uns atrás dos outros e reaparecendo novamente. Winston tentava contá-los, mas não conseguia se lembrar por quê. Sabia apenas que era impossível contá-los e que isso de alguma forma se devia à misteriosa identidade entre cinco e quatro. A dor diminuiu novamente. Quando abriu os olhos, descobriu que ainda via a mesma coisa. Inúmeros dedos, como árvores em movimento, continuavam a se mover nas duas direções, cruzando-se e descruzando-se. Ele fechou os olhos novamente.

— Quantos dedos estou mostrando, Winston?

— Não sei. Não sei. Você vai me matar se fizer isso de novo. Quatro, cinco, seis... com toda a honestidade, não sei.

— Assim está melhor — disse O'Brien.

Uma agulha perfurou o braço de Winston. Quase no mesmo instante, um calor abençoado e curador espalhou-se por todo o seu corpo. A dor já estava quase esquecida. Ele abriu os olhos e olhou agradecido para O'Brien. Ao ver o rosto rude e enrugado, tão feio e inteligente, seu coração pareceu saltar. Se pudesse mover-se, teria estendido a mão e colocado no braço de O'Brien. Nunca o amara tão profundamente como naquele momento, e não apenas porque ele fizera a dor parar. A velha sensação de que, no fundo, não importava se O'Brien era um amigo ou um inimigo, havia voltado. O'Brien era uma pessoa com quem se podia conversar. Talvez fosse mais importante ser amado do que ser compreendido. O'Brien o havia torturado até a beira da loucura e, em pouco tempo, era certo, o enviaria para a morte. Não fazia diferença. Em certo sentido, que ia além da amizade, eram íntimos: em algum lugar, embora as palavras jamais viessem a ser ditas, havia um lugar em que eles podiam se encontrar e conversar. O'Brien olhava para ele com uma expressão que sugeria que o mesmo pensamento poderia estar em sua mente. Quando falou, o fez em um tom afável e coloquial.

— Você sabe onde está, Winston? — perguntou.

— Não. Imagino que no Ministério do Amor.

— Sabe há quanto tempo está aqui?

— Não imagino. Dias, semanas, meses. Acho que há alguns meses.

— E por que você imagina que trazemos as pessoas para este lugar?

— Para fazê-las confessar.

— Não, não é esse o motivo. Tente novamente.

— Para castigá-las?

— Não! — exclamou O'Brien. Sua voz se modificara extraordinariamente, e seu rosto de repente se tornara ríspido, mas animado. — Não! Não é apenas para extrair sua confissão, nem para puni-lo. Preciso explicar por que trouxemos você para cá? Para curá-lo! Para torná-lo uma pessoa equilibrada! Será que é difícil entender, Winston, que ninguém sai deste lugar sem estar curado? Não estamos interessados nesses crimes estúpidos que você cometeu. O Partido não está interessado no ato em si: o pensamento é tudo o que nos preocupa. Não apenas destruímos nossos inimigos, mas os transformamos. Você entende o que quero dizer com isso?

Ele estava curvado sobre Winston. Seu rosto parecia enorme, devido à proximidade, e terrivelmente feio, por estar sendo visto de baixo. Além disso, ele estava tomado por uma espécie de exaltação, uma intensidade lunática. Mais uma vez, o coração de Winston se encolheu. Se fosse possível, ele teria se afundado ainda mais na cama. Ele tinha a certeza de que O'Brien estava prestes a girar o botão por puro capricho. Nesse momento, porém, O'Brien se afastou, deu um ou dois passos para lá e para cá. Depois, continuou com menos veemência:

— A primeira coisa que você precisa entender é que neste lugar não há martírios. Você leu sobre as perseguições religiosas do passado. Na Idade Média, houve a Inquisição. Foi um fracasso. O objetivo era erradicar a heresia e acabou por perpetuá-la. Para cada herege queimado na fogueira, milhares de outros surgiram. Por que aconteceu isso? Porque a Inquisição matava seus inimigos abertamente e os matava enquanto ainda não tinham se arrependido. Na verdade, matava-os porque não estavam arrependidos. As pessoas morriam porque não abandonavam suas verdadeiras crenças. Naturalmente, toda a glória ficava com a vítima e toda a vergonha com o inquisidor que a mandava para a fogueira. Mais tarde, no século XX, surgiram os totalitários, como eram chamados. Havia os nazistas alemães e os comunistas russos. Os russos perseguiram a heresia com ainda mais crueldade do que a Inquisição. E eles imaginaram que haviam aprendido com os erros do passado; sabiam que não deveriam criar mártires. Antes de exporem suas vítimas a julgamento público, cuidavam de destruir sua dignidade. Destruíam suas vítimas com a tortura e a solidão até transformá-las em criaturas miseráveis e desprezíveis, que confessavam o que quer que fosse colocado em suas bocas, cobriam-se a si mesmas de injúrias, acusavam-se e protegiam-se umas atrás das outras, suplicando por misericórdia. No entanto, depois de alguns anos, a mesma coisa aconteceu novamente. Os mortos se tornaram mártires, e sua degradação foi esquecida. Mais uma vez, diga-me por que isso aconteceu. Em primeiro lugar, porque as confissões que fizeram eram obviamente extorquidas e falsas. Não cometemos erros desse tipo. Todas as confissões proferidas aqui são verdadeiras. Nós as tornamos verdadeiras. E, acima de tudo, não permitimos que os mortos se levantem contra nós. Você precisa parar de imaginar que a posteridade o absolverá, Winston. A posteridade nunca vai ouvir falar de você. Você será excluído da corrente da história. Vamos transformá-lo em gás e colocá-lo na estratosfera. Nada restará de você, nem um nome no livro de registros, nem uma memória em um cérebro vivo. Você será aniquilado, no passado e no futuro. Nunca terá existido.

Então por que se preocupar em me torturar?, pensou Winston, com uma amargura momentânea. O'Brien estancou, como se Winston tivesse pronunciado o pensamento em voz alta. Seu rosto grande e feio se aproximou, com os olhos um tanto apertados.

— Você está pensando: já que, uma vez que pretendemos destruí-lo totalmente, nada do que diga ou faça possa fazer a menor diferença, por que nos damos ao trabalho de interrogá-lo? Era isso que você estava pensando, não é?

— Sim — respondeu Winston.

O'Brien sorriu ligeiramente. — Você é uma peça com defeito, Winston. Uma mancha que deve ser eliminada. Não disse há pouco que somos diferentes dos perseguidores do passado? Não nos contentamos com a obediência negativa, nem mesmo com a mais abjeta submissão. Quando finalmente se render a nós, deve ser por sua própria vontade. Não destruímos o herege porque ele resiste a nós: enquanto ele demonstrar resistência, nunca o destruiremos. Nós o convertemos, capturamos sua mente interior, o remodelamos. Arrancamos dele todo o mal e toda a ilusão; depois o trazemos para o nosso lado, não em aparência, mas genuinamente, de corpo e alma. Antes de eliminá-lo, fazemos com que se torne um de nós. É intolerável para nós que um pensamento errôneo exista em qualquer parte do mundo, por mais secreto e impotente que seja. Mesmo no instante da morte, não podemos permitir qualquer desvio. No passado, o herege ia para a fogueira ainda herege, proclamando sua heresia, exultando com ela. Até mesmo a vítima dos expurgos russos poderia carregar a rebelião presa em seu crânio enquanto caminhava pelo corredor à espera da bala. Mas nós tornamos o cérebro perfeito antes de destruí-lo. A ordem dos antigos despotismos era "Não irás". A ordem dos totalitários era "Irás". Nosso comando é "És". Ninguém que trouxemos para este lugar jamais se rebelou contra nós. Todos passam por uma lavagem e limpeza completas. Mesmo aqueles três miseráveis traidores em cuja inocência você acreditava — Jones, Aaronson e Rutherford –, por fim os derrotamos. Eu mesmo participei do interrogatório. Eu os vi gradualmente esgotados, lamentando-se, rastejando, chorando — e no final não era de dor ou medo, apenas de penitência. Quando acabamos com eles, eram apenas cascas de homens. Não sobrou nada neles, exceto arrependimento pelo que haviam feito e amor pelo Grande Irmão. Foi comovente ver como o amavam. Eles imploraram para serem fuzilados rapidamente, para que pudessem morrer enquanto suas mentes ainda estavam limpas.

A voz de O'Brien tinha um tom quase sonhador. Em seu rosto, ainda era possível notar o arrebatamento, o entusiasmo delirante. Ele não está fingindo, pensou Winston, não é um hipócrita, acredita em cada palavra que diz. O que mais o oprimia era a consciência de sua própria inferioridade intelectual. Observava a forma pesada, mas graciosa, andando de um lado para outro, dentro e fora do alcance de sua visão. O'Brien era, em todos os sentidos, um ser maior do que ele. Não havia ideia que já tivesse tido, ou pudesse ter, que O'Brien não tivesse conhecido, examinado e rejeitado há muito tempo. Sua mente continha a mente de Winston. Mas, nesse caso, como poderia ser verdade que O'Brien estava louco? Devia ser ele, Winston, quem estava louco. O'Brien parou e olhou para ele. Sua voz voltou a assumir um tom severo.

— Não pense que você vai se salvar, Winston, por mais que se entregue completamente a nós. Ninguém que tenha se desencaminhado uma vez é poupado. E, mesmo que optássemos por deixá-lo viver até o fim de sua vida, você nunca escaparia de nós. O que acontecer com você aqui é para sempre. Entenda isso desde já. Vamos esmagá-lo até um ponto em que não haverá mais volta. Acontecerão coisas com você das quais não poderia se recuperar, mesmo que vivesse mil anos. Nunca mais será capaz de sentir os sentimentos humanos comuns. Tudo estará morto dentro de você. Nunca mais você será capaz de experimentar o amor, a amizade, a alegria de viver, o riso, a curiosidade, a coragem ou a integridade. Você ficará vazio. Vamos espremê-lo até deixá-lo vazio e, depois, vamos preenchê-lo com nós mesmos.

O'Brien fez uma pausa e gesticulou para o homem de jaleco branco. Winston percebeu que algum aparelho pesado estava sendo colocado atrás de sua cabeça. O'Brien sentou-se ao lado da cama, de modo que seu rosto ficou quase no mesmo nível do de Winston.

— Três mil — disse ele, falando por cima da cabeça de Winston com o homem de jaleco branco.

Duas almofadas macias, que pareciam ligeiramente úmidas, foram presas às têmporas de Winston. Ele estremeceu. A dor estava a caminho, um novo tipo de dor. O'Brien pousou a mão sobre a dele de maneira tranquilizadora, quase gentil.

— Desta vez não vai doer — disse ele. — Mantenha os olhos fixos nos meus.

Nesse momento, houve uma explosão devastadora, ou o que pareceu ter sido uma explosão, embora não fosse possível ter certeza de que houvera algum ruído. Houve, sem dúvida, um clarão de luz ofuscante. Winston não estava ferido, sentia-se apenas prostrado. Embora já estivesse deitado de costas quando a coisa aconteceu, teve a curiosa sensação de ter sido arremessado naquela posição. Um golpe terrível e indolor o deixara estatelado. Além disso, algo havia acontecido dentro de sua cabeça. Quando seus olhos recuperaram o foco, ele se lembrou de quem era e onde estava, e reconheceu o rosto que olhava para ele; mas em algum lugar havia um grande vazio, como se tivessem retirado um pedaço de seu cérebro.

— Não vai demorar — disse O'Brien. — Olhe nos meus olhos. Com que país está a Oceania em guerra?

Winston pensou. Ele sabia o que significava Oceania e que ele próprio era um cidadão da Oceania. Também se lembrava da Eurásia e da Lestásia; mas não sabia quem estava em guerra com quem. Na verdade, nem sabia que havia uma guerra.

— Não me lembro.

— A Oceania está em guerra com a Lestásia. Lembra agora?

— Sim.

— A Oceania sempre esteve em guerra com a Lestásia. Desde o início da sua vida, desde o início do Partido, desde o início da história, a guerra continua, sem interrupção, sempre a mesma guerra. Lembra disso?

— Sim.

— Onze anos atrás, você criou uma lenda sobre três homens que haviam sido condenados à morte por traição. Imaginou ter visto um pedaço de papel que provava que eram inocentes. Esse pedaço de papel nunca existiu. Foi uma invenção sua e, mais tarde, você passou a acreditar que ele existia. Agora você se lembra do momento exato em que inventou essa história. Lembra?

— Sim.

— Agora mesmo, mostrei a você os dedos da minha mão. Você viu cinco dedos. Lembra disso?

— Sim.

O'Brien ergueu os dedos da mão esquerda, com o polegar escondido.

— Existem cinco dedos aqui. Você vê cinco dedos?

— Sim.

E ele realmente os viu, por um instante fugaz, antes que o cenário de sua mente se alterasse. Viu cinco dedos, e não havia nenhuma deformidade. Então tudo voltou ao normal, e o antigo medo, o ódio e a perplexidade retornaram. Mas houve um momento — Winston não sabia dizer quanto tempo, trinta segundos, talvez — de certeza luminosa, em que cada nova sugestão de O'Brien preenchia um vazio e se tornava verdade absoluta, e em que dois e dois poderiam ser três com a mesma facilidade com que poderiam ser cinco, se assim fosse necessário. A certeza se desfez antes que O'Brien abaixasse a mão; mas, embora não pudesse recapturá-la, Winston conseguia se lembrar dela como alguém que se lembra de uma experiência marcante em algum período de sua vida, quando na verdade era uma pessoa diferente.

— Você vê agora — disse O'Brien — que é perfeitamente possível.

— Sim — disse Winston.

O'Brien se levantou com ar satisfeito. À sua esquerda, Winston viu o homem de jaleco branco quebrar uma ampola e puxar o êmbolo de uma seringa. O'Brien voltou-se para Winston com um sorriso. Quase à maneira antiga, ajeitou os óculos no nariz.

— Você se lembra de ter escrito em seu diário que não importava se eu era amigo ou inimigo, e que eu era pelo menos uma pessoa que o compreendia e com quem podia conversar? Você estava certo. Gosto de falar com você. Sua mente me atrai. Assemelha-se à minha própria mente, com a diferença de que você é louco. Antes de encerrarmos a sessão, você pode me fazer algumas perguntas, se quiser.

— Sobre qualquer coisa?

— Qualquer coisa. — O'Brien notou que os olhos de Winston estavam pousados no mostrador. — Está desligado. Qual é a primeira pergunta?

— O que vocês fizeram com Julia? — perguntou Winston.

O'Brien sorriu novamente.

— Ela traiu você, Winston. Imediatamente e sem reservas. Raras vezes vi alguém vir até nós com tanta rapidez. Você mal a reconheceria se a visse. Toda a sua rebeldia, sua astúcia, sua loucura, sua mente suja — tudo foi extraído dela. Foi uma conversão perfeita, um caso clássico.

— Vocês a torturaram?

O'Brien deixou essa pergunta sem resposta.

— Próxima pergunta.

— O Grande Irmão existe?

— Claro que ele existe. O Partido existe. O Grande Irmão é a personificação do Partido.

— Mas existe da mesma forma que eu existo?

— Você não existe — disse O'Brien.

Mais uma vez, a sensação de impotência o assaltou. Ele conhecia, ou podia imaginar, os argumentos que provavam sua inexistência; mas eram um disparate, um simples jogo de palavras. Por acaso a declaração "Você não existe" não continha um absurdo lógico? Mas de que adiantava dizer isso? Sua mente se encolhia ao pensar nos argumentos insanos e irrespondíveis com os quais O'Brien o destruiria.

— Acho que existo — disse ele, cansado. — Estou consciente da minha própria identidade. Eu nasci e vou morrer. Tenho braços e pernas. Ocupo um ponto particular no espaço. Nenhum outro objeto sólido pode ocupar o mesmo ponto simultaneamente. É nesse sentido que o Grande Irmão existe?

— Isso é irrelevante. Ele existe.
— O Grande Irmão algum dia morrerá?
— Claro que não. Como poderia? Próxima pergunta.
— A Irmandade existe?
— Isso, Winston, você nunca saberá. Mesmo se decidirmos libertá-lo quando terminarmos com você, e mesmo que viva até os noventa anos, ainda assim você nunca saberá se a resposta a essa pergunta é sim ou não. Enquanto você viver, esse será um enigma sem solução na sua mente.

Winston permaneceu em silêncio. Seu peito se movimentava para cima e para baixo a uma velocidade um pouco maior. Ainda não havia feito a pergunta que primeiro lhe viera à mente. Ele precisava perguntar, mas era como se sua língua não quisesse pronunciá-la. Havia um quê de divertimento no rosto de O'Brien. Até mesmo seus óculos pareciam ter um brilho irônico. Ele sabe, pensou Winston de repente, ele sabe o que vou perguntar! Ao pensar nisso, as palavras saíram de sua boca:

— O que há no quarto 101?

A expressão no rosto de O'Brien não se modificou. Ele respondeu secamente:

— Você sabe o que há no quarto 101, Winston. Todo mundo sabe o que há no quarto 101.

O'Brien ergueu um dedo para o homem de jaleco branco. Evidentemente, a sessão estava encerrada. Uma agulha perfurou o braço de Winston, que mergulhou quase instantaneamente em um sono profundo.

3

— Existem três fases na sua reintegração — disse O'Brien. — Existe aprendizagem, existe compreensão e existe aceitação. É hora de você entrar no segundo estágio.

Como sempre, Winston estava deitado de costas. Ultimamente, porém, deixavam as amarras mais frouxas. Eles ainda o seguravam na cama, mas ele conseguia mexer um pouco os joelhos e virar a cabeça de um lado para o outro e levantar os braços a partir do cotovelo. O mostrador também tinha se tornado menos assustador. Ele conseguia evitar a dor excruciante sempre que usava de uma suficiente rapidez mental: era sobretudo quando mostrava estupidez que O'Brien puxava a alavanca. Às vezes, eles conseguiam passar por uma sessão inteira sem usar o mostrador. Ele não conseguia se lembrar de quantas sessões haviam acontecido. Todo o processo parecia se estender por um longo tempo indefinido — semanas, possivelmente –, e os intervalos entre as sessões às vezes podiam ser dias, às vezes apenas uma ou duas horas.

— Deitado aí — disse O'Brien –, você sempre se perguntou — você até me perguntou — por que o Ministério do Amor deveria gastar tanto tempo e trabalho com você. E quando você estava livre, ficava intrigado com o que era no fundo a mesma pergunta. Compreendia a mecânica da sociedade em que vivia, mas não seus motivos subjacentes. Você se lembra de ter escrito em seu diário, "Eu entendo como: Eu não entendo por quê"? Foi quando você pensou no "porquê" que duvidou de sua própria sanidade. Você leu o livro, o livro de Goldstein, ou partes dele, pelo menos. Você aprendeu alguma coisa lá que ainda não soubesse?

— Você também leu o livro? — quis saber Winston.

— Eu o escrevi. Quer dizer, ajudei a escrevê-lo. Nenhum livro é produzido individualmente, como você sabe.

— É verdade o que ele diz?

— Como descrição, sim. Mas o programa que ele apresenta é pura bobagem: a acumulação secreta de conhecimento — uma difusão gradual do iluminismo — em última análise, uma rebelião proletária — a derrubada do Partido. Você mesmo previu que ele diria isso. Tudo bobagem. Os proletários nunca se revoltarão, nem em mil anos ou em um milhão. Eles não têm como. Não preciso dizer o motivo: você já sabe também. Se você já acalentou algum sonho de insurreição violenta, deve abandoná-lo. Não há como o partido ser derrubado. A regra do Partido é para sempre. Faça disso o ponto de partida de seus pensamentos.

Ele se aproximou da cama.

— Para sempre! — repetiu ele. — E agora vamos voltar à questão de "como" e "por quê". Você entende muito bem como o Partido se mantém no poder. Agora me diga por que nos agarramos ao poder. Qual é o nosso motivo? Por que devemos querer poder? Vá em frente, fale — acrescentou, enquanto Winston permanecia em silêncio.

Mesmo assim, Winston não falou mais nada por um ou dois minutos. Uma sensação de cansaço o dominava. O brilho fraco e louco de entusiasmo voltou ao rosto de O'Brien. Ele sabia de antemão o que O'Brien diria. Que o Partido não buscava o poder para seus próprios fins, apenas para o bem da maioria. Que buscava o poder porque os homens da massa eram criaturas frágeis e covardes que não podiam suportar a liberdade ou enfrentar a verdade, e deveriam ser governados e sistematicamente enganados por outros que eram mais fortes do que eles. Que a escolha para a humanidade estava entre liberdade e felicidade e que, para a grande maioria da humanidade, a felicidade era melhor. Que o partido era o guardião eterno dos fracos, uma seita dedicada a fazer o mal para que o bem viesse, sacrificando sua própria felicidade pela dos outros. O terrível, pensou Winston, o terrível era que, quando O'Brien dissesse isso, ele acreditaria. Podia-se ver em seu rosto. O'Brien sabia de tudo. Mil vezes melhor do que Winston, ele sabia como era realmente o mundo, em que degradação vivia a massa dos seres humanos e por que mentiras e barbaridades o Partido os mantinha ali. Ele entendeu tudo, pesou tudo e não fez diferença: tudo era justificado pelo propósito final. O que você pode fazer contra o lunático que é mais inteligente do que você, que dá a seus argumentos um julgamento justo e então simplesmente persiste em sua loucura?

— Você está governando sobre nós para o nosso próprio bem — disse ele, debilmente. — Você acredita que os seres humanos não estão preparados para governar a si mesmos, portanto...

Ele se assustou e quase gritou. Uma pontada de dor percorreu seu corpo. O'Brien havia empurrado a alavanca do *dial* para trinta e cinco.

— Isso foi estúpido, Winston, estúpido! — disse ele. –Você não deveria dizer uma coisa dessas.

Ele puxou a alavanca para trás e continuou:

— Agora vou te dizer a resposta à minha pergunta. É isto. O Partido busca o poder inteiramente para o seu próprio bem. Não estamos interessados no bem dos outros; estamos interessados apenas no poder. Não na riqueza, no luxo, na vida longa ou felicidade: apenas poder, puro poder. O que significa puro poder você entenderá agora. Somos diferentes de todas as oligarquias do passado, porque sabemos o que fazemos. Todos os outros, mesmo aqueles que se pareciam conosco, eram covardes e hipócritas. Os nazistas alemães e os comunistas russos chegaram muito perto de nós em seus métodos, mas nunca tiveram a coragem de reconhecer seus próprios motivos. Eles fingiam, talvez até acreditassem, que haviam assumido o poder de má vontade e por um tempo limitado, e que, ao virarem a esquina, havia um paraíso onde os seres humanos seriam livres e iguais. Nós não somos assim. Sabemos que ninguém jamais toma o poder com a intenção de abandoná-lo. O poder não é um meio, é um fim. Não se estabelece uma ditadura para salvaguardar uma revolução; faz-se a revolução para estabelecer a ditadura. O objeto da perseguição é a perseguição. O objeto da tortura é a tortura. O objeto do poder é o poder. Agora você começa a me entender?

    Winston ficou impressionado, como já ocorrera, com o cansaço da expressão do rosto de O'Brien. Era forte, carnudo e brutal, cheio de inteligência e uma espécie de paixão controlada diante da qual ele se sentia impotente; mas estava cansado. Ele tinha grandes olheiras e a pele das maçãs do rosto era flácida. O'Brien se inclinou sobre ele, trazendo deliberadamente o rosto desgastado para mais perto.

— Você está pensando — disse ele — que meu rosto está velho e cansado. Você está pensando que eu falo de poder, mas não sou capaz sequer de impedir a decomposição de meu próprio corpo. Você não consegue entender, Winston, que o indivíduo é apenas uma célula? O cansaço da célula é o vigor do organismo. Você morre quando corta as unhas?

Ele se afastou da cama e começou a andar para cima e para baixo de novo, com uma das mãos no bolso.

— Somos os sacerdotes do poder — disse ele. — Deus é poder. Mas, no momento, poder é apenas uma palavra no que diz respeito a você. É hora de ter alguma ideia do que significa poder. A primeira coisa que deve perceber é que o poder é coletivo. O indivíduo só tem poder na medida em que deixa de ser um indivíduo. Você conhece o slogan do Partido: "liberdade é escravidão". Já lhe ocorreu que o contrário se aplique? A escravidão é liberdade. Sozinho — livre — o ser humano está sempre derrotado. Deve ser assim, porque todo ser humano está condenado à morte, que é o maior de todos os fracassos. Mas se ele pode fazer uma submissão completa e absoluta, se ele pode escapar de sua identidade, se pode se fundir no Partido para que seja o Partido, então ele é todo-poderoso e imortal. A segunda coisa que você precisa entender é que poder é poder sobre os seres humanos. Sobre o corpo — mas, acima de tudo, sobre a mente. O poder sobre a matéria — realidade externa, como você a chamaria — não é importante. Nosso controle sobre a matéria já é absoluto.

Por um momento, Winston ignorou o botão. Ele fez um esforço violento para se sentar e apenas conseguiu torcer o corpo dolorosamente.

— Mas como você pode controlar a matéria? — explodiu. — Você nem mesmo controla o clima ou a lei da gravidade! E há doença, dor, morte...

O'Brien o silenciou com um movimento de sua mão.

— Nós controlamos a matéria porque controlamos a mente. A realidade está dentro do crânio. Você aprenderá isso gradualmente, Winston. Não há nada que não possamos fazer. Invisibilidade, levitação — qualquer coisa. Eu poderia flutuar nesse chão como uma bolha de sabão, se quiser. Não desejo, porque o Partido não o deseja. Você deve se livrar dessas ideias do século XIX sobre as leis da natureza. Nós fazemos as leis da natureza.

— Mas você não! Vocês nem mesmo são mestres deste planeta. E a Eurásia e a Lestásia? Vocês ainda não as conquistaram.

— Não faz diferença. Devemos conquistá-las quando nos for conveniente. E se não conquistássemos, que diferença faria? Podemos excluí-las da existência. A Oceania é o mundo.

— Mas o próprio mundo é apenas uma partícula de poeira. E o homem é minúsculo e indefeso! Há quanto tempo ele existe? Por milhões de anos, a Terra foi desabitada.

— Absurdo. A Terra é tão velha quanto nós, não mais velha. Como poderia ser mais antiga? Nada existe, exceto através da consciência humana.

— Mas as rochas estão cheias de ossos de animais extintos — mamutes e mastodontes e enormes répteis que viveram aqui muito antes de se falar no homem.

— Você já viu tais ossos, Winston? Claro que não. Os biólogos do século XIX os inventaram. Antes do homem não havia nada. Depois do homem, se sua extinção vier a ocorrer, não haverá nada. Fora do homem, não há nada.

— Mas todo o universo está fora de nós. Olhe para as estrelas! Algumas delas estão a um milhão de anos-luz de distância. Elas estão fora do nosso alcance para sempre.

— O que são as estrelas? — disse O'Brien, com indiferença. — Elas são pedaços de fogo a alguns quilômetros de distância. Poderíamos alcançá-las se quiséssemos. Ou podemos apagá-las. A Terra é o centro do universo. O sol e as estrelas giram em torno dele.

Winston fez outro movimento convulsivo. Dessa vez ele não disse nada. O'Brien continuou como se respondesse a uma objeção falada:

— Para certos fins, é claro, isso não é verdade. Quando navegamos no oceano, ou quando prevemos um eclipse, frequentemente achamos conveniente presumir que a Terra gira em torno do sol e que as estrelas estão a milhões e milhões de quilômetros de distância. Mas e daí? Você acha que está além de nós produzir um sistema dual de astronomia? As estrelas podem estar próximas ou distantes, conforme a necessidade. Você acha que nossos matemáticos são diferentes disso? Você se esqueceu do duplipensar?

Winston se encolheu na cama. O que quer que ele tivesse dito, a resposta rápida o esmagara como um cacete. E ainda assim sabia, sabia, que ele estava certo. Certamente deveria haver alguma maneira de demonstrar que era falsa a crença de que nada existe fora de sua própria mente. Não teria ele sido exposto há muito tempo como uma falácia? Havia até um nome para ele, que havia esquecido. Um leve sorriso contraiu os cantos da boca de O'Brien quando olhou para Winston.

— Eu disse a você, Winston, que a metafísica não é o seu ponto forte. A palavra que você está tentando pensar é solipsismo. Mas você está enganado. Isso não é solipsismo. Solipsismo coletivo, se preferir. Mas isso é uma coisa diferente: na verdade, o oposto. Tudo isso é uma digressão — acrescentou, em um tom diferente. — O poder real, o poder pelo qual temos que lutar noite e dia, não é o poder sobre as coisas, mas sobre os homens. — Ele fez uma pausa, e por um momento assumiu novamente seu ar de um professor questionando um aluno promissor: — Como algum homem afirma seu poder sobre o outro, Winston?

Winston pensou.

— Fazendo-o sofrer — respondeu.

— Exatamente. Fazendo-o sofrer. Obediência não é suficiente. A menos que ele esteja sofrendo, como você pode ter certeza de que ele está obedecendo à sua vontade e não à dele? O poder está em infligir dor e humilhação. O poder está em despedaçar as mentes humanas e colocá-las juntas novamente em novas formas de sua própria escolha. Você começa a ver, então, que tipo de mundo estamos criando? É exatamente o oposto das utopias hedonistas estúpidas que os antigos reformadores imaginaram. Um mundo de medo, traição e tormento, um mundo de atropelamento e sendo pisoteado, um mundo que crescerá não menos, mas mais impiedoso à medida que se refina. O progresso em nosso mundo será um progresso em direção a mais dor. As antigas civilizações afirmavam que foram fundadas no amor ou na justiça. A nossa é baseada no ódio. Em nosso mundo não haverá emoções exceto medo, raiva, triunfo e auto-humilhação. Devemos destruir tudo, tudo mesmo. Já estamos quebrando os hábitos de pensamento que sobreviveram antes da Revolução. Cortamos os laços entre filho e pai, entre homem e homem e entre homem e mulher. Ninguém ousa mais confiar em uma esposa, em um filho ou em um amigo. Mas no futuro não haverá esposas e amigos. As crianças serão tiradas de suas mães ao nascer, como se tiram ovos de uma galinha. O instinto sexual será erradicado. A procriação será uma formalidade anual, como a renovação de um cartão de racionamento. Devemos abolir o orgasmo. Nossos neurologistas estão trabalhando nisso agora. Não haverá lealdade, exceto lealdade para com o Partido. Não haverá amor, exceto o amor do Grande Irmão. Não haverá risos, exceto o riso de triunfo sobre um inimigo derrotado. Não haverá arte, nem literatura, nem ciência. Quando formos onipotentes, não teremos mais necessidade de ciência. Não haverá distinção entre beleza e feiura. Não haverá curiosidade, nem prazer no processo da vida. Todos os prazeres concorrentes serão destruídos. Mas sempre — não se esqueça disso, Winston — sempre haverá a embriaguez do poder, sempre aumentando e cada vez mais sutil. Sempre, a cada momento, haverá a emoção da vitória, a sensação de pisar em um inimigo indefeso. Se você quer uma foto do futuro, imagine uma bota pisando em um rosto humano eternamente.

    Ele fez uma pausa como se esperasse que Winston falasse. Winston tentou se encolher de volta na superfície da cama novamente. Não podia dizer nada. Seu coração parecia estar congelado. O'Brien continuou:

— E lembre-se de que é para sempre. O rosto sempre estará lá para ser carimbado. O herege, o inimigo da sociedade, estará sempre presente, para que seja derrotado e humilhado novamente. Tudo o que você passou desde que está em nossas mãos — tudo isso vai continuar ou será ainda pior. A espionagem, as traições, as prisões, as torturas, as execuções, os desaparecimentos nunca cessarão. Será um mundo de terror tanto quanto um mundo de triunfo. Quanto mais poderoso for o Partido, menos tolerante ele será: quanto mais fraca a oposição, mais rígido é o despotismo. Goldstein e suas heresias viverão para sempre. Todos os dias, a cada momento, eles serão derrotados, desacreditados, ridicularizados, cuspidos e ainda assim sempre sobreviverão. Este drama que encenei com você durante sete anos será representado indefinidamente, geração após geração, sempre das formas mais sutis. Sempre teremos o herege aqui à nossa mercê, gritando de dor, despedaçado, desprezível — e no final totalmente penitente, salvo de si mesmo, rastejando até nossos pés por sua própria vontade. Esse é o mundo que estamos preparando, Winston. Um mundo de vitória após vitória, triunfo após triunfo, uma sucessão infinita de pressões, pressões, pressões sobre o nervo do poder... posso notar que você está começando a perceber como será esse mundo. Mas no final você fará mais do que entendê-lo. Você vai aceitá-lo, dar boas-vindas a ele e tornar-se parte dele.

Winston havia se recuperado o suficiente para falar.

— Vocês não podem! — disse ele, fracamente.

— O que você quer dizer com isso, Winston?

— Você não poderia criar um mundo como acabou de descrever. É um sonho. É impossível.

— Por quê?

— É impossível fundar uma civilização com base no medo, no ódio e na crueldade. Isso nunca duraria.

— Por que não?

— Não teria vitalidade. Ela iria se desintegrar. Ela cometeria suicídio.

— Absurdo. Você tem a impressão de que o ódio é mais exaustivo do que o amor. Por que deveria ser? E se fosse, que diferença isso faria? Suponha que optemos por nos desgastar mais rapidamente. Suponha que aceleremos o ritmo da vida humana até que os homens fiquem senis aos trinta. Ainda assim, que diferença isso faria? Será que você não entende que a morte de um indivíduo não é morte? A festa é imortal.

Como sempre, a voz deixou Winston impotente. Além disso, ele estava com medo de que, se persistisse em seu desacordo, O'Brien girasse o botão do mostrador novamente. E ainda assim ele não conseguia ficar em silêncio. Debilmente, sem argumentos, sem nada para apoiá-lo, exceto seu horror inarticulado pelo que O'Brien havia dito, ele voltou ao ataque.

— Eu não sei, eu não me importo. De alguma forma você falhará. Algo irá derrotá-lo. A vida vai derrotar você.

— Nós controlamos a vida, Winston, em todos os seus níveis. Você está imaginando que existe algo chamado natureza humana que ficará indignada com o que fazemos e se voltará contra nós. Mas nós criamos a natureza humana. Os homens são infinitamente maleáveis. Ou talvez você tenha voltado à sua velha ideia de que os proletários ou escravos se unirão e nos derrubarão. Tire isso da cabeça. Eles estão desamparados, como os animais. A humanidade é o Partido. Os outros estão fora — irrelevantes.

— Eu não me importo. No final, eles vão bater em você. Mais cedo ou mais tarde, eles verão você pelo que você é e depois o farão em pedaços.

— Você vê algum indício de que isso esteja acontecendo? Ou alguma razão para que venha a acontecer?

— Não. Mas eu acredito nisso. Eu sei que vocês irão falhar. Há algo no universo — Eu não sei, algum espírito, algum princípio — que vocês nunca vão superar.

— Você acredita em Deus, Winston?

— Não.

— Então o que é esse princípio que nos derrotará?

— Eu não sei. O espírito do homem.

— E você se considera um homem?

— Sim.

— Se você é um homem, Winston, você é o último homem. Sua espécie está extinta e nós somos os herdeiros. Você entende que está sozinho? Você está fora da história, você não existe. — Seu modo de falar mudou, e ele disse mais asperamente:

— E você se considera moralmente superior a nós, com nossas mentiras e nossa crueldade?

— Sim, eu me considero superior.

O'Brien não falou. Duas outras vozes estavam falando. Depois de um momento, Winston se deu conta de que uma das vozes era a dele próprio. Era uma gravação da conversa que tivera com O'Brien na noite em que se alistara na Irmandade. Ele ouviu sua própria voz prometendo mentir, roubar, forjar, assassinar, encorajar o uso de drogas e a prostituição, disseminar doenças venéreas, jogar vitríolo no rosto de uma criança. O'Brien fez um pequeno gesto impaciente, como se quisesse dizer que a demonstração não valia a pena. Então ele girou um interruptor e as vozes pararam.

— Levante-se dessa cama — disse ele.

As amarras se afrouxaram. Winston se abaixou até o chão e se levantou com dificuldade.

— Você é o último homem — disse O'Brien. — Você é o guardião do espírito humano. Você deve se ver como você é. Tire suas roupas.

Winston desamarrou o pedaço de barbante que prendia seu macacão. O zíper havia sido arrancado. Ele não conseguia se lembrar se em algum momento, desde a sua prisão, havia tirado todas as roupas de uma vez. Sob o macacão, seu corpo estava envolto em trapos imundos e amarelados, reconhecíveis apenas como sobras de roupas de baixo. Ao colocá-los no chão, viu que havia um espelho de três lados na outra extremidade da sala. Ele se aproximou e parou de repente. Um grito involuntário escapou dele.

— Vá em frente — disse O'Brien. — Fique entre as asas do espelho. Você deve ver a vista lateral, também.

Parou porque estava com medo. Uma coisa arqueada, de cor cinza, semelhante a um esqueleto, vinha em sua direção. Sua aparência real era assustadora, e não apenas pelo fato de que sabia que era ele mesmo. Aproximou-se do vidro. O rosto da criatura parecia se projetar, por causa de seu porte dobrado; o rosto de um carcereiro desamparado com uma testa nobre correndo para trás, em um couro cabeludo careca, um nariz torto e maçãs do rosto maltratadas, acima das quais seus olhos eram ferozes e vigilantes. As bochechas eram enrugadas, a boca parecia retraída. Certamente era seu próprio rosto, mas parecia-lhe que havia mudado mais do que por dentro. As emoções que ele registrou seriam diferentes das que ele sentia. Estava parcialmente careca. No primeiro momento, pensou que também tinha ficado grisalho, mas apenas o couro cabeludo estava grisalho. Exceto por suas mãos e um círculo de seu rosto, seu corpo estava todo cinza, com a sujeira antiga e enraizada. Aqui e ali, sob a terra, havia cicatrizes vermelhas de feridas, e, perto do tornozelo, a úlcera varicosa era uma massa inflamada com escamas de pele descascando. Mas o que era realmente assustador era o emaciado de seu corpo. O cano das costelas era tão estreito quanto o de um esqueleto: as pernas haviam encolhido de modo que os joelhos eram mais grossos do que as coxas. Ele viu, agora, o que O'Brien quisera dizer sobre ver a vista lateral. A curvatura da espinha era surpreendente. Os ombros magros estavam curvados para a frente, de modo a formar uma cavidade no peito, e o pescoço magro parecia dobrar-se sob o peso do crânio. Supondo-se que ele diria que era o corpo de um homem de sessenta anos, sofrendo de alguma doença maligna.

— Você já pensou, às vezes — disse O'Brien –, que meu rosto — o rosto de um membro do Partido Interno — parece velho e gasto. O que você acha do próprio rosto?

O'Brien agarrou o ombro de Winston e o girou para que ficasse de frente para ele.

— Olhe a condição em que você está! — disse ele. — Olhe para essa sujeira imunda por todo o seu corpo. Observe a sujeira entre os dedos dos pés. Olhe para aquela ferida nojenta na perna. Sabia que ela fede como uma cabra? Provavelmente você já parou de notar. Olhe como emagreceu. Você vê? Posso fazer meu polegar e indicador se encontrarem em volta do seu bíceps. Eu poderia quebrar seu pescoço como uma cenoura. Você sabe que perdeu vinte e cinco quilos desde que esteve em nossas mãos? Até o seu cabelo está caindo aos punhados. Olhe! — Ele puxou a cabeça de Winston e um tufo de cabelo. — Abra sua boca. Restam nove, dez, onze dentes. Quantos você tinha quando lhe prendemos? E os poucos que sobraram estão caindo sozinhos. Olhe aqui!

O'Brien agarrou um dos dentes da frente restantes de Winston entre o polegar e o indicador poderosos. Uma pontada de dor percorreu a mandíbula de Winston. O'Brien arrancou o dente solto pela raiz e o jogou pela cela.

— Você está apodrecendo — disse ele. — Você está caindo aos pedaços. O que você é? Um saco de sujeira. Agora, vire-se e olhe para aquele espelho novamente. Você vê aquela coisa à sua frente? Esse é o último homem. Se você é humano, isso é humanidade. Agora vista suas roupas novamente.

Winston começou a se vestir com movimentos lentos e rígidos. Até agora não havia notado o quão magro e fraco estava. Apenas um pensamento surgiu em sua mente: estava naquele lugar por mais tempo do que imaginava. Então, de repente, enquanto fixava os trapos miseráveis em torno de si, um sentimento de pena por seu corpo arruinado o dominou. Antes que ele soubesse o que estava fazendo, caiu em um banquinho ao lado da cama e começou a chorar. Estava ciente de sua feiura, de sua falta de graça, um feixe de ossos em roupas de baixo imundas sentado chorando sob a forte luz branca: mas não conseguia se conter. O'Brien colocou a mão em seu ombro, quase gentilmente.

— Não vai durar para sempre — disse ele. — Você pode escapar dele quando quiser. Tudo depende de você.

— Você conseguiu! — soluçou Winston. — Você me reduziu a este estado.

— Não, Winston, você se reduziu a isso. Isso é o que você aceitou quando se posicionou contra o Partido. Tudo estava contido naquele primeiro ato. Não aconteceu nada que você não tivesse previsto.

Ele fez uma pausa e continuou:

— Nós vencemos você, Winston. Partimos você. Você viu como é o seu corpo. Sua mente está no mesmo estado. Não acho que tenha sobrado em você motivo para orgulho. Você foi chutado, açoitado e insultado, gritou de dor, rolou no chão em seu próprio sangue e vômito. Você choramingou por misericórdia, traiu tudo e todos. Consegue pensar em uma única degradação que não aconteceu com você?

Winston havia parado de chorar, embora as lágrimas ainda escorressem de seus olhos. Ele olhou para O'Brien.

— Eu não traí a Julia — disse ele.

O'Brien olhou para ele pensativamente.

— Não... isso é perfeitamente verdade. Você não traiu a Julia.

A reverência peculiar por O'Brien, que nada parecia capaz de destruir, inundou o coração de Winston novamente. Que inteligente, pensou ele, que inteligente! O'Brien nunca deixava de entender o que fora dito a ele. Qualquer outra pessoa na Terra teria respondido prontamente que ele tinha traído Julia. Pois o que havia que eles não tivessem tirado dele sob tortura? Tinha lhes contado tudo o que sabia sobre ela, seus hábitos, seu caráter, sua vida passada; confessara nos mínimos detalhes tudo o que acontecera nas reuniões, tudo o que ele dissera a ela e ela a ele, suas refeições no mercado negro, seus adultérios, suas vagas tramas contra o Partido — tudo. E ainda, no sentido em que ele pretendia a palavra, ele não a tinha traído. Ele não tinha deixado de amá-la; seus sentimentos em relação a ela permaneciam os mesmos. O'Brien tinha visto o que ele queria dizer sem a necessidade de explicação.

— Diga-me, quando eles irão me matar?

— Pode levar muito tempo — respondeu O'Brien. — Você é um caso difícil. Mas não perca a esperança. Todo mundo se cura cedo ou tarde. No final, vamos matar você.

4

Winston estava muito melhor. Estava engordando e ficando mais forte a cada dia, se é que era possível falar em dias.

A luz branca e o zumbido eram os mesmos de sempre, mas a cela era um pouco mais confortável do que as outras em que estivera. Havia um travesseiro e um colchão na cama de tábua e um banquinho para sentar. Eles tinham lhe dado um banho e permitido que se lavasse com bastante frequência em uma bacia de estanho. Eles até tinham lhe dado água morna para se lavar. Haviam dado a ele roupas de baixo novas e um macacão limpo. Haviam curado sua úlcera varicosa com uma pomada calmante. Haviam arrancado os restos de seus dentes e dado a ele um novo conjunto de dentaduras.

Semanas ou meses deviam ter se passado. Teria sido possível agora contar a passagem do tempo, se ele tivesse sentido algum interesse em fazê-lo, uma vez que estava sendo alimentado em intervalos que pareciam regulares. Estava recebendo, julgou, três refeições a cada vinte e quatro horas; às vezes se perguntava vagamente se as estava obtendo de noite ou de dia. A comida era surpreendentemente boa, com carne a cada três refeições. Ganhara até um maço de cigarros. Não tinha fósforos, mas o guarda que nunca falava e que trazia sua comida os acendia. A primeira vez que tentou fumar, adoeceu, mas perseverou e fez o maço durar por muito tempo, fumando meio cigarro após cada refeição.

Eles tinham lhe dado uma lousa branca com um toco de lápis amarrado no canto. A princípio, ele não a usara. Mesmo quando estava acordado, ficava completamente entorpecido. Frequentemente ia de uma refeição para a seguinte quase sem se mexer, às vezes dormindo, às vezes acordando em vagos devaneios nos quais era muito difícil abrir os olhos. Ele havia se acostumado a dormir com uma luz forte no rosto. Parecia não fazer diferença, exceto que os sonhos eram mais coerentes. Sonhou muito durante todo esse tempo, e sempre foram sonhos felizes. Estava no País Dourado, ou estava sentado entre enormes e gloriosas ruínas iluminadas pelo sol, com sua mãe, com Julia, com O'Brien — sem fazer nada, apenas sentado ao sol, falando sobre coisas pacíficas. Os pensamentos que ele tinha quando estava acordado eram principalmente sobre seus sonhos. Parecia ter perdido o poder do esforço intelectual, agora que o estímulo da dor havia sido removido. Não estava entediado, não tinha desejo de conversa ou distração. Simplesmente estar sozinho, não ser espancado ou questionado, ter o suficiente para comer e estar completamente limpo era completamente satisfatório.

Aos poucos, passou a passar menos tempo dormindo, mas ainda não sentia nenhum impulso de sair da cama. Tudo o que importava era ficar quieto e sentir a força se acumulando em seu corpo. Ele se tocava aqui e ali, tentando ter certeza de que não era uma ilusão que seus músculos estavam ficando mais redondos e sua pele mais rígida. Finalmente percebeu, sem sombra de dúvida, que estava engordando: suas coxas estavam definitivamente mais grossas que seus joelhos. Depois disso, a princípio com relutância, começou a se exercitar regularmente. Em pouco tempo, conseguia andar três quilômetros, medidos pelo ritmo da cela, e seus ombros curvados estavam ficando mais retos. Ele tentou exercícios mais elaborados e ficou surpreso e humilhado ao descobrir as coisas que não conseguia fazer. Não conseguia sair de uma caminhada, não conseguia segurar seu banquinho com o braço estendido, não conseguia ficar em uma perna sem cair. Ele se agachou sobre os calcanhares e descobriu que, com dores agonizantes na coxa e na panturrilha, podia simplesmente se erguer até ficar em pé. Ele se deitou de barriga para baixo e tentou levantar o peso com as mãos. Era inútil, não conseguia se levantar um centímetro. Mas depois de mais alguns dias — mais algumas refeições –, até mesmo essa façanha realizou. Chegou um momento em que poderia fazer isso seis vezes consecutivas. Começou a ficar realmente orgulhoso de seu corpo e a acalentar uma crença intermitente de que seu rosto também estava voltando ao normal. Só quando, por acaso, colocou a mão na cabeça calva, lembrou-se do rosto enrugado e arruinado que o olhava pelo espelho.

Sua mente ficou mais ativa. Sentou-se na cama de prancha, com as costas contra a parede e a lousa sobre os joelhos, e começou a trabalhar deliberadamente na tarefa de se reeducar.

Havia capitulado, isso era indiscutível. A bem da verdade, agora percebia, estava pronto para a rendição muito antes de decidir-se. Desde o momento em que estava dentro do Ministério do Amor — e sim, mesmo durante aqueles minutos em que ele e Julia tinham ficado desamparados, enquanto a voz de ferro da teletela lhes dizia o que fazer, Winston compreendera sua futilidade, sua leviandade ao afrontar o poder do Partido. Sabia agora que fazia sete anos que a Polícia do Pensamento o observava, como se ele fosse um besouro debaixo de uma lupa. Não havia nenhum ato físico, nenhuma palavra falada em voz alta que não tivessem notado, nenhuma linha de pensamento que não tivessem conseguido inferir. Mesmo a partícula de poeira esbranquiçada na capa de seu diário haviam recolocado cuidadosamente. Eles haviam tocado trilhas sonoras para ele, mostrado fotos. Algumas delas eram fotos de Julia e dele mesmo. Sim, até isso... Ele não podia mais lutar contra o Partido. Além disso, o Partido tinha razão. As coisas deveriam ser daquele jeito. Como poderia o cérebro coletivo imortal estar enganado? Por qual padrão externo se poderiam verificar seus julgamentos? A sanidade era estatística. Era apenas uma questão de aprender a pensar como eles pensavam. Apenas...

O lápis parecia grosso e estranho em seus dedos. Começou a escrever os pensamentos que lhe vinham à cabeça. Escreveu primeiro em grandes letras maiúsculas desajeitadas:

LIBERDADE É ESCRAVIDÃO

Então, quase sem uma pausa, escreveu embaixo:

DOIS E DOIS SÃO CINCO

Mas, então, veio uma espécie de estalo. Sua mente, como se estivesse se esquivando de algo, parecia incapaz de se concentrar. Ele sabia que sabia o que viria a seguir, mas no momento não conseguia se lembrar. Quando finalmente se lembrou, foi apenas raciocinando conscientemente o que deveria ser: não veio por conta própria. Ele escreveu:

DEUS É PODER

Aceitava tudo. O passado era alterável. O passado nunca fora alterado. A Oceania estava em guerra com a Lestásia. A Oceania sempre estivera em guerra com a Lestásia. Jones, Aaronson e Rutherford eram culpados dos crimes de que haviam sido acusados. Ele nunca tinha visto a fotografia que refutava sua culpa. A foto não existia; ele a inventara. Ele se lembrava de ter lembrado de coisas contrárias, mas eram memórias falsas, produtos de autoengano. Como tudo era fácil! Apenas se rendam, e tudo o mais se seguirá. Era como nadar contra uma corrente que o puxava para trás, por mais que lutasse, e, de repente, decidir virar e seguir a corrente em vez de se opor a ela. Nada mudava, exceto sua própria atitude: a coisa predestinada aconteceria de qualquer maneira. Ele mal sabia por que havia se rebelado. Tudo era fácil, exceto...

Qualquer coisa poderia ser verdade. As chamadas leis da Natureza eram absurdas. A lei da gravidade era um absurdo.

— Se eu quisesse — disse O'Brien, — poderia flutuar neste chão como uma bolha de sabão.

Winston calculou:

— Se ele pensar que flutua do chão, e se eu simultaneamente pensar que o vejo fazer isso, então a coisa acontece.

De repente, como um amontoado de destroços submersos rompendo a superfície da água, o pensamento explodiu em sua mente: "É, realmente não acontece. Nós imaginamos isso. É alucinação." Ele reprimiu o pensamento instantaneamente. A falácia era óbvia. Pressupunha que em algum lugar ou outro, fora de si mesmo, havia um mundo "real", onde coisas "reais" aconteciam. Mas como poderia haver tal mundo? Que conhecimento temos de qualquer coisa, exceto por meio de nossas próprias mentes? Todos os acontecimentos estão na mente. O que quer que aconteça em todas as mentes, realmente acontece.

Winston não teve dificuldade em se livrar da falácia e não corria o risco de sucumbir a ela. Percebeu, no entanto, que isso nunca deveria ter ocorrido a ele. A mente deve desenvolver um ponto cego sempre que um pensamento perigoso se apresenta. O processo deve ser automático, instintivo. Paracrime, como chamavam em Novilíngua.

Começou a trabalhar para se exercitar no paracrime. Apresentava a si mesmo com proposições como "o Partido diz que a Terra é plana" e "o Partido diz que o gelo é mais pesado do que a água" e treinava para não ver ou não entender os argumentos que os contradiziam. Não era fácil. Exigia grande capacidade de raciocínio e improvisação. Os problemas aritméticos levantados, por exemplo, por uma declaração como "dois mais dois são cinco", estavam além de sua compreensão intelectual. Também precisava de uma espécie de atletismo mental, uma capacidade em um momento de fazer o uso mais delicado da lógica e, no momento seguinte, de não ter consciência dos erros lógicos mais cruéis. A estupidez era tão necessária e tão difícil de atingir quanto a inteligência.

Enquanto isso, com uma parte da mente, Winston se perguntava quanto tempo faltaria para a sua execução.

— Tudo depende de você — disse O'Brien. Mas ele sabia que não havia nenhum ato consciente que pudesse apressar as coisas. Podia ser dali a dez minutos ou dali a dez anos. Eles poderiam mantê-lo por anos confinado sozinho, poderiam mandá-lo para um campo de trabalhos forçados, poderiam soltá-lo por um tempo, como às vezes faziam. Era perfeitamente possível que, antes de ser executado, todo o drama de sua prisão e interrogatório fosse encenado novamente. A única coisa certa é que a morte nunca vinha no momento esperado. Tratava-se de um conhecimento velado: de alguma forma se sabia, embora nunca se tivesse ouvido falar, que tradicionalmente atiravam por trás, sempre na parte de trás da cabeça, sem aviso, enquanto se caminhava por um corredor de cela em cela.

Um dia — mas "um dia" poderia não ser a expressão adequada; podia muito bem ter sido no meio da noite — Winston caiu num devaneio estranho e feliz. Estava andando pelo corredor, esperando pela bala. Ele sabia que aconteceria em outro momento. Tudo estava resolvido, suavizado, reconciliado. Não havia mais dúvidas, não havia mais discussões, não havia mais dor, não havia mais medo. Seu corpo estava saudável e forte. Ele caminhava com facilidade, com uma alegria de movimento e a sensação de estar caminhando sob o sol. Não estava mais nos estreitos corredores brancos do Ministério do Amor, estava na enorme passagem iluminada pelo sol, de um quilômetro de largura, pela qual parecia caminhar no delírio induzido pelas drogas. Estava no País Dourado, seguindo a trilha que cruzava o velho pasto comido pelos coelhos. Podia sentir a grama curta e elástica sob seus pés e o sol suave em seu rosto. No limite do campo estavam os olmos, agitando-se levemente, e em algum lugar além deles estava o riacho onde os robalinhos nadavam nas poças verdes sob os salgueiros.

De repente, começou com um choque de horror. O suor brotou em sua coluna. Ouvira a própria voz, gritando:

— Julia! Julia! Julia, meu amor! Julia!

Por um momento, teve uma alucinação avassaladora de sua presença. Ela parecia estar não apenas com ele, mas dentro dele. Era como se ela tivesse penetrado na textura de sua pele. Naquele momento ele a amou muito mais do que jamais amara quando estavam juntos e livres. Winston também sabia que em algum lugar ela ainda estava viva e precisava de sua ajuda.

Ele se deitou na cama e tentou se recompor. O que havia acabado de fazer? Quantos anos havia adicionado à sua servidão naquele momento de fraqueza?

Em outro momento, ouviria o barulho de botas do lado de fora. Eles não podiam deixar tal explosão ficar impune. Eles sabiam agora, se já não soubessem antes, que ele estava quebrando o acordo que fizera com eles. Obedecia ao Partido, mas ainda odiava o Partido. Nos velhos tempos, havia escondido uma mente herética sob uma aparência de conformidade. Agora ele havia recuado um passo adiante: na mente, havia se rendido, mas esperava manter o coração interior inviolado. Ele sabia que estava errado, mas preferia estar errado. Eles entenderiam isso — O'Brien entenderia. Tudo fora confessado naquele único grito tolo.

Teria de começar tudo de novo. Isso poderia levar anos. Ele passou a mão pelo rosto, tentando se familiarizar com a nova forma. Havia sulcos profundos nas bochechas, as maçãs do rosto pareciam pontiagudas, o nariz achatado. Além disso, desde a última vez em que se viu no espelho, recebera uma dentição completamente nova. Não era fácil preservar a inescrutabilidade quando não se sabia como era o próprio rosto. Em qualquer caso, o mero controle dos recursos não era suficiente. Pela primeira vez ele percebeu que, se se quer guardar um segredo, também se deve escondê-lo de si mesmo. Deve-se saber o tempo todo que ele existe, mas, até que seja necessário, nunca se deve deixá-lo emergir em sua consciência em qualquer forma que possa receber um nome. De agora em diante, ele não deveria apenas pensar certo: deveria se sentir bem, sonhar bem. E o tempo todo deveria manter seu ódio trancado dentro de si como uma bola de matéria que era parte de si mesmo e ainda não conectada com o resto dele mesmo, uma espécie de cisto.

Um dia eles decidiriam executá-lo. Não se sabia quando isso aconteceria, mas deveria ser possível de se adivinhar alguns segundos antes. Era sempre por trás, andando por um corredor. Dez segundos seriam suficientes. Nesse tempo, o mundo dentro dele poderia virar do avesso. E então, de repente, sem uma palavra pronunciada, sem um freio em seus passos, sem a mudança de uma linha em seu rosto — de repente a camuflagem cairia e bang! As baterias de seu ódio dispalariam. O ódio o encheria como uma enorme chama rugindo. E, quase no mesmo instante, bang! O gatilho seria apertado, tarde demais, ou cedo demais, muito tarde ou muito cedo. Eles teriam explodido seu cérebro em pedaços antes que pudessem recuperá-lo. O pensamento herético ficaria impune, sem arrependimento, fora de seu alcance para sempre. Eles teriam feito um buraco em sua própria perfeição. Morrer odiando-os, isso era liberdade.

Winston fechou os olhos. Era mais difícil do que aceitar uma disciplina intelectual.

Tratava-se de degradar-se, mutilar-se. Ele teve de mergulhar na mais imunda das imundícies. Qual era a coisa mais horrível e doentia de todas?

Ele pensou no Grande Irmão. O rosto enorme (por vê-lo constantemente em cartazes, sempre pensara que tivesse um metro de largura), com seu bigode preto e pesado e os olhos que o seguiam de um lado para outro, parecia flutuar em sua mente por conta própria. Quais eram seus verdadeiros sentimentos em relação ao Grande Irmão?

Ouvia-se um barulho pesado de botas marchando. A porta de aço se abriu com um estrondo. O'Brien entrou na cela. Atrás dele estavam o oficial de rosto pálido e os guardas de uniforme preto.

— Levante-se — disse O'Brien. — Venha aqui.

Winston ficou de frente para ele. O'Brien segurou os ombros de Winston entre suas mãos fortes e olhou para ele de perto.

— Você teve pensamentos de me enganar — disse ele. — Isso foi estúpido. Fique mais ereto. Olhe na minha cara.

Ele fez uma pausa e continuou, em um tom mais gentil:

— Você está melhorando. Intelectualmente, há muito pouco errado com você. É apenas emocionalmente que você falhou em fazer progresso. Diga-me, Winston — e lembre-se, sem mentiras: você sabe que sempre sou capaz de detectar uma mentira — diga-me, quais são seus verdadeiros sentimentos em relação ao Grande Irmão?

— Eu o odeio.

— Você o odeia. Bom. Então chegou a hora de dar o último passo. Você deve amar o Grande Irmão. Não é suficiente obedecer a ele: você deve amá-lo.

O'Brien soltou Winston com um pequeno empurrão em direção aos guardas.

— Quarto 101 — disse ele.

5

Em cada estágio de sua prisão, ele sabia, ou parecia saber, seu próprio paradeiro no prédio sem janelas. Possivelmente, havia pequenas diferenças na pressão do ar. As celas onde os guardas o tinham espancado ficavam abaixo do nível do solo. A sala onde ele fora interrogado por O'Brien ficava no alto, perto do telhado. Esse lugar ficava a muitos metros de profundidade, o mais fundo possível.

Era maior do que a maioria das celas em que estivera. Mas ele mal percebeu o que estava ao seu redor. Tudo o que percebeu foi que havia duas mesinhas bem na sua frente, cada uma coberta com baeta verde. Um estava a apenas um ou dois metros dele, o outro estava mais longe, perto da porta. Ele estava amarrado ereto em uma cadeira, com tanta força que não conseguia mover nada, nem mesmo a cabeça. Uma espécie de almofada segurava sua cabeça por trás, forçando-o a olhar diretamente para a sua frente.

Por um momento ele ficou sozinho, então a porta se abriu e O'Brien entrou.

— Você me perguntou uma vez — disse O'Brien — o que havia no quarto 101. Eu disse que você já sabia a resposta. Todo mundo sabe disso. O que está na sala 101 é a pior coisa do mundo.

A porta se abriu novamente. Um guarda entrou, carregando algo feito de arame, uma caixa ou cesta de algum tipo. Ele o colocou na outra mesa. Por causa da posição em que O'Brien estava, Winston não conseguia ver o que era.

— A pior coisa do mundo — disse O'Brien — varia de indivíduo para indivíduo. Pode ser sepultamento vivo, ou morte pelo fogo, ou por afogamento, ou por empalamento, ou cinquenta outros tipos de mortes. Há casos em que é algo bastante trivial, nem mesmo fatal.

Ele havia se movido um pouco para o lado, para que Winston pudesse ver melhor a coisa sobre a mesa. Era uma gaiola de arame oblonga com uma alça no topo para carregá-la. Fixado na frente estava algo que parecia uma máscara de esgrima, com o lado côncavo para fora. Embora estivesse a três ou quatro metros de distância dele, ele podia ver que a gaiola estava dividida ao longo do comprimento em dois compartimentos, e que havia algum tipo de criatura em cada um. Eram ratos.

— No seu caso — disse O'Brien, — a pior coisa do mundo são os ratos.

Uma espécie de tremor premonitório, um medo de que ele não soubesse o quê, havia passado por Winston assim que teve o primeiro vislumbre da gaiola. Mas, nesse momento, o significado do anexo em forma de máscara na frente dele de repente se afundou nele. Suas entranhas pareceram se transformar em água.

— Você não pode fazer isso! — ele gritou, com uma voz alta e rachada. — Você não pode, não pode! É impossível!

— Você se lembra — disse O'Brien — do momento de pânico que costumava ocorrer em seus sonhos? Havia uma parede de escuridão à sua frente e um som estrondoso em seus ouvidos. Havia algo terrível do outro lado da parede. Você sabia que sabia o que era, mas não ousou arrastá-la para fora. Eram os ratos que estavam do outro lado da parede.

— O'Brien! — disse Winston, fazendo um esforço para controlar a voz. — Você sabe que isso não é necessário. O que você quer que eu faça?

O'Brien não respondeu diretamente. Quando ele falou, foi com a maneira professoral que às vezes gostava de adotar. Ele olhou pensativamente para a distância, como se estivesse se dirigindo a um público em algum lugar pelas costas de Winston.

— Por si só — disse — a dor nem sempre é suficiente. Há ocasiões em que um ser humano resiste à dor até a morte, sem se entregar. Mas para todos existe algo insuportável — algo que não pode ser contemplado. Coragem e covardia não estão envolvidas. Se você está caindo de uma altura elevada, não é covarde agarrar-se a uma corda. Se você saiu de águas profundas, não é covarde encher os pulmões de ar. É apenas um instinto que não pode ser destruído. É o mesmo com os ratos. Para você, eles são insuportáveis. São uma forma de pressão que você não pode suportar, mesmo que deseje. Você fará o que for exigido de você.

— Mas o que quer que eu faça? Como posso fazer se não sei o que você quer?

O'Brien pegou a gaiola e trouxe-a para a mesa mais próxima. Ele a colocou cuidadosamente no pano de feltro. Winston podia ouvir o sangue cantando em seus ouvidos. Ele teve a sensação de estar sentado em total solidão. Estava no meio de uma grande planície vazia, um deserto plano banhado pela luz do sol, através do qual todos os sons vinham de distâncias imensas. No entanto, a gaiola com os ratos não estava a dois metros de distância dele. Eram ratos enormes. Estavam na idade em que o focinho de um rato se torna cego e feroz e seu pelo é marrom em vez de cinza.

— O rato — disse O'Brien, ainda se dirigindo ao seu público invisível –, embora seja um roedor, é carnívoro. Você sabe disso. Você deve ter ouvido falar das coisas que acontecem nos bairros pobres desta cidade. Em algumas ruas, as mulheres não ousam deixar seu filho sozinho em casa, mesmo que por cinco minutos. Os ratos certamente o atacarão. Dentro de um curto espaço de tempo, eles vão rasgá-lo até os ossos. Eles também atacam pessoas doentes ou moribundas. Eles mostram uma inteligência surpreendente em saber quando um ser humano está indefeso.

Houve uma explosão de gritos vindos da gaiola. Parecia chegar a Winston de muito longe. Os ratos estavam lutando, tentando chegar um ao outro através da partição. Ele ouviu também um gemido profundo de desespero. Isso também parecia vir de fora dele.

O'Brien pegou a gaiola e, ao fazê-lo, pressionou algo nela. Houve um clique agudo. Winston fez um esforço frenético para se soltar da cadeira. Era inútil: cada parte dele, até mesmo sua cabeça, era mantida imóvel. O'Brien aproximou a gaiola. Estava a menos de um metro do rosto de Winston.

— Pressionei a primeira alavanca — disse O'Brien. — Você entende a construção dessa gaiola? A máscara se ajusta à sua cabeça, sem deixar saída. Quando pressiono essa outra alavanca, a porta da gaiola desliza para cima. Esses brutos famintos vão disparar para fora como balas. Já viu um rato pular no ar? Eles saltarão para o seu rosto e penetrarão diretamente nele. Às vezes atacam os olhos primeiro. Às vezes se enterram nas bochechas e devoram a língua.

A gaiola estava mais perto. Estava se aproximando. Winston ouviu uma sucessão de gritos estridentes que pareciam ocorrer no ar acima de sua cabeça. Mas ele lutou furiosamente contra seu pânico. Pensar, pensar, mesmo com uma fração de segundo restante — pensar era a única esperança. De repente, o fedorento odor de mofo dos animais atingiu suas narinas. Houve uma violenta convulsão de náusea dentro de si, e ele quase perdeu a consciência. Tudo ficou preto. Por um instante ficou louco, um animal gritando. Contudo, regressou da escuridão com uma ideia. Havia uma e somente uma maneira de se salvar. Precisava introduzir o corpo de outro ser humano, entre si mesmo e os ratos.

O círculo da máscara era grande o suficiente agora para bloquear a visão de qualquer outra coisa. A porta da gaiola estava a um par de palmos de seu rosto. Os ratos sabiam o que estava por vir agora. Um deles estava pulando para cima e para baixo, o outro, um velho avô escamoso dos esgotos, levantou-se, com as mãos rosadas apoiadas nas grades, e farejou o ar com ferocidade. Winston podia ver os bigodes e os dentes amarelos. De novo, o pânico total se apoderou dele. Estava cego, indefeso, insano.

— Era uma punição comum na China Imperial — disse O'Brien, didático como sempre.

A máscara estava fechando em seu rosto. O arame roçava sua bochecha. E então — não, não era alívio, apenas esperança, um pequeno fragmento de esperança. Tarde demais, talvez tarde demais. Mas de repente entendeu que no mundo inteiro havia apenas uma pessoa a quem ele poderia transferir sua punição — um corpo que ele poderia colocar entre si e os ratos. E ele gritava freneticamente, sem parar.

— Faça isso com Julia! Faça isso com Julia! Eu não! Julia! Eu não me importo com o que você faz com ela. Rasgue o rosto dela, que a roam até os ossos. Eu não! Julia! Eu não!

Estava caindo para trás, em enormes profundezas, longe dos ratos. Ainda estava amarrado à cadeira, mas havia caído do chão, das paredes do prédio, da terra, dos oceanos, da atmosfera, do espaço sideral, nos abismos entre as estrelas — sempre longe, muito longe dos ratos. Estava a anos-luz de distância, mas O'Brien ainda estava ao seu lado. Ainda havia o toque frio do arame em sua bochecha. Mas através da escuridão que o envolvia ele ouviu outro barulho metálico e percebeu que a porta da gaiola havia se fechado.

6

O Café estava quase vazio. Um raio de sol inclinado através de uma janela incidia sobre tampos de mesa empoeirados. Era a hora solitária das quinze. Uma música metálica escorria das teletelas.

Winston estava sentado em seu canto habitual, olhando para um copo vazio. De vez em quando ele erguia os olhos para um rosto vasto que o observava da parede oposta. "O Grande Irmão está observando você", dizia a legenda. Espontaneamente, um garçom veio e encheu seu copo com Gin Victory, despejando nele algumas gotas de outra garrafa com a rolha atravessada por um tubinho. Era sacarina aromatizada com cravo, a especialidade do café.

Winston estava ouvindo a teletela. No momento só se ouvia música, mas havia a possibilidade de a qualquer momento sair um boletim especial do Ministério da Paz. As notícias da frente africana eram extremamente inquietantes. Ao longo do dia, volta e meia pensava naquilo. Um exército eurasiano (a Oceania estava em guerra com a Eurásia: a Oceania sempre estivera em guerra com a Eurásia) movia-se para o sul a uma velocidade assustadora. O boletim do meio-dia não mencionava nenhuma área definida, mas era provável que já a foz do Congo fosse um campo de batalha. Brazzaville e Leopoldville estavam em perigo. Não era preciso olhar o mapa para ver o que significava. Não se tratava apenas de perder a África Central: pela primeira vez em toda a guerra, o próprio território da Oceania estava ameaçado.

Uma emoção violenta, não exatamente medo, mas uma espécie de excitação indiferenciada, acendeu-se nele, depois se desvaneceu novamente. Ele parou de pensar na guerra. Naquela época, nunca conseguia fixar sua mente em um único assunto por mais do que alguns minutos de cada vez. Ele pegou seu copo e o esvaziou em um gole. Como sempre, o gim o fez estremecer e até vomitar levemente. Aquela bebida era horrível. Os cravos-da-índia e a sacarina, eles próprios nojentos à sua maneira doentia, não conseguiam disfarçar o cheiro oleoso. O pior de tudo era o odor do gim, que permanecia noite e dia com ele e que, em sua cabeça, estava inextricavelmente misturado com o fedor daqueles...

Winston nunca os nomeava, nem em pensamento, e, até onde fosse possível, jamais os visualizava. Eles eram uma coisa que percebia quase inconscientemente, flutuando junto a seu rosto, um fedor que se agarrava às suas narinas. Quando o gim subiu, arrotou através dos lábios roxos. Havia engordado desde que o soltaram e havia recuperado sua antiga cor — na verdade, mais do que recuperado. Suas feições haviam engrossado, a pele do nariz e das maçãs do rosto estavam grosseiramente vermelhas, até o couro cabeludo careca era de um rosa muito intenso. Um garçom, novamente sem ser convidado, trouxe o tabuleiro de xadrez e a edição atual do Times, com a página virada para o problema do xadrez. Então, vendo que o copo de Winston estava vazio, trouxe a garrafa de gim e a encheu. Não havia necessidade de dar ordens. Eles conheciam seus hábitos. O tabuleiro de xadrez estava sempre esperando por ele, sua mesa de canto sempre estava reservada; mesmo quando o lugar estava cheio, ele a tinha para si, já que ninguém queria ser visto sentado perto dele. Ele nunca se preocupava em contar suas bebidas. Em intervalos irregulares, apresentavam-lhe um pedaço de papel sujo que diziam ser a conta, mas ele tinha a impressão de que sempre cobravam menos. Não teria importância se lhe cobrassem a mais. Agora andava com o bolso cheio de dinheiro. Tinha até um cargo, uma sinecura, que lhe rendia um salário mais alto que seu antigo emprego.

A música da teletela parou, e uma voz assumiu. Winston ergueu a cabeça para ouvir. No entanto, não era nenhum boletim. Era apenas um breve anúncio do Ministério da Abundância. No trimestre anterior, ao que parecia, a cota do Décimo Plano Trienal para cadarços havia sido excedida em 98 por cento.

Winston examinou o problema de xadrez e espalhou as peças no tabuleiro. Era uma final difícil, envolvendo dois cavalos.

— Jogue as brancas. Mate em dois lances.

Winston olhou para o retrato do Grande Irmão. As brancas sempre dão xeque-mate, ele pensou, com uma espécie de misticismo nebuloso. O arranjo era sempre esse, sem exceção. Em nenhum problema de xadrez, desde o início do mundo, as pretas jamais tinham vencido. Não simbolizava o triunfo eterno e invariável do Bem sobre o Mal? O rosto enorme lhe devolvia o olhar. As brancas sempre davam o xeque-mate.

A voz da teletela fez uma pausa e acrescentou, em um tom diferente e muito mais grave:

— Estão todos convocados para um anúncio importante às quinze e trinta. Quinze e trinta! Será uma notícia da mais alta importância. Não percam! Quinze e trinta!

A música tilintante começou novamente.

O coração de Winston se agitou. Era provavelmente o boletim com informações do fronte. Seu instinto previa más notícias. Durante todo o dia, com pequenos surtos de excitação, a ideia de uma derrota caótica na África de vez em quando invadia seus pensamentos. Ele parecia realmente ver o exército eurasiano fervilhando através da fronteira nunca quebrada e caindo na ponta da África como uma coluna de formigas. Por que não era possível flanqueá-los de alguma forma? O contorno da costa da África Ocidental destacava-se vividamente em sua mente. Ele pegou o cavalo branco e moveu-o através do tabuleiro. Aquela era a posição certa. Mesmo enquanto ele via a horda negra correndo para o sul, viu outra força, misteriosamente montada, de repente plantada em sua retaguarda, cortando suas comunicações por terra e mar. Ele sentiu que, ao desejar, estava trazendo aquela outra força à existência. Mas era preciso agir rápido. Se conseguissem o controle de toda a África, se tivessem aeródromos e bases de submarinos no Cabo, isso partiria a Oceania em duas. Poderia significar qualquer coisa: derrota, colapso, a redivisão do mundo, a destruição do Partido! Respirou fundo. Uma extraordinária mistura de sentimentos — não exatamente uma mistura; ao contrário, eram camadas sucessivas de sentimento, nas quais não se podia dizer qual era a mais profunda — lutava dentro dele.

O espasmo passou. Colocou o cavalo branco de volta em seu lugar, mas no momento não conseguia se acomodar a um estudo sério do problema do xadrez. Seus pensamentos vagavam novamente. Quase inconscientemente, traçou com o dedo na poeira sobre a mesa:

2 + 2 = 5

— Eles não podem entrar em você — dissera Julia, mas eles podiam, sim. — O que acontece com você aqui é para sempre — dissera O'Brien. Isso era verdade. Havia coisas, seus próprios atos, das quais nunca se poderia se recuperar. Algo era destruído — queimado, cauterizado — em seu peito.

Winston vira Julia; inclusive falara com ela. Não havia perigo nisso. Ele sabia, instintivamente, que agora quase não tinham interesse pela conduta dele. Ele poderia ter combinado de se encontrar com ela uma segunda vez, se algum deles quisesse. Na verdade, haviam se encontrado por acaso. Fora no Parque, num dia horrível de março, quando a terra era como ferro e toda a grama parecia morta e não havia nenhum broto à vista, exceto alguns açafrões que haviam brotado, para serem desmembrados pelo vento. Ele estava correndo com as mãos congeladas e os olhos lacrimejantes quando a viu a menos de dez metros de distância. Percebeu imediatamente que ela havia mudado e sua fisionomia parecia um pouco estranha. Passaram um pelo outro quase sem se dar conta; ele deu meia-volta e foi atrás dela sem muito entusiasmo. Sabia que não havia perigo, ninguém estava prestando muita atenção nele. Ela não falou nada, apenas se afastou obliquamente pela grama como se tentasse se livrar dele, mas depois pareceu resignar-se a tê-lo ao seu lado. No momento estavam entre um grupo de arbustos sem muitas folhas, que seria inútil como esconderijo ou como proteção do vento. Eles pararam. Fazia muito frio. O vento assobiava através dos galhos e irritava os ocasionais açafrões de aparência suja. Winston passou o braço pela cintura dela.

Não havia teletela, mas devia haver microfones escondidos: além disso, eles podiam ser vistos. Não importava, nada importava. Eles poderiam ter se deitado no chão e feito aquilo, se quisessem. Winston gelou de horror diante da ideia. Julia, por sua vez, não esboçou reação ao ser envolta pelo braço dele — sequer tentou se soltar. Ele então percebeu o que havia mudado nela. Seu rosto estava mais pálido, com uma longa cicatriz, parcialmente escondida pelo cabelo, na testa e na têmpora; mas essa não fora a mudança. Sua cintura tinha ficado mais grossa e, de uma forma surpreendente, enrijecera. Ele se lembrou de como uma vez, após a explosão de uma bomba-foguete, ele ajudara a tirar um cadáver de algumas ruínas, e ficara surpreso não só com o incrível peso da coisa, mas com sua rigidez e dificuldade de manuseio, o que fizera parecer mais pedra do que carne. Seu corpo parecia assim. Ocorreu-lhe que a textura da pele dela parecia bem diferente do que uma vez fora.

Não tentou beijá-la, nem ao menos se falaram. Enquanto caminhavam de volta pela grama, ela olhou diretamente para ele pela primeira vez. Foi apenas um olhar momentâneo, cheio de desprezo e antipatia. Ele se perguntou se era uma aversão puramente do passado ou se era inspirada também por seu rosto inchado e a água que o vento continuava extraindo de seus olhos. Sentaram-se em duas cadeiras de ferro, lado a lado, mas não muito próximas. Winston percebeu que ela estava prestes a falar. Ela moveu seu sapato desajeitado alguns centímetros e deliberadamente esmagou um galho. Seus pés pareciam ter ficado mais largos, ele notou.

— Eu traí você — disse ela, sem rodeios.

— Eu traí você — disse ele.

Julia o olhou novamente com antipatia.

— Às vezes — disse ela, — eles o ameaçam com algo que não se pode enfrentar, nem mesmo imaginar. E então você diz: "Não faça isso comigo, faça isso com outra pessoa, faça isso com fulano". E talvez você possa fingir, depois, que foi apenas um truque e que tenha dito isso somente para fazê-los parar. Mas isso não é verdade. No momento em que está acontecendo, você está sendo sincero. Acha que não há outra maneira de se salvar e está pronto para se salvar dessa forma. Você quer que aconteça com a outra pessoa. Você não liga se a outra pessoa sofra. Você só se preocupa consigo mesmo.

— Tudo com o que você se importa é você mesmo — ele repetiu.

— Depois disso, você não sente mais o mesmo pela outra pessoa.

— Não — confirmou ele. — Você não sente o mesmo.

Não parecia haver mais nada a dizer. O vento colava seus macacões finos contra o corpo. Quase imediatamente se tornou constrangedor ficar sentado em silêncio: além disso, estava frio demais para ficar quieto. Julia disse algo sobre pegar o metrô e se levantou para sair.

— Nos encontraremos novamente — disse ele.

— Sim — disse ela. — Nos encontraremos novamente.

Ele a seguiu irresolutamente por uma pequena distância, meio passo atrás dela. Não falaram mais nada. Ela não tentou realmente se livrar dele, mas caminhou a uma velocidade que impedia que se mantivesse a par dela. Winston havia decidido que a acompanharia até a estação de metrô, mas de repente esse processo de se arrastar no frio lhe parecia inútil e insuportável.

Foi dominado por um desejo não tanto de se afastar de Julia, mas de voltar para o Café Chestnut Tree, que nunca parecera tão atraente como naquele momento. Teve uma visão nostálgica de sua mesa de canto, com o jornal, o tabuleiro de xadrez e o gim sempre fluindo. Acima de tudo, estaria quente lá dentro. No momento seguinte, não totalmente por acidente, permitiu-se ser separado dela por um pequeno grupo de pessoas. Fez uma tentativa tímida de alcançá-la, então diminuiu a velocidade, virou-se e partiu na direção oposta. Depois de percorrer cinquenta metros, olhou para trás. A rua não estava lotada, mas ele já não conseguia distingui-la. Qualquer uma entre uma dúzia de figuras apressadas poderia ser dela. Talvez seu corpo engrossado e enrijecido não fosse mais reconhecível por trás.

— No momento em que está acontecendo — ela tinha dito, você está sendo sincero.

Ele não se limitara a dizer aquilo, desejava para valer. Ele desejara que ela, e não ele, fosse entregue aos...

Algo mudou na música que saía da teletela. Uma nota rachada e zombeteira, uma nota amarela, entrou nele. E então — talvez não estivesse acontecendo, talvez fosse apenas uma memória adquirindo a aparência de som — uma voz cantava:

Debaixo do castanheiro que se espalha
Eu traí você e você me traiu...

As lágrimas brotaram de seus olhos. Um garçom que passava percebeu que seu copo estava vazio e voltou com a garrafa de gim.

Winston pegou seu copo e cheirou. A cada gole que dava, a bebida parecia não menos do que mais horrível, só que ela se tornara o elemento em que ele flutuava. Era sua vida, sua morte e sua ressurreição. Era o gim que todas as noites o fazia mergulhar no estupor, o gim que todas as manhãs o fazia levantar. Quando ele acordava, raramente antes das onze, com as pálpebras grudadas e a boca de fogo e as costas que pareciam quebradas, seria impossível até mesmo se levantar da horizontal, não fosse pela garrafa e xícara colocadas ao lado do cama durante a noite. Durante o meio-dia, ficava sentado com o rosto vidrado, a garrafa à mão, ouvindo a teletela. Às três da tarde chegava ao Café Chestnut, de onde só saía quando o café fechava as portas. Ninguém se importava mais com o que ele fazia, nenhum apito o despertava, nenhuma teletela o advertia. Ocasionalmente, talvez duas vezes por semana, ia a um escritório empoeirado e de aparência esquecida no Ministério da Verdade e fazia um pequeno trabalho, ou o que era chamado de trabalho. Havia sido nomeado para um subcomitê de um subcomitê que brotara de um dos inúmeros comitês que lidavam com pequenas dificuldades que surgiam na compilação da Décima Primeira Edição do Dicionário de Novilíngua. Eles estavam empenhados em produzir algo chamado Relatório Provisório, mas o que estavam relatando ele nunca soube definitivamente. Tinha a ver com a questão de saber se as vírgulas deveriam ser colocadas entre colchetes ou fora. Havia quatro outros no comitê, todos pessoas semelhantes a ele. Havia dias em que se reuniam e então prontamente se dispersavam novamente, admitindo francamente um ao outro que de fato não havia nada a ser feito. Mas houve outros dias em que eles se estabeleceram em seu trabalho quase ansiosamente, fazendo um tremendo show ao registrar suas atas e redigir longos memorandos que nunca eram concluídos — quando a discussão sobre o que eles supostamente estavam discutindo se tornou extraordinariamente envolvente e obscura, com sutis discussões sobre definições, enormes digressões, brigas — até mesmo ameaças de apelar a uma autoridade superior. E então, de repente, a vida deles se esvaía e se sentavam em volta da mesa, olhando-se com olhos extintos, como fantasmas desaparecendo ao cantar do galo.

A teletela ficou em silêncio por um momento. Winston ergueu a cabeça novamente. O boletim! Mas não, estavam apenas mudando a música. Viu o mapa da África por trás das pálpebras. O movimento dos exércitos era um diagrama: uma seta preta indo verticalmente para o sul e uma seta branca horizontalmente para o leste, cruzando a extremidade posterior da primeira. Como que para se tranquilizar, ele ergueu os olhos para o rosto imperturbável do retrato. Era concebível que a segunda flecha nem existisse?

Seu interesse diminuiu novamente. Bebeu outro gole de gim, pegou o cavaleiro branco e fez uma tentativa de movimento. Xeque. Mas, evidentemente, não havia sido o movimento certo, porque...

Sem ser chamada, uma memória surgiu em sua mente. Viu um quarto iluminado por velas com uma vasta cama com colcha branca, e ele mesmo, um menino de nove ou dez anos, sentado no chão, sacudindo uma caixa de dados e rindo, animado. Sua mãe estava sentada à sua frente, também rindo.

Devia ter sido cerca de um mês antes de ela desaparecer. Fora um momento de reconciliação, quando a fome persistente em seu estômago havia sido esquecida e sua afeição anterior por ela havia temporariamente revivido. Ele se lembrava bem daquele dia, um dia chuvoso em que a água escorria pela vidraça e a luz dentro de casa era opaca demais para que pudessem se dedicar à leitura. O tédio das duas crianças no quarto escuro e apertado tornou-se insuportável. Winston gemia e gritava, fazia exigências inúteis de comida, não parava quieto e tirava tudo do lugar, chutando os lambris até que os vizinhos batessem na parede, enquanto a criança chorava intermitentemente. No final, a mãe dele disse:

— Agora se comporte bem, que vou comprar um brinquedo para você. Um brinquedo lindo, que você vai adorar.

E então ela saiu na chuva, a uma pequena loja que ainda estava aberta esporadicamente nas proximidades, e voltou com uma caixa de papelão contendo um jogo de Snakes & Ladders. Ele ainda conseguia se lembrar do cheiro do papelão úmido. Era um jogo horrível. O tabuleiro estava rachado, e os pequenos dados de madeira estavam tão mal cortados que dificilmente parariam em um lado. Winston olhou para aquela coisa mal-humorado e sem interesse. Mas então sua mãe acendeu um pedaço de vela e eles se sentaram no chão para brincar. Logo ele estava animado e gritando de tanto rir, enquanto as peças subiam pelas escadas e então desciam, deslizando pelas cobras novamente, quase ao ponto de partida. Eles jogaram oito partidas, ganhando quatro cada. Sua irmãzinha, muito jovem para entender do que se tratava o jogo, sentou-se encostada em um travesseiro, rindo porque os outros estavam rindo. Durante uma tarde inteira foram felizes juntos, como em sua infância.

Winston expulsou a imagem de sua mente. Era uma memória falsa. Era importunado ocasionalmente por falsas memórias. Não tinham importância quando a pessoa sabia de que se tratava. Algumas coisas tinham acontecido, outras não. Ele voltou para o tabuleiro de xadrez e pegou o cavalo branco novamente. Quase no mesmo instante, a peça caiu no tabuleiro, fazendo um estrondo. Ele deu um pulo, como se tivesse sido espetado por um alfinete.

Um toque estridente de trombeta perfurou o ar. Era o boletim! Vitória! Sempre significava vitória quando um toque de trombeta precedia as notícias. Uma espécie de vibração elétrica percorreu o café. Até os garçons se assustaram e aguçaram os ouvidos.

O toque da trombeta havia feito um barulho enorme. Uma voz animada já estava tagarelando na teletela, mas, ao começar, quase foi abafada por um rugido de aplausos de fora. A notícia correu pelas ruas como mágica. Ele conseguia ouvir o suficiente do que saía da teletela para perceber que tudo havia acontecido, como previra: uma vasta armada marítima montara secretamente um golpe repentino na retaguarda do inimigo, a flecha branca rasgando a cauda do negro. Fragmentos de frases triunfantes atravessaram o barulho: "Vasta manobra estratégica — coordenação perfeita — derrota total — meio milhão de prisioneiros — desmoralização completa — controle de toda a África — traga a guerra a uma distância mensurável de seu fim — vitória — a maior vitória da história humana — vitória, vitória, vitória!"

Debaixo da mesa, os pés de Winston faziam movimentos convulsivos. Ele não havia se mexido de seu assento, mas em sua mente estava correndo, correndo rapidamente, estava com a multidão lá fora, urrando de alegria. Ele ergueu os olhos novamente para o retrato do Grande Irmão. O colosso que dominava o mundo! A rocha contra a qual as hordas da Ásia haviam se chocado em vão! Ele pensou que dez minutos atrás — sim, apenas dez minutos — ainda havia um equívoco em seu coração enquanto ele se perguntava se as notícias do fronte seriam de vitória ou derrota. Ah, havia sido mais do que um exército eurasiano que perecera! Muita coisa havia mudado nele desde aquele primeiro dia no Ministério do Amor, mas a mudança final e indispensável de cura acontecera mesmo naquele momento.

A voz da teletela ainda contava sua história de prisioneiros, saques e massacres, no entanto a gritaria lá fora havia diminuído um pouco. Os garçons estavam voltando ao trabalho. Um deles se aproximou com a garrafa de gim. Winston, sentado em um sonho feliz, não prestou atenção enquanto enchiam seu copo. Já não urrava de felicidade. Estava de volta ao Ministério do Amor, com tudo perdoado, sua alma branca como a neve. Estava no banco dos réus, em praça pública, confessando tudo e comprometendo todos. Estava atravessando o corredor de ladrilhos brancos, com a sensação de caminhar à luz do sol, com um guarda armado às suas costas. A tão esperada bala perfurava-lhe o cérebro.

Ele olhou para o rosto enorme. Quarenta anos levara para aprender que tipo de sorriso estava escondido sob o bigode escuro. Ó cruel e desnecessário mal-entendido! Ó teimoso e obstinado exílio do seio amoroso! Duas lágrimas com cheiro de gim escorreram pelas laterais de seu nariz. Mas estava tudo bem, estava tudo bem, a luta estava encerrada. Ele conquistara a vitória sobre si mesmo. Ele amava o Grande Irmão.

APÊNDICE

Os Princípios da Novilíngua

A Novilíngua era a língua oficial da Oceania e fora planejada para atender às necessidades ideológicas do Socing, ou socialismo inglês. No ano de 1984 ainda não havia ninguém que usasse a Novilíngua como único meio de comunicação, fosse na fala ou na escrita. Os principais artigos do Times eram escritos nela, mas era um *tour de force* que só especialistas conseguiam executar. Previa-se que a Novilíngua tivesse substituído completamente a Velhafala (ou inglês padrão, como deveríamos chamá-la) por volta do ano 2050. Enquanto isso, ela ganhava terreno de forma constante, todos os membros do Partido tendiam a usar palavras e construções gramaticais em Novilíngua cada vez mais em seu discurso diário. A versão em uso em 1984, e incorporada na Nona e Décima Edições do Dicionário Novilíngua, era provisória e continha muitas palavras supérfluas e formações arcaicas que seriam suprimidas posteriormente. Nos preocuparemos aqui com a versão final aperfeiçoada, incorporada na Décima Primeira Edição do Dicionário.

O propósito da Novilíngua não era apenas fornecer um meio de expressão para a visão de mundo e os hábitos mentais próprios dos devotos do Socing, mas tornar impossíveis todas as demais formas de pensamento. Pretendia-se que, quando a Novilíngua fosse adotada de uma vez por todas e a Velhafala fosse esquecida, um pensamento herético — isto é, um pensamento divergente dos princípios do Socing — fosse literalmente impensável, pelo menos na medida em que o pensamento dependesse das palavras. Seu vocabulário foi construído de modo a dar uma expressão exata e muitas vezes muito sutil a todos os significados que um membro do Partido pudesse desejar expressar apropriadamente, enquanto excluía todos os outros significados e a possibilidade de chegar a eles por métodos indiretos. Isso foi feito em parte pela invenção de novas palavras, mas principalmente pela eliminação de palavras indesejáveis e pela remoção de significados não ortodoxos e, na medida do possível, de todos os significados secundários. Para dar um único exemplo. A palavra "livre" ainda existia em Novilíngua, mas só poderia ser usada em declarações como "Este cão está livre de piolhos" ou "Este campo está livre de ervas daninhas". Não poderia ser usado em seu antigo sentido de "politicamente livre" ou "intelectualmente livre", uma vez que a liberdade política e intelectual não existia mais nem mesmo como conceito e, portanto, era necessariamente anônima. À parte da supressão de palavras definitivamente heréticas, a redução do vocabulário era considerada um fim em si mesmo, e nenhuma palavra que pudesse ser dispensada era permitida sobreviver. A Novilíngua foi projetada não para ampliar, mas para diminuir a gama de pensamento, e esse propósito era indiretamente auxiliado pela redução da escolha de palavras ao mínimo.

A Novilíngua foi fundada na língua inglesa como a conhecemos agora, embora muitas frases em Novilíngua, mesmo quando não contivessem palavras recém-criadas, fossem dificilmente inteligíveis para um falante do inglês de nossos dias. As palavras em Novilíngua eram divididas em três classes distintas, conhecidas como vocabulário A, vocabulário B (também chamado de palavras compostas) e vocabulário C. Será mais simples discutir cada classe separadamente, mas as peculiaridades gramaticais da língua podem ser tratadas na seção dedicada ao vocabulário A, uma vez que as mesmas regras valem para as três categorias.

O VOCABULÁRIO A. Incluíam-se aqui as palavras necessárias para os negócios da vida cotidiana — coisas como comer, beber, trabalhar, vestir-se, subir e descer escadas, andar de veículos, cuidar do jardim, cozinhar e assim por diante. Era composto quase inteiramente de palavras que já possuímos, como bater, correr, cão, **árvore**, açúcar, casa, campo, mas, em comparação com o vocabulário inglês atual, seu número era extremamente pequeno, enquanto seus significados muito mais rigidamente definidos. Todas as ambiguidades e nuances de significado haviam sido eliminadas. Tanto quanto poderia ser alcançado, uma palavra Novilíngua dessa classe era simplesmente um som *staccato* expressando um conceito claramente compreendido. Teria sido praticamente impossível usar o vocabulário A com propósitos literários ou em discussões políticas e filosóficas. A intenção era apenas expressar pensamentos simples e intencionais, geralmente envolvendo objetos concretos ou ações físicas.

A gramática da Novilíngua tinha duas peculiaridades marcantes. A primeira delas era uma intercambialidade quase completa entre diferentes classes gramaticais. Qualquer palavra na língua (em princípio, isso se aplicava até mesmo a muitas palavras abstratas como se ou quando) poderia ser usada como verbo, substantivo, adjetivo ou advérbio. Entre o verbo e a forma substantiva, quando eram da mesma raiz, nunca havia variação, e essa regra por si mesma envolvia a destruição de diversas formas arcaicas. A palavra pensamento, por exemplo, não existia na Novilíngua. Seu lugar foi ocupado por pensar, que cumpria tanto o substantivo quanto o verbo. A opção por uma ou outra forma não obedecia a nenhum princípio etimológico: em alguns casos, era o substantivo original que era escolhido para retenção e, em outros casos, o verbo. Mesmo quando um substantivo e verbo de significado semelhante não estavam etimologicamente conectados, um ou outro deles era frequentemente suprimido. Não havia, por exemplo, palavra como cortar, sendo seu significado suficientemente coberto pelo substantivo-verbo faca. Os adjetivos eram formados adicionando o sufixo -oso ao substantivo-verbo, e os advérbios adicionando -mente. Assim, por exemplo, velocidadoso significa "rápido" e velocidademente significa "depressa". Alguns dos nossos adjetivos atuais, como bom, forte, grande, preto, suave, foram mantidos, mas seu número total era muito pequeno. Havia pouca necessidade deles, uma vez que quase qualquer significado adjetival poderia ser alcançado adicionando-os a um substantivo-verbo. Nenhum dos advérbios agora existentes foi mantido, exceto por alguns que já terminavam em -mente: a terminação -mente era invariável. A palavra bem, por exemplo, foi substituída por bommente.

  Além disso, qualquer palavra — isso novamente aplicado em princípio a todas as palavras do idioma — poderia ser negada pela adição do afixo des- ou ser reforçada pelo afixo mais-, ou, para ênfase ainda maior, duplomais-. Assim, por exemplo, desfrio significava "quente", enquanto maisfrio e duplomaisfrio significavam, respectivamente, "muito frio" e "extremamente frio". Também era possível, como no inglês atual, modificar o significado de quase todas as palavras por afixos preposicionais, como ante-, pós-, sobre-, sub- etc. Dessa forma, era possível diminuir muito o vocabulário. Dada, por exemplo, a palavra bom, não havia necessidade de existir uma palavra como ruim, pois o sentido por ela veiculado seria tão bem ou ainda mais bem expresso com desbom. Tudo o que era necessário, em qualquer caso em que duas palavras formassem um par natural de opostos, era decidir qual delas suprimir. Escuro, por exemplo, podia ser substituído por desclaro; ou claro por desescuro.

A segunda marca distintiva da gramática da Novilíngua era a sua regularidade. Tirando algumas exceções que são mencionadas a seguir, todas as inflexões seguiram as mesmas regras. Assim, em todos os verbos, o pretérito e o particípio passado eram iguais. Todos os plurais eram feitos adicionando -s ou -es conforme o caso. A comparação dos adjetivos foi feita invariavelmente pela adição de um sufixo.

As flexões irregulares só foram preservadas no caso dos pronomes relativos e demonstrativos e dos verbos auxiliares, que continuaram a ser empregados de acordo com as regras do inglês padrão. Também havia certas irregularidades na formação de palavras decorrentes da necessidade de fala rápida e fácil. Uma palavra difícil de pronunciar, ou passível de ser ouvida incorretamente, era considerada *ipso facto* um palavrão; ocasionalmente, portanto, por uma questão de eufonia, letras extras eram inseridas em uma palavra ou uma formação arcaica era mantida. Mas essa necessidade se fazia necessária principalmente em conexão com o vocabulário B. Por que tamanha importância foi atribuída à facilidade de pronúncia ficará claro logo mais neste ensaio.

O VOCABULÁRIO B. O vocabulário B consistia em palavras deliberadamente construídas para fins políticos, isto é, palavras que não apenas tinham em todos os casos uma implicação política, mas pretendiam impor uma atitude mental desejável a quem as utilizava. Sem uma compreensão total dos princípios do Socing, era difícil usar essas palavras corretamente. Em alguns casos, podiam ser traduzidos para a Velhafala ou mesmo em palavras já tiradas do vocabulário A, no entanto isso geralmente exigia uma longa paráfrase e sempre envolvia a perda de certos tons. As palavras B eram uma espécie de taquigrafia verbal, muitas vezes agrupando toda uma gama de ideias em algumas sílabas e, ao mesmo tempo, mais precisas e convincentes do que a linguagem comum.

As palavras do vocabulário B eram em todos os casos palavras compostas. (Palavras compostas, como ditógrafo, eram naturalmente encontradas no vocabulário A, mas eram apenas abreviações convenientes e não tinham viés ideológico especial.) Elas consistiam em duas ou mais palavras, ou porções de palavras, unidas facilmente em uma forma pronunciável. O amálgama resultante sempre era um verbo-substantivo, flexionado de acordo com as regras comuns. Para dar um único exemplo: a palavra bompensar, que significa, *grosso modo*, "ortodoxia" ou, se alguém quiser considerá-la um verbo, "pensar de uma maneira ortodoxa". O vocábulo era flexionado da seguinte maneira: substantivo-verbo, benepensar; particípio, benepensado; gerúndio, benepensando; adjetivo, benepensivo; advérbio, benepensadamente; substantivo deverbal, benepensador.

As palavras B não foram construídas em nenhum plano etimológico. As palavras que as compunham podiam ser quaisquer classes gramaticais e podiam ser colocadas em qualquer ordem, mutiladas de qualquer maneira que as tornasse fáceis de pronunciar, indicando sua derivação. Na palavra crimepensar (crime de pensamento), por exemplo, o "pensar" vem em segundo lugar, enquanto em pensapol (Polícia do Pensamento) vem primeiro, e na última palavra "polícia" perdeu as últimas sílabas. Devido à grande dificuldade em garantir a eufonia, as formações irregulares eram mais comuns no vocabulário B do que no vocabulário A. Por exemplo, as palavras Miniver, Minipaz e Miniamor eram adjetivadas como minivero, minimanso e minterno, pois essas formas eram menos estranhas e tinham uma pronúncia mais simples do que miniverdadoso, minipazoso e miniamoroso. Em princípio, porém, todas as palavras do vocabulário B podiam ser flexionadas e todas eram flexionadas da mesma maneira.

Algumas das palavras incluídas no vocabulário B tinham significados altamente sutis, dificilmente inteligíveis para quem não dominava a língua como um todo. Considere, por exemplo, uma frase típica de um artigo principal do Times, como Velhopensantes ventresentem Socing. A tradução mais curta que se poderia fazer em Velhafala seria: "Aqueles cujas ideias foram formadas antes da Revolução não podem ter uma compreensão emocional completa dos princípios do socialismo inglês". Mas essa não é uma tradução adequada. Para começar, para compreender o sentido pleno da frase Novilíngua citada, seria necessário ter uma ideia clara do que se entende por Socing. Além disso, apenas uma pessoa totalmente fundamentada no Socing poderia apreciar toda a força da palavra ventresentir, que implicava uma aceitação cega e entusiástica, difícil de imaginar hoje; ou da palavra velhopensar, inextricavelmente misturada com a ideia de maldade e decadência. Mas a função especial de certas palavras de Novilíngua, das quais velhopensar era uma, não era tanto expressar significados quanto destruí--los. Essas palavras, necessariamente poucas em número, tiveram seus significados estendidos até que contiveram em si mesmas baterias inteiras de palavras que, por estarem suficientemente cobertas por um único termo abrangente, poderiam agora ser descartadas e esquecidas. A maior dificuldade enfrentada pelos compiladores do Dicionário de Novilíngua não era inventar palavras novas, mas, tendo-as inventado, ter certeza do que significavam: certificar-se, isto é, de que palavras estariam sendo anuladas com a presença dessas novas.

Como já vimos no caso da palavra livre, palavras que antes carregavam um significado herético às vezes eram retidas por uma questão de conveniência, mas apenas com os significados indesejáveis delas eliminados. Inúmeras outras palavras, como honra, justiça, moralidade, internacionalismo, democracia, ciência e religião, simplesmente deixaram de existir. Algumas palavras gerais as cobriram e, ao cobri--las, as aboliram. Todas as palavras agrupadas em torno dos conceitos de liberdade e igualdade, por exemplo, estavam contidas na única palavra crimepensar, enquanto todas as agrupadas em torno dos conceitos de objetividade e racionalismo estavam contidas na única palavra velhopensar. Mais precisão que isso teria sido perigoso. O que era exigido de um membro do Partido era uma perspectiva semelhante à do antigo hebreu que sabia, sem saber muito mais, que todas as nações, exceto a sua, adoravam "falsos deuses". Ele não precisava saber que esses deuses eram chamados de Baal, Osíris, Moloch, Astarote e outros: provavelmente, quanto menos se soubesse sobre eles, melhor para a ortodoxia. Ele conhecia Jeová e os mandamentos de Jeová: sabia, portanto, que todos os deuses com outros nomes ou outros atributos eram falsos deuses. Mais ou menos da mesma forma, o membro do partido sabia o que constituía uma conduta correta e, em termos excessivamente vagos e generalizados, sabia que tipos de desvio eram possíveis. Sua vida sexual, por exemplo, era inteiramente regulada pelas duas palavras da Novilíngua sexocrime (imoralidade sexual) e benesexo (castidade). Sexocrime incluía todos os delitos sexuais de qualquer natureza. Incluía fornicação, adultério, homossexualidade e outras perversões e, além disso, relações sexuais normais praticadas por si mesmas. Não havia necessidade de enumerá-los separadamente, uma vez que eram todos igualmente culpados e, em princípio, puníveis com a morte. No vocabulário C, que consistia em palavras científicas e técnicas, pode ser necessário dar nomes especializados a certas aberrações sexuais, mas o cidadão comum não precisava deles. Ele sabia o que significava benesexo — isto é, relações normais entre marido e mulher, com o único propósito de gerar filhos, sem prazer físico por parte da mulher: tudo o mais era sexocrime. Em Novilíngua raramente era possível seguir um pensamento herético além da percepção de que era herético: além desse ponto, as palavras necessárias eram inexistentes.

Nenhuma palavra no vocabulário B era ideologicamente neutra. Muitas eram eufemismos. O significado de palavras como campofolia (campo de trabalhos forçados) ou Minipaz (Ministério da Paz, isto é, Ministério da Guerra) era quase exatamente o inverso do que elas pareciam significar. Algumas palavras, por outro lado, revelavam uma compreensão franca e desdenhosa da real natureza da sociedade oceânica. Um exemplo era alimenproleta, que significava o entretenimento ruim e as notícias espúrias que o Partido distribuía às massas. Outras palavras, novamente, eram ambivalentes, tendo a conotação de "bom" quando aplicado ao Partido e "mau" quando aplicado a seus inimigos. Mas, além disso, havia um grande número de palavras que à primeira vista pareciam meras abreviaturas e que derivavam sua cor ideológica não de seu significado, mas de sua estrutura.

Na medida em que pudesse ser planejado, tudo o que tinha ou poderia ter significado político de qualquer tipo se encaixava no vocabulário B. O nome de cada organização, ou corpo de pessoas, ou doutrina, ou país, ou instituição, ou prédio público, era invariavelmente cortado na forma familiar; ou seja, uma única palavra facilmente pronunciada com o menor número de sílabas que preservariam a derivação original. No Ministério da Verdade, por exemplo, o Departamento de Registros, em que Winston Smith trabalhava, chamava-se Dereg, o Departamento de Ficção se chamava Defic, o Departamento de Teleprogramas se chamava Detele e assim por diante. Isso não era feito apenas com o objetivo de economizar tempo. Mesmo nas primeiras décadas do século XX, palavras e frases telescópicas eram um dos traços característicos da linguagem política, e notava-se que a tendência de usar abreviações desse tipo era mais acentuada em países totalitários e organizações totalitárias. Exemplos são palavras como nazi, Gestapo, Comintern, Imprecorr, agitprop. No início, a prática tinha sido adotada instintivamente, mas em Novilíngua era usada com um propósito consciente. Percebeu-se que, ao abreviar um nome dessa maneira, estreitava-se e sutilmente alterava-se seu significado, eliminando a maioria das associações que de outra forma se apegariam a ele. As palavras Internacional Comunista, por exemplo, evocam uma imagem composta de fraternidade humana universal, bandeiras vermelhas, barricadas, Karl Marx e a Comuna de Paris. A palavra comintern, por outro lado, sugere apenas uma organização coesa e um corpo de doutrina bem definido. Refere-se a algo quase tão facilmente reconhecido, e tão limitado em propósito, como uma cadeira ou uma mesa. Comintern é uma palavra que pode ser pronunciada quase sem pensar, enquanto Internacional Comunista é uma frase sobre a qual se é obrigado a demorar pelo menos momentaneamente. Da mesma forma, as associações convocadas por uma palavra como Miniver são em menor número e mais controláveis do que aquelas convocadas pelo Ministério da Verdade. Isso explicava não apenas o hábito de abreviar sempre que possível, mas também o cuidado quase excessivo que era tomado para tornar cada palavra facilmente pronunciável.

Em Novilíngua, excluída a preocupação com a exatidão de sentido, a eufonia superava todas as demais considerações. A regularidade da gramática sempre era sacrificada em seu favor quando necessário. E com razão, uma vez que o que era necessário, acima de tudo para fins políticos, eram palavras curtas e recortadas de significado inconfundível, que podiam ser proferidas rapidamente e despertavam o mínimo de ecos na mente do orador. As palavras do vocabulário B ganharam força pelo fato de quase todas serem muito parecidas. Quase invariavelmente essas palavras eram dissílabas ou trissílabas, com o acento distribuído igualmente entre a primeira e a última sílaba. O uso delas encorajava um estilo de fala tagarela, ao mesmo tempo *staccato* e monótono. E era exatamente essa a intenção: fazer com que o discurso, especialmente o discurso sobre qualquer assunto não ideologicamente neutro, fosse o mais independente possível da consciência.

Para os fins da vida cotidiana, era sem dúvida necessário, ou às vezes necessário, refletir antes de falar, mas um membro do Partido chamado a fazer um julgamento político ou ético deveria ser capaz de espalhar as opiniões corretas tão automaticamente quanto um tiro de metralhadora diante de balas. Seu treinamento o capacitava para isso, a linguagem dava-lhe um instrumento quase infalível, e a textura das palavras, com seu som áspero e certa feiura intencional acordada com o espírito de Socing, ajudava ainda mais o processo.

O mesmo acontecia com o fato de haver poucas palavras para escolher. Em relação ao nosso, o vocabulário de Novilíngua era minúsculo, e novas maneiras de reduzi-lo estavam constantemente sendo inventadas. Na verdade, a Novilíngua diferia da maioria das outras línguas porque seu vocabulário ficava menor em vez de maior a cada ano. Cada redução era um ganho, pois, quanto menor a área de escolha, menor a tentação de pensar. Em última análise, esperava-se que a fala articulada saísse da laringe sem envolver os centros superiores do cérebro. Esse objetivo era claramente admitido na palavra Novilíngua patofala, que significa "grasnar como um pato". Como várias outras palavras do vocabulário B, patofala tinha um significado ambivalente.

Contanto que as opiniões que fossem grasnadas fossem ortodoxas, não implicava nada além de elogios, e, quando o Times se referia a um dos oradores do Partido como um patofalante duplomaisbom, estava prestando um elogio caloroso e valioso.

O VOCABULÁRIO C. O vocabulário C era complementar aos demais e consistia inteiramente em termos científicos e técnicos. Estes se assemelhavam aos termos científicos em uso hoje e foram construídos a partir das mesmas raízes, mas o cuidado usual foi tomado para defini-los rigidamente e despojá-los de significados indesejáveis. Seguiram as mesmas regras gramaticais que as palavras nos outros dois vocabulários. Muito poucas das palavras do vocabulário C tiveram qualquer aceitação, fosse no discurso do dia a dia ou no discurso político. Qualquer cientista ou técnico poderia encontrar todas as palavras de que precisava na lista dedicada à sua especialidade, mas raramente tinha mais do que um punhado de palavras que ocorriam nas outras listas. Poucas palavras eram comuns a todas as listas, e não havia vocabulário que expressasse a função da Ciência como um hábito da mente, ou um método de pensamento, independentemente de sua particularidade. Na verdade, não havia nenhuma palavra para Ciência, qualquer significado que pudesse suportar já era suficientemente coberto pela palavra Socing.

Do relato anterior, ver-se-á que em Novilíngua a expressão de opiniões heterodoxas, acima de um nível muito baixo, era quase impossível. É claro que era possível proferir heresias de um tipo muito grosseiro, uma espécie de blasfêmia. Teria sido possível, por exemplo, dizer que o Grande Irmão não era bom. Mas essa afirmação, que para um ouvido ortodoxo apenas transmitia um claro absurdo, não poderia ter sido sustentada por um argumento racional, porque as palavras necessárias não estavam disponíveis. Ideias inimigas do Socing só podiam ser entretidas em uma forma vaga e sem palavras, e só podiam ser nomeadas em termos muito amplos que agrupavam e condenavam grupos inteiros de heresias sem defini-los ao fazê-lo. Na verdade, só se poderia usar Novilíngua para propósitos pouco ortodoxos, traduzindo ilegitimamente algumas das palavras de volta para a Velhafala. Por exemplo, todos os homens são iguais era uma possível frase em Novilíngua, mas apenas no mesmo sentido de que todos os homens são ruivos. Não continha um erro gramatical, mas expressava uma inverdade palpável — ou seja, todos os homens têm o mesmo tamanho, peso ou força. O conceito de igualdade política não existia mais, e esse significado secundário foi eliminado da palavra igualdade. Em 1984, quando a Velhafala ainda era o meio normal de comunicação, teoricamente existia o perigo de que, ao usar palavras em Novilíngua, alguém pudesse lembrar seus significados originais. Na prática, não era difícil para uma pessoa bem fundamentada em duplipensar evitar fazer isso, mas, dentro de algumas gerações, até mesmo a possibilidade de tal lapso teria desaparecido. Uma pessoa que cresceu com a Novilíngua como única língua não saberia que igual já teve o significado secundário de "politicamente igual", ou que livre já significou "intelectualmente livre", e que, por exemplo, uma pessoa que nunca ouviu falar em xadrez estaria ciente dos significados secundários associados a rainha e torre. Haveria muitos crimes e erros que estariam além de sua capacidade de cometer, simplesmente porque eram anônimos e, portanto, inimagináveis. E era de se prever que, com o passar do tempo, as características distintivas da Novilíngua se tornassem cada vez mais pronunciadas — suas palavras cada vez menos, seus significados mais e mais rígidos, e a chance de colocá-los em usos indevidos sempre diminuindo.

Quando a Velhafala fosse substituída de uma vez por todas, o último elo com o passado teria sido rompido. A história já havia sido reescrita, mas fragmentos da literatura do passado sobreviveriam aqui e ali, censurados de forma imperfeita, e enquanto alguém retivesse o conhecimento da língua antiga seria possível lê-los. No futuro, esses fragmentos, mesmo que sobrevivessem, seriam ininteligíveis e intraduzíveis. Era impossível traduzir qualquer passagem de Velhafala para Novilíngua, a menos que se referisse a algum processo técnico ou ação cotidiana muito simples, ou já fosse ortodoxa (benepensar seria a expressão Novilíngua) em tendência. Na prática, isso significava que nenhum livro escrito antes de aproximadamente 1960 poderia ser traduzido como um todo. A literatura pré-revolucionária só poderia ser submetida à tradução ideológica — isto é, alteração tanto de sentido quanto de linguagem. Tomemos por exemplo a passagem bem conhecida da Declaração de Independência:

> *Consideramos por si só evidentes as seguintes verdades: que todos os homens são criados iguais, que seu Criador os dota de certos direitos inalienáveis, que entre eles estão o direito à vida, à liberdade e à busca da felicidade. Que, para melhor garantir esses direitos, instituem-se entre os homens Governos, cujo poder deriva do consentimento dos governados. Que toda vez que uma forma de governo se torna prejudicial à consecução desses fins, é direito do Povo alterá-la ou aboli-la e instituir um novo Governo...*

Teria sido totalmente impossível traduzir isso em Novilíngua mantendo o sentido original. O mais próximo que se poderia chegar de fazer isso seria engolir toda a passagem em uma única palavra: crimepensar. Uma tradução completa só poderia ser uma tradução ideológica, por meio da qual as palavras de Jefferson seriam transformadas em um panegírico sobre governo absoluto.

    Na verdade, boa parte da literatura do passado já estava sendo transformada dessa maneira. Considerações de prestígio tornavam desejável preservar a memória de certas figuras históricas, ao mesmo tempo que alinhava suas realizações com a filosofia do Socing. Vários escritores, como Shakespeare, Milton, Swift, Byron, Dickens e alguns outros, estavam, portanto, em processo de tradução: quando a tarefa tivesse sido concluída, seus escritos originais, com tudo o mais que sobreviveu da literatura do passado, seriam destruídos. Essas traduções representavam um trabalho lento e difícil, e não se esperava que fossem concluídas antes da primeira ou segunda década do século XXI. Havia também uma grande quantidade de literatura meramente utilitária — manuais técnicos indispensáveis e coisas do gênero — que precisava ser tratada da mesma maneira. Foi principalmente para dar tempo ao trabalho preliminar de tradução que a adoção final da Novilíngua foi fixada apenas para o ano de 2050.

O AUTOR

Eric Arthur Blair, conhecido como George Orwell, nasceu em Motihari, no norte da Índia, em 1903.

Filho de um oficial britânico à serviço da Coroa e da filha de um comerciante de Myanmar, se mudou para a cidade inglesa de Sussex com sua família em 1911, quando ingressou em um internato preparatório e, posteriormente, foi aceito em duas escolas de elite: Winchester e Eton. Ao terminar o ensino médio, resolveu, contudo, não seguir com os estudos universitários e sim a tradição familiar de servir ao exército.

Orwell serviu à Polícia Imperial da Índia por cinco anos, o que talvez despertou seu ódio pelo imperialismo britânico. Em 1927, Orwell decidiu abandonar a carreira militar para se tornar escritor e escreveu seus primeiros rascunhos entre 1928 e 1929 em Paris, onde viveu em situação precária devido à falta de estabilidade financeira.

Em 1933, depois de lançar seu primeiro livro, Na pior em paris e Londres, já sob o pseudônimo de George Orwell, voltou à vida de combatente, lutando inclusive na Guerra Civil Espanhola.

Entre idas e vindas, publicou, nas décadas seguintes, romances, ensaios e textos jornalísticos, incluindo suas mais famosas obras 1984 e A revolução dos bichos.

Orwell morreu no dia 21 de janeiro de 1950, aos 46 anos, em Londres, por causa de um quadro de tuberculose e está enterrado na Igreja Anglicana All Saint's Churchyard, com as inscrições Eric Arthur Blair apenas, sem nenhum vestígio de seu pseudônimo.

INFORMAÇÕES SOBRE NOSSAS PUBLICAÇÕES
E ÚLTIMOS LANÇAMENTOS

instagram.com/pandorgaeditora

facebook.com/editorapandorga

editorapandorga.com.br